Nicole Grünert

Namibias faszinierende Geologie

Ein Reisehandbuch

www.k-hess-verlag.de

2. Auflage 2000
3., überarbeitete und erweiterte Auflage 2003
4. Auflage 2005
5. Auflage 2007
6. Auflage 2008
7. vollständig überarbeitete, neu gestaltete Auflage 2013
8. Auflage 2015
9. Auflage 2019
10. Auflage 2022
11. Auflage 2024

Namibia: ISBN 978-99916-747-7-3
Deutschland: ISBN 978-3-933117-12-0

Nicole Grünert

Namibias faszinierende Geologie

Ein Reisehandbuch

Klaus Hess Verlag

Vorwort der Autorin

Namibia ist geologisch unbestreitbar eines der interessantesten Länder der Welt. Hier findet der Besucher die älteste Wüste, einen der größten Canyons, die höchsten Wüstendünen und den größten Eisen-Meteoriten. Neben diesen Superlativen bietet Namibia zusätzlich eine große Vielfalt weniger bekannter, aber ebenso faszinierender erdkundlicher Sehenswürdigkeiten.

Schon auf den ersten Blick prägen geologische Erscheinungen den Charakter des Landes. Die besonders scharf und deutlich zu Tage tretenden Formationen erlauben den Einblick in eine Entwicklungsgeschichte, die von der Gegenwart bis zu den Anfängen unserer Erde zurückreicht. Als Relikte dieser uralten Geschichte zeugen Namibias hochinteressante Gesteine, bizarre Felsbildungen und wunderschöne Landschaften von allen bedeutenden geologischen Prozessen: Von der immerwährenden Verwitterung und Abtragung, von riesigen Gebirgsauffaltungen und Meeresüberflutungen bis hin zu gigantischen Vulkanen und der Kollision ganzer Kontinente. Darüber hinaus erzählen die steinernen Zeugnisse von allen denkbaren klimatischen Extremen, denen Namibia in seiner wechselvollen Geschichte unterworfen war: von Eiszeiten und subpolaren Bedingungen bis hin zu tropisch-feuchter Wärme und roten, heiß-trockenen Wüsten. Aus all diesen Gründen stellt Namibia sowohl für professionelle Geowissenschaftler als auch für Hobby-Geologen und interessierte Laien ein einzigartiges „geologisches Eldorado“ dar.

Trotz des Reichtums an erdkundlichen Sehenswürdigkeiten und der großen Nachfrage durch den ständig wachsenden Touristenstrom gab es bis vor wenigen Jahren leider keine allgemein zugängliche Informationsquelle, welche die geologischen Schätze Namibias auch dem Laien nahebringen konnte. Das vorliegende Buch füllt diese Lücke. Es gibt der weitaus überwiegenden Zahl der Nicht-Geologen unter den Besuchern Namibias nun die Möglichkeit, eine Reihe der interessantesten Geo-Attraktionen des Landes gezielt aufzusuchen und diese mit Hilfe klarer Erläuterungen und Abbildungen wirklich zu verstehen. Durch das gewonnene Verständnis für die Zusammenhänge und Ursachen wird deutlich, dass jedes geologische Objekt, vom kleinsten Gesteinsbruchstück bis hin zur weiten Landschaft, eine eigene, oft dramatische Geschichte aus der Ur-Zeit der Erde erzählen kann. Das Buch soll dem interessierten Besucher diese Geschichte so allgemeinverständlich wie möglich nahebringen und gleichzeitig die Dynamik und Spannung der zugrunde liegenden Prozesse verdeutlichen. Was vorher vielleicht nur eine optisch interessante Felsformation war, die kurz „abgehakt“ wurde, kann sich beim Lesen dieses Buches als ein einzigartiges Zeugnis gigantischer und oft weltbewegender Vorgänge darstellen, die das Gesicht der Erde veränderten und die Stellung des Menschen in geologischen Dimensionen verdeutlichen.

Es ist das Ziel dieses Spezial-Reiseführers, dem Leser die ganze Faszination der Geologie zu vermitteln und den Geo-Tourismus als relativ junge Form der Natur- und Erlebnis-Safaris in Namibia zu unterstützen. In diesem Zusammenhang richtet sich das Buch auch an die namibischen Safari-Leiter, die ihre geologischen Kenntnisse verbessern möchten.

Wie so oft in der Naturkunde weckt erst das neu erworbene Grundverständnis für Ursachen und Zusammenhänge den „Forschertrieb" im Menschen. Das Buch soll dem Leser deshalb auch eine Anregung geben, nicht nur die enthaltenen Erklärungen vor Ort praktisch nachzuvollziehen, sondern auch eigene Beobachtungen zu machen. Wer dabei seine Liebe zur Geologie entdeckt und tiefer in ihre „Geheimnisse" eindringen will, der kann auf speziellen Geo-Safaris die ganze Spannbreite der Geologie Namibias im Detail kennenlernen und erkunden.

Danksagung

Ich möchte mich bei all denjenigen bedanken, die zur Fertigstellung dieses Geo-Reiseführers seit der ersten Auflage im Jahre 1999 beigetragen haben. Hinsichtlich der Durchsicht des ursprünglichen Manuskripts gebührt Prof. Dr. Hubertus Porada von der Universität Göttingen als langjährigem Kenner Namibias sowie Dr. Wulf Hegenberger vom Geologischen Landesamt Namibias mein besonderer Dank. Ursula Kutzner (†) danke ich für die tatkräftige Hilfe bei der Literaturarbeit in der Bibliothek des Geologischen Amtes. Prof. Dr. Uwe Jäschke, seine Kartographie-Studentinnen und -Studenten der HTW Dresden sowie Johanna Eifrig haben im Rahmen eines Projektes die Zeichnungen der Abbildungen und Karten in die druckreife Form gebracht, dafür bedanke ich mich bei allen Beteiligten recht herzlich. Ein besonders herzlicher Dank gebührt dem leider 2012 verstorbenen Explorations-Geologen Ken Hart, der sowohl zahlreiche Abbildungen in diesem Buch entworfen hat, als auch als Gesprächspartner für geologische Fragestellungen über viele Jahre zur Verfügung stand.

Bei Winfried Werzmirzowsky, Weltenbummler und Fotograf, bedanke ich mich für die Bereitstellung eindrucksvoller Fotos. Ich möchte auch Dipl. Geol. Marco Grünert in die Danksagung einschließen, der als Lektor der deutschen Fassung der ersten Auflage tätig war und somit zur Fertigstellung dieses geologischen Reiseführers beigetragen hat.

Vorwort zur siebten Auflage

Geologie ist eine dynamische Wissenschaft. Der Wissensstand schreitet stetig voran. Neue Erkenntnisse kommen hinzu, während alte Thesen verworfen werden. Da ich den vorliegenden Geologie-Reiseführer auf dem neuesten Stand der Wissenschaft halten möchte, wurde diese erweiterte siebte Auflage notwendig. Für Stellungnahmen der namibischen und internationalen Leserschaft möchte ich mich an dieser Stelle bedanken, da nur auf diese Weise ein optimaler Reiseführer zur Geologie Namibias für die wichtigste Person, den Leser, entstehen kann. Die Aufnahme zusätzlicher geologischer Sehenswürdigkeiten, die sich aufgrund geologischer, geographischer oder touristischer Gründe ergaben, rundet das Buch weiter ab, ohne dessen Rahmen zu sprengen. Durch diese Neuauflage ergab sich zudem die Möglichkeit, das Layout zu überarbeiten und das gesamte Buch farbig zu gestalten. Mein besonderer Dank gilt in diesem Zusammenhang meinem Verleger, Klaus Hess, der diese Neuauflage ermöglichte und sozusagen ein „neues" Buch produziert hat. Vielen Dank auch Noreen Hirschfeld, die für die Neugestaltung des Layouts verantwortlich ist.

Ich wünsche Ihnen viel Spaß, sowohl beim Lesen als auch beim Entdecken im Gelände.

Nicole Ulrich-Grünert

Zur Benutzung des Buches

Die Behandlung aller geologischen Attraktionen Namibias würde den Rahmen eines einzigen Buches sprengen. Aus diesem Grund werden in diesem Band nur die Sehenswürdigkeiten behandelt, die für einen breiten Besucherkreis von Interesse sind und die gut zugänglich an den meist befahrenen Routen liegen. Darüber hinaus konzentrieren sich die ausgewählten Geo-Attraktionen überwiegend auf Nationalparks oder öffentlich zugängliche Landesteile.

Dieses Buch richtet sich konsequent an geologisch interessierte Laien und Hobby-Geologen ohne akademischen Hintergrund. Aus diesem Grund wurde der Gebrauch von Fachwörtern stark begrenzt und die Beschreibung von geologischen Vorgängen so bildhaft und anschaulich wie möglich gestaltet. Fachleute und Geowissenschaftler sollten sich an entsprechend vereinfachten Darstellungen nicht stören. Die im Buch gebrauchten Fachwörter, deren Nutzung sinnvoll erschien, können zusätzlich zu den Erläuterungen im Text in einem geologischen Wörterbuch im Anhang nachgeschlagen werden.

Die geologischen Sehenswürdigkeiten Namibias sind keine isolierten Naturphänomene, sondern gehen auf grundlegende Prozesse zurück und sind entsprechend miteinander vernetzt. Zum Verständnis der nachfolgenden Kapitel sollten Sie deshalb zunächst die einleitenden Kapitel 1 (Grundlagen der Geologie) und Kapitel 2 (Erdgeschichtliche Entwicklung Namibias) lesen. Das darin vermittelte Wissen hilft Ihnen, die nachfolgenden Erklärungen zu den einzelnen Attraktionen in größerem Zusammenhang zu sehen und besser nachzuvollziehen. Bis auf die Informationen in diesen zwei Grundlagen-Kapiteln brauchen Sie keinerlei weitere geologischen Vorkenntnisse, um die nachfolgenden, speziellen Kapitel verstehen zu können.

Dieser Geo-Reiseführer soll ein praktisches Handbuch für die Reise sein. Die Erklärungen zu den einzelnen Sehenswürdigkeiten richten sich deshalb nach dem, was Sie als Besucher an dem entsprechenden Ort auch wirklich sehen können. Auf „theoretische" Erläuterungen, die über das Sichtbare hinausgehen, wird so weit wie möglich verzichtet. Um das Buch unter „Busch-Bedingungen" leichter nutzbar zu machen, wurde jede Sehenswürdigkeit so ausführlich beschrieben, daß Sie zum Verständnis nicht unbedingt an anderen Stellen des Buches nachschlagen müssen. Das bedeutet, daß Sie alle nötigen Erklärungen in dem entsprechenden Kapitel finden, ohne lange herumblättern zu müssen. Allerdings hat diese verbesserte Handlichkeit auch zur Folge, dass bestimmte erdgeschichtliche Vorgänge, die für mehrere Sehenswürdigkeiten von Bedeutung sind, an verschiedenen Stellen wiederholt erklärt werden. Dies wurde aus Gründen der „Nutzerfreundlichkeit“ in Kauf genommen. Darüber hinaus wird dem Leser auf diese Weise die Vernetzung der einzelnen Sehenswürdigkeiten in übergeordnete geologische Prozesse besser verständlich.

Eine vereinfachte geologische Karte Namibias mit entsprechender Legende in der vorderen Umschlagklappe zeigt Ihnen die Verbreitung der im Buch genannten geologischen Formationen. Ihre zeitliche Reihenfolge können Sie der stratigrafischen Tabelle in der hinteren Umschlagklappe entnehmen. Mit Hilfe von Detail-Karten und genauen Wegbeschreibungen am Beginn eines jeden Kapitels ist gewährleistet, dass Sie die einzelnen geologischen Attraktionen auch sicher auffinden können.

Wegen der Vielzahl der möglichen Touren wurden die einzelnen Sehenswürdigkeiten nicht nach bestimmten Routen geordnet, sondern geographisch (Nordwest-, Nordost-, Süd-, West- und Zentral-Namibia) grob gegliedert. Je nachdem in welche Region Namibias Sie reisen möchten, ist es empfehlenswert, sich schon vorher in dem entsprechenden Kapitel über die Lage der dortigen geologischen Attraktionen zu informieren, damit Sie diese nach Wunsch in Ihren Reiseplan einbauen können.

Hinweis für Mineraliensammler

In Namibia behält sich der Staat das alleinige Recht vor, Bodenschätze abzubauen oder die Abbaurechte zu vergeben. Diese Rechtslage trifft schon beim einfachen Sammeln geringer Mengen Minerale und Gesteine zu. Darüber hinaus müssen die Funde vor dem Ausführen beim Bergbauamt deklariert werden.

Auch wenn diese Regelungen übertrieben bürokratisch erscheinen mögen, wird die Einhaltung dieser gesetzlichen Vorschriften vorausgesetzt, falls in diesem Buch auf Sammelmöglichkeiten von Mineralen und Gesteinen hingewiesen wird.

Darüber hinaus besteht in sämtlichen Nationalparks absolutes Sammelverbot.

Abgesehen von der Übertretung dieser Gesetze gibt es leider immer einige wenige Sammler, die nicht nur auf eigene Faust losziehen, sondern auch bedenkenlos fremde Grundstücke betreten und ohne Rücksicht auf Besitzverhältnisse die Fundstellen ausräumen – oft um das Material in Europa gewinnbringend zu verkaufen. Vielerorts, vor allem bei Farmern, sind solch unorganisiert reisenden „Sammler“ deshalb nicht gern gesehen, was schon zu handgreiflichen Auseinandersetzungen führte.

Um all diesen rechtlichen Problemen aus dem Wege zu gehen, sollte sich jeder Mineralien- oder Gesteinssammler einer von einheimischen Spezialisten geführten Geo-Safari anschließen. Dies sichert nicht nur bessere Funde, sondern gibt auch die Gewissheit, dass man nicht mit dem Gesetz oder aufgebrachten Farmern und Fundstellenbesitzern in Konflikt kommt.

Inhalt

1. Grundlagen der Geologie

Die **Geologie** ist die Wissenschaft von der stofflichen Zusammensetzung, dem strukturellen Bau und der Geschichte der Erde. Der Geologe bezieht sich bei seinen Untersuchungen auf Objekte verschiedenster Größenordnung. Die Spannbreite reicht vom mikroskopischen Bereich über das Gesteinshandstück (loses Gesteinsbruchstück) und den Gesteinsaufschluss (z. B. eine Felswand) bis hin zu Satellitenfotos ganzer Länder und Kontinente. Auch der Erdkörper als Ganzes ist Ziel geologischer Betrachtungen.

1.1 Sphären- und Schalenaufbau der Erde

Aus naturwissenschaftlicher Sicht kann die Erde in verschiedene Sphären unterteilt werden (Abb. 1.1). Die Atmosphäre umfasst die irdische Gashülle. Die Hydrosphäre bezieht sich auf die Wasservorkommen und erstreckt sich demnach über die Oberflächengewässer bis hinab in den Grundwasserbereich. Die Lithosphäre (Lithos = Gestein) umfasst die feste Gesteinshülle der Erde. Die Biosphäre kennzeichnet die Zone, in der Lebewesen natürlich vorkommen. Da Organismen auch im Wasser, in der Atmosphäre (z. B. Vögel) und im obersten Teil der Lithosphäre (bodenbewohnende Lebewesen, Pflanzenwurzeln) auftreten, nimmt die Biosphäre eine Zwischenstellung innerhalb der vorher genannten Sphären der Erde ein.

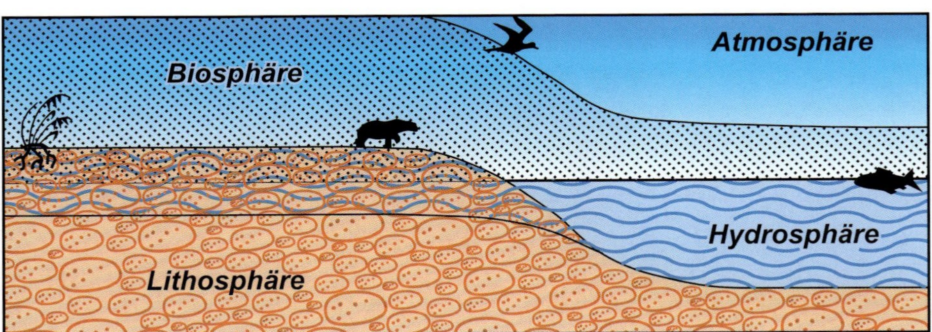

Abb. 1.1: Die Sphäreneinteilung der Erde Grafik: Daniela Saske

Die Geologie befasst sich im weitesten Sinne mit drei dieser Zonen, wobei die Hydrosphäre nur hinsichtlich der Grundwasservorkommen und die Biosphäre nur bezüglich versteinerter Überreste von Organismen (Fossilien) einschließlich deren Rekonstruktion besonders berücksichtigt werden. Hauptbetätigungsfeld der Geologie sind die Lithosphäre und die noch tiefer liegenden Schalen der Erde.

Die Lithosphäre als fester Teil des Erdkörpers umfasst die gesamte **Erdkruste** und einen Teil des darunter liegenden **Oberen Erdmantels** bis in eine Tiefe von ca. 100 km. In dem nächst tiefer gelegenen Stockwerk folgt die sogenannte **Asthenosphäre**, in der die Gesteine eine zähflüssige Masse bilden und die bis in eine Tiefe von ca. 300 km reicht. In ca. 900 km Tiefe geht der Obere Erdmantel schließlich in den **Unteren Erdmantel** über. Nächstes Glied im Schalenaufbau der Erde ist der **Äußere Erdkern**, der bei ca. 2.900 km Tiefe beginnt und in 5.100 km Tiefe in den **Inneren Erdkern** überwechselt (Abb. 1.2 bzw. Abb. 1.5).

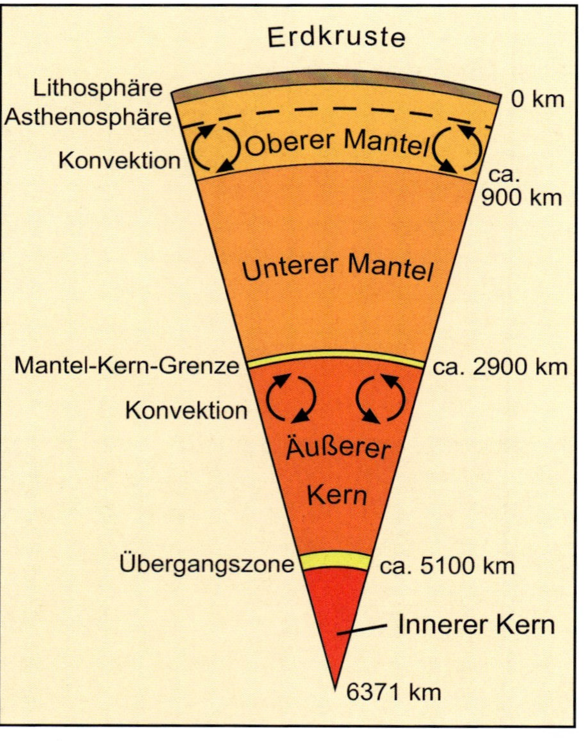

Abb. 1.2: Schalenaufbau der Erde
Grafik: Michaela Görner

Alle genannten Schalen des Erdkörpers unterscheiden sich in ihren chemischen und physikalischen Eigenschaften. Während die Erdkruste aus den uns bekannten, vielfältigen Gesteinen aufgebaut ist, besteht der Erdmantel in erster Linie aus dem sogenannten Peridotit, einem speziellen plutonischen Gestein, das nur durch seltene magmatische Vorgänge in die höhere Erdkruste gelangen kann. Der Erdkern baut sich dagegen nicht mehr aus Gesteinen, sondern aus den Elementen Eisen und Nickel auf und entspricht damit der Zusammensetzung vieler Meteorite.

1.2 Die Erdkruste und ihre Bausteine

Die Erdkruste stellt den Teil des Erdkörpers dar, in dem die meisten bedeutsamen geologischen Prozesse ablaufen. Die Lehre vom strukturellen Bau der Erdkruste und den hier herrschenden Bewegungsvorgängen wird als Tektonik bezeichnet. Die stofflichen Bausteine der Erdkruste sind die Gesteine. Entsprechend den unterschiedlichen Entstehungsarten werden drei große Gesteinsgruppen unterschieden:

1. **Magmatite**: Der Ursprung dieser Gesteinsgruppe ist das Magma, eine glutflüssige Gesteinsschmelze, die aus den Tiefen der Erde empordringt. Dabei werden die unterirdisch in der Erdkruste erstarrten **Plutonite** und die an der Erdoberfläche ausgetretenen und dort erstarrten **Vulkanite** unterschieden. Die sogenannten subvulkanischen Gesteine bilden eine Übergangsform zwischen diesen beiden Hauptgruppen. Als **Subvulkanite** werden in erster Linie Plutonite bezeichnet, die nur knapp unterhalb der Erdoberfläche erstarrt sind. **Ganggesteine** dagegen sind Gesteine, die im flüssigen Zustand aus den Magmenkammern als langgestreckte Spaltenfüllungen in das Umgebungsgestein gepresst werden.
   Mit etwa 80 % nehmen die Magmatite den weitaus größten Teil der Erdkruste ein, was die besondere Bedeutung magmatischer Vorgänge für das geologische Geschehen auf der Erde verdeutlicht.
2. **Sedimente**: Diese Gesteine können als sogenannte organogene Sedimente aus abgestorbenen Organismen entstehen (z. B. Kohle). **Biogene Sedimente** werden dagegen aus den Stoffwechselprodukten lebender Organismen gebildet (z. B. das Gerüst eines Korallenriffs). Bei den auf anorganischem Wege entstandenen Sedimenten unterscheidet man zwischen **klastischen Sedimenten**, die aus dem Abtragungsmaterial von Magmatiten, Metamorphiten oder auch anderen Sediment-Gesteinen gebildet wurden, und **chemischen Sedimenten**, die z. B. durch Ausfällung und Verdunstung von Wasser entstanden sind (z. B. Kalke und Salz-Ablagerungen). Der Anteil der Sedimente am Aufbau der Erdkruste beträgt nur 5 %. Allerdings sind etwa 3/4 der Oberfläche der Kontinente und fast der gesamte Meeresboden von einer Sediment-Decke überzogen, sodass die Sedimente für den oberflächlichen Betrachter die häufigsten Gesteine darstellen.
3. **Metamorphite**: Die metamorphen Gesteine entstehen durch chemisch-physikalische Veränderung bestehender Gesteine infolge hoher, äußerer Druck- und/oder Temperaturbelastungen. Grob wird zwischen zwei verschiedenen Metamorphitarten unterschieden: die Kontaktmetamorphite und die Regionalmetamorphite. Bei den **Kontaktmetamorphiten** spielen hohe Temperaturen die entscheidende Rolle. Beim Eindringen von heißem, glutflüssigem Magma in das umliegende Gestein kommt es in diesem Nebengestein zu chemischen Veränderungen. Das Ursprungsgestein wird demnach durch Hitzeeinwirkung in einen Kontaktmetamorphit umgewandelt. Die Kontaktmetamorphose ist allerdings nur in einem begrenzten Größenbereich wirksam. Meist bilden sich die Kontaktmetamorphite in einem Radius von einigen zehn Metern bis wenigen Kilometern rund um die Hitzequelle. Im Gegensatz dazu umfasst die Regionalmetamorphose weitaus größere Gesteinsareale, wobei sowohl hohe Temperaturen als auch hohe Drücke bei der Umwandlung der Ursprungsgesteine eine Rolle spielen. **Regionalmetamorphite**

können demnach vor allem bei Gebirgsbildungen oder der Versenkung von Erdkrustenteilen (Subduktion) entstehen. Bei der Versenkung von Gesteinen können die Drücke und Temperaturen soweit ansteigen, dass es zu einer Aufschmelzung der Ursprungsgesteine kommt (Anatexis). Nach dem erneuten Erstarren werden diese metamorphisierten Gesteine als **Anatexite** bezeichnet. Metamorphite sind mit etwa 15 % am Aufbau der Erdkruste beteiligt.

Sowohl Magmatite, als auch Sedimente und Metamorphite bestehen aus kleineren Bausteinen, den **Mineralen**. Minerale sind einheitlich (homogen) aufgebaute chemische Verbindungen, die in der festen Erdrinde vorkommen. Von den ca. 4.000 bekannten Mineralen werden etwa 200 Minerale hervorgehoben, die zu einem hohen Grade am Aufbau der Gesteine beteiligt sind und folglich als **gesteinsbildende Minerale** bezeichnet werden. Dazu gehören im Wesentlichen die Silikate (Silizium-Verbindungen), zu denen der bekannte Quarz, Feldspat und Glimmer zählen. Oft werden Gesteine aus einer Mischung verschiedener Silikate aufgebaut. Es gibt aber auch Gesteine, die nur aus einem einzigen Mineral aufgebaut sind, z. B. die Kalkgesteine, die aus $CaCO_3$ (Kalk) bestehen, oder einige Sandsteine, die überwiegend aus Quarzkörnern gebildet werden.

Die Minerale bauen die Gesteine auf und die Gesteine die Erdkruste. Die Erdkruste wiederum ist keineswegs ein geschlossener, zusammenhängender Bereich der Erde. Sie ist vielmehr in zahlreiche Bruchstücke (Platten) zerbrochen, die untereinander beweglich sind. Ein Blick auf die Weltkarten vergangener Epochen der Erdgeschichte (Abb. 2.5 auf Seite 25) zeigt sehr eindrucksvoll, wie stark sich das Gesicht der Welt durch die Verschiebung der Platten bis heute verändert hat. Die zugrundeliegenden Prozesse werden unter dem Begriff **„Plattentektonik“** zusammengefasst, auf die in Kapitel 1.3.2.1 noch näher eingegangen wird.

Generell wird zwischen zwei Erdkrustentypen unterschieden: die ozeanische Kruste und die kontinentale Kruste. Die **ozeanische Kruste**, welche den Untergrund der Weltmeere einnimmt, besteht aus dem weltweit häufigsten Vulkanit-Gestein, dem Basalt. Die **kontinentale Kruste** umfasst den Bereich der Kontinente, die aus einer Vielzahl verschiedener Gesteine aufgebaut sind, vor allem aber aus dem häufigsten Plutonit-Gestein, dem Granit. Die ozeanische Kruste geht bereits in ca. 8 km Tiefe in den Oberen Erdmantel über und ist also relativ dünn. Die kontinentale Kruste wird erheblich mächtiger und erreicht eine Dicke von 30 bis 70 km.

1.3 Der Kreislauf der Gesteine

Entgegen der allgemeinen menschlichen Vorstellung ist die Welt der Gesteine keineswegs so starr, wie es den Anschein macht. Die hier stattfindenden Prozesse, abgesehen von Vulkanausbrüchen, Erdbeben und ähnlichen spektakulären Vorgängen, verlaufen oft nur so langsam, dass in menschlichen Zeitvorstellungen kaum etwas „passiert“. Auf der anderen

Seite ist jedes fortgewehte Sandkorn ein Teil einer geologischen Dynamik, die im Laufe von Jahrmillionen ganze Landschaften bilden oder vernichten kann. Auf der Basis dieser Dynamik wird in der Geologie von einem Kreislauf der Gesteine gesprochen. Schon am biologischen Kreislauf wird deutlich, dass in der Natur alles in Form von Zyklen abläuft und untrennbar miteinander verknüpft ist. Es gibt also weder Anfangs- noch Endprodukte und auch keinen Abfall.

Wie Sie den Abbildungen 1.3 und 1.4 entnehmen können, wird der **Kreislauf der Gesteine** in zwei Zyklen unterteilt. Der oberirdisch ablaufende Zyklus wird durch die exogenen (von außen wirkenden) Kräfte gesteuert, welche als Wind, Wasser, Wärme, Kälte usw. auf die Lithosphäre einwirken. Man spricht in diesem Zusammenhang auch von einer **exogenen Dynamik**. Der unterirdische Zyklus wird dagegen durch innere (endogene) Kräfte in Gang gehalten. Diese sogenannte **endogene Dynamik** umfasst die magmatischen, metamorphen und tektonischen Vorgänge. Beide Zyklen zusammen bilden den geschlossenen Kreislauf der Gesteine.

Die Ur-Kraft, die hinter der exogenen Dynamik steht, ist letztendlich die Sonne, während die endogene Dynamik durch die innere Erdwärme angetrieben wird.

1.3.1 Exogene Dynamik

Der exogene Zyklus umfasst die Prozesse, die zur Bildung der Sedimentgesteine führen. Dazu gehören die Verwitterung und die Abtragung sowie der Transport, die Ablagerung und die anschließende Verfestigung (Diagenese) von Sedimenten.

Alle Gesteine, die an der Erdoberfläche oder in Oberflächennähe auftreten, unterliegen den Prozessen der **Verwitterung**. Verwitterung ist der Vorgang, der zur Lockerung, Aufbereitung und Zerstörung des festen Gesteinsgefüges führt. Je nach Art und Eigenschaften des Gesteins und der äußeren Umweltbedingungen ist die Verwitterung unterschiedlich stark wirksam. Abhängig davon, auf welche Weise die Verwitterung das Gestein angreift, wird zwischen physikalischer und chemischer Verwitterung unterschieden. Während die **physikalische Verwitterung** zur mechanischen Zertrümmerung des Gesteins ohne stoffliche Veränderung des Mineralbestands führt, bewirkt die **chemische Verwitterung** eine chemische Auflösung oder Umwandlung bestimmter Minerale, was zur Zerstörung des Gesteinsverbands oder zu einer Isolierung wasserunlöslicher Minerale führen kann.

Die Abhängigkeit der Verwitterung vom herrschenden Klima wird darin deutlich, dass z. B. in ariden (wüstenhaften) Gebieten die physikalische, in humiden (feuchten) Klimaten die chemische Verwitterung vorherrscht.

Das verwitterte Gesteinsmaterial findet zum einen als Grundsubstanz der Böden, auf denen sich Pflanzen ansiedeln können, einen neuen Platz im Kreislauf der Natur. Zum anderen kann das Verwitterungsmaterial im anschließenden Prozess der **Abtragung** oder **Erosion** durch verschiedene Medien (z. B. Wind, Wasser) über weite Strecken verfrachtet werden. Abtragung kann linear z. B. durch Flüsse erfolgen. In diesem Falle spricht man von **linearer**

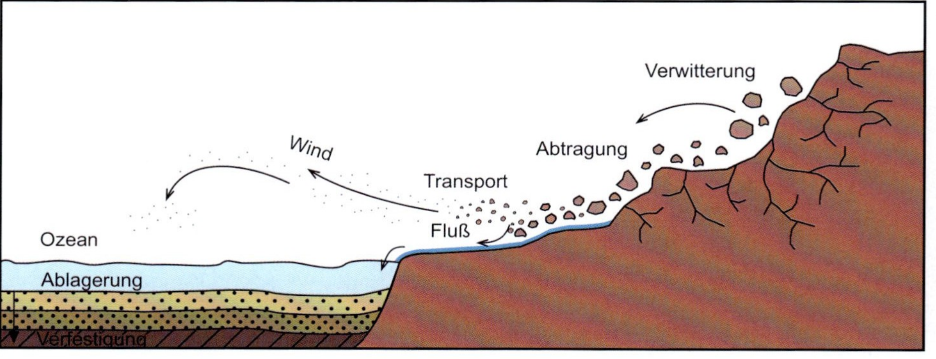

Abb. 1.3: Der exogene Zyklus Grafik: Katja Spengler

Erosion. Die Abtragung kann jedoch auch flächenhaft angreifen. Bei dem sogenannten Schichtfluten, dem weitflächigen Ablauf des Regenwassers, spricht man von **Denudation**. Die flächenhaft abtragende Wirkung des Windes wird als **Deflation** bezeichnet, während das Abhobeln der Erdoberfläche durch Gletscher mit dem Begriff **Exaration** beschrieben wird.

Generell tendiert die Abtragung zu einem Ausgleich zwischen Meeres- und Landoberfläche, also zu einer Einebnung des Landes bei gleichzeitiger Auffüllung der Meeresbecken. Die Effektivität dieses sogenannten **Reliefausgleichs** wird daran deutlich, dass es auf der Erde schon zahllose Hochgebirge gab, die heute nur noch eine weite, ebene Fläche (Rumpffläche) darstellen.

Die Faktoren Wasser, Gletscher und Wind verursachen nicht nur die Abtragung, sie sorgen auch für den **Transport** des verwitterten Materials. Den Gesetzen der Schwerkraft folgend und im Bestreben um einen effektiven Reliefausgleich, richtet sich der Transport letztendlich immer in Richtung Ozean. Dieser Prozess kann allerdings sehr lange dauern, weil der Verwitterungsschutt „zwischengelagert“ wird. Flüsse lagern ihre mitgeführte Sand- und Schotterfracht oft als Terrassen ab, lange bevor sie das Meer erreichen. Durch chemische Verwitterung gelöstes Material, wie z. B. Kalk, wird manchmal nur kurze Strecken transportiert, bevor es an anderer Stelle, z. B. als Kalkkruste oder Tropfstein, wieder aus der Lösung ausfällt und zu Stein wird. Der Wind lagert seine Fracht vielfach in Dünen ab, die unter entsprechenden Klimabedingungen im Zentrum von Kontinenten recht lange existieren können, bevor sie im Meer enden. Auch Gletscher erreichen meist nicht direkt den Ozean, sondern schmelzen oft in Gebirgstälern ab, wo sich das transportierte Material als Gletschermoräne ablagert.

Alle diese Vorgänge weisen darauf hin, dass auch unter terrestrischen Bedingungen, also auf dem Festland, die Voraussetzungen für die Bildung von Sedimenten gegeben sind. Allerdings stellt dies nur ein Übergangsstadium dar, da diese Gesteine durch wiederholte Verwitterung und Abtragung schließlich doch irgendwann einmal ins Meer gelangen.

In den Meeresbecken entwickeln sich durch die ständige Ansammlung von Abtragungsschutt immer mächtiger werdende Sedimentstapel. Die enorme Druckbelastung führt schließlich zum Prozess der **Diagenese** (Verfestigung). Dabei entsteht infolge Kompaktion und Verkittung der Hohlräume aus dem abgelagerten Lockermaterial ein neues Festgestein. Ein Teil des Gesteins-Kreislaufs hat sich damit geschlossen.

1.3.2 Endogene Dynamik

Während der Bildung der marinen Sedimentgesteine treiben endogene Kräfte den Gesteinskreislauf kontinuierlich voran. Zum einen können die Meeressedimente durch den tektonischen Prozess der Gebirgsbildung wieder auf die Gipfel von Hochgebirgen gelangen, von wo aus der exogene Zyklus von der Verwitterung bis hin zur Ablagerung im Meer erneut einsetzt. Durch die hohen Drücke und Temperaturen werden die Sedimente im Zuge einer Gebirgsbildung meist in Metamorphite umgewandelt, die dann als Teil des Gebirges ebenso der exogenen Dynamik unterliegen – der Kreislauf hat sich geschlossen.

Abgesehen von der Gebirgsbildung können die Meeressedimente aber auch einen ganz anderen Prozess durchlaufen. Durch plattentektonische Vorgänge ist es möglich, dass die verfestigten Sedimente zusammen mit der gesamten Meereskruste in große Erdtiefen versenkt werden, wobei sie durch die dort herrschende Hitze und Druckbelastung in Metamorphite umgeformt werden (Subduktion). Mit zunehmender Tiefe steigen die Temperaturen so stark an, dass es zu einer Aufschmelzung der Gesteine kommt. Dadurch können sich neue Magmenherde bilden, die dann im Zuge magmatischer Vorgänge aus den Tiefen der Erde aufsteigen und nach ihrer Erstarrung als Vulkanit oder Plutonit wieder zu einem Teil des

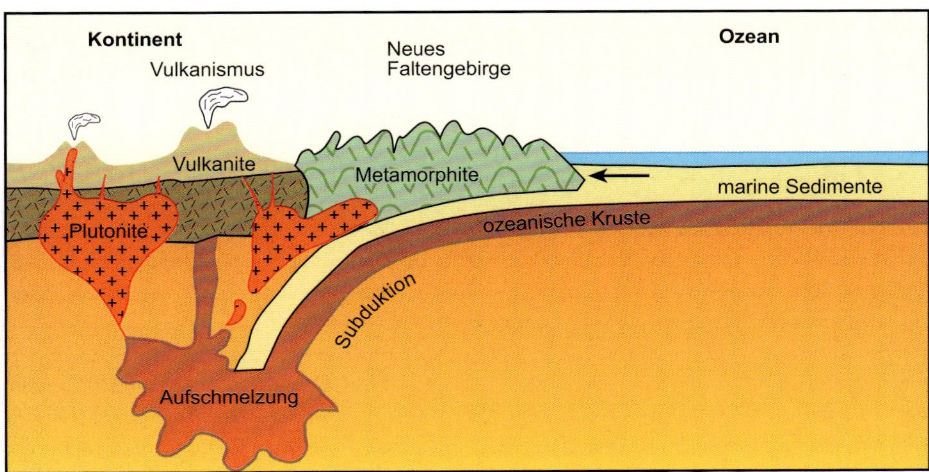

Abb. 1.4: Der endogene Zyklus Grafik: Mandy Rehork

Festlands werden, wo sie wiederum in den exogenen Zyklus aufgenommen werden. Auch hier schließt sich der Kreislauf der Gesteine.

Diese Vorgänge verdeutlichen den Zusammenhang zwischen Plattentektonik, Metamorphose und Magmatismus als die drei grundlegenden Prozesse der endogenen Dynamik. Von besonderem Stellenwert ist dabei die Plattentektonik, die dazu beiträgt, dass die im Meer angesammelten Gesteinsmassen wieder über die Höhe des Meeresspiegels gelangen, zu Festland werden und erneut von der exogenen Dynamik erfasst werden können.

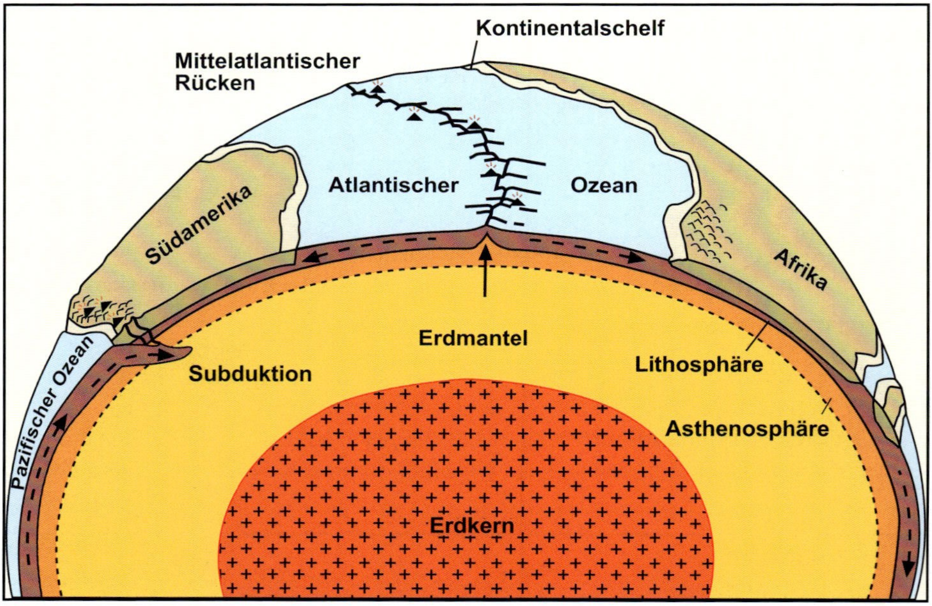

Abb. 1.5: Modell der Ozeanbodenspreizung am Beispiel des Atlantiks (nach Wyllie) Grafik: Daniela Schnabel

1.3.2.1 Plattentektonik

Mit Hilfe des erst seit den 1960er Jahren anerkannten Modells der Plattentektonik ist es möglich, wesentliche geologische Vorgänge auf der Erde, wie z. B. Gebirgsbildungen, Erdbeben, Vulkanismus, Plutonismus, die Versenkung von ozeanischer Kruste und das Auseinanderbrechen sowie die Kollision von Kontinenten, zu erklären.

Die Plattentektonik geht von mobilen Lithosphären-Platten aus, die untereinander beweglich sind. Die ozeanischen Krustenteile werden von tiefreichenden Spaltensystemen, den sogenannten **Mittelozeanischen Rücken**, durchzogen. Aus diesen Spalten, die bis hinab in den oberen Erdmantel reichen, dringt permanent Magma basaltischer Zusammensetzung auf, das zu beiden Seiten der Spaltensysteme erstarrt und damit neue ozeanische Kruste bildet. Bei diesem Prozess wird die ältere Kruste nach außen geschoben. Die Krustenneubildung hat also zur Folge, dass sich der Ozeanboden ständig verbreitert und nach außen hin immer älter wird. Es wurde festgestellt, dass die ozeanische Kruste mit durchschnittlich 2–10 cm pro Jahr anwächst. Dieser Prozess wird als **Ozeanbodenspreizung** bezeichnet (Abb. 1.5). Er hat zur Folge, dass Lithosphären-Platten durch den Druck der ständig wachsenden ozeanischen Kruste untereinander verschoben werden können.

Statt die angrenzenden Platten fortzubewegen, kann die Ozeanbodenspreizung jedoch noch einen weiteren plattentektonischen Prozess auslösen. Es gibt Zonen auf der Erde, in denen die dünnere, aber schwerere Ozeankruste unter die leichtere Kontinentalkruste geschoben wird. Die aus den Mittelozeanischen Rücken nachdrängenden Massen neugebildeter Kruste drücken die Ränder des ozeanischen Krustenteils immer tiefer unter den Kontinent bis in den Erdmantel hinein, wo es zu einer Aufschmelzung der Platte kommt und neue Magmenherde entstehen. Der Vorgang des Abtauchens ozeanischer Krustenteile wird als **Subduktion** bezeichnet (Abb. 1.6). Durch die Subduktion wird die permanente Neubildung ozeanischer Kruste wieder ausgeglichen und ein Zustand der Balance erreicht, der in der Natur so wichtig ist.

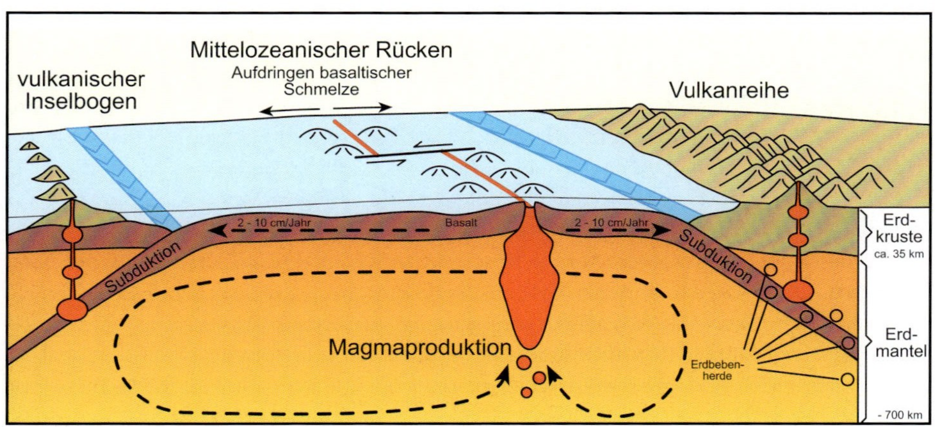

Abb. 1.6: Vorgang der Subduktion und Ozeanbodenspreizung (nach Negendank) Grafik: Johanna Eifrig

Ein gutes Beispiel für eine Subduktionszone ist in Japan zu finden. Die hier häufig stattfindenden Vulkanausbrüche, die letztendlich zur Bildung der gesamten japanischen Inselgruppe (Inselbogen) geführt haben, sind auf den Aufstieg des Magmas zurückzuführen, das sich aus der aufgeschmolzenen Ozeankruste gebildet hat. Die ebenfalls häufigen Erdbeben sind durch die Reibung zwischen der abtauchenden pazifischen Platte und dem darüberliegenden Kontinent begründet. Ähnliche Situationen treten auch an anderen Stellen rings um den Pazifischen Ozean auf.

Neben der Subduktion bietet das plattentektonische Modell auch eine befriedigende Erklärung für einen weiteren wesentlichen geologischen Vorgang, die **Faltengebirgsbildung**. Dabei spielt die relative Bewegung der Platten zueinander eine bedeutende Rolle.

Taucht die ozeanische Kruste aktiv unter der kontinentalen Kruste ab, kommt es zur Bildung vulkanischer Inselbögen (z. B. Japan). Wenn sich die kontinentale Kruste jedoch aktiv über die ozeanische Kruste schiebt (wie z. B. an der Westküste Südamerikas), wird der Sedimentstapel, welcher auf der Ozeankruste lagert, größtenteils nicht versenkt, sondern regelrecht abgehobelt. Bei diesem Vorgang kommt es folglich zu einer Auffaltung dieser Sedimentschichten, die sich als Gebirge an den Kontinent angliedern (z. B. in Form der südamerikanischen Anden).

Neben dieser plattentektonischen Situation können sich Faltengebirge auch dann bilden, wenn zwei Kontinentalplatten miteinander kollidieren und die Sedimentschichten des dazwischenliegenden Ozeans faktisch in die Höhe pressen. Voraussetzung für die Kollision zweier Kontinente ist die vollständige Subduktion des dazwischenliegenden Ozeans. Bei einer Kontinent-Kollision kommt es zu einer besonders starken Auffaltung und einer extremen Heraushebung der am Ozeanboden lagernden Gesteine. Gute Beispiele für diese Form der Faltengebirgsbildung sind das Himalaya-Gebirge und die Kette der Alpen. Auch in Namibia wurden auf diese Weise Gebirge gebildet (z. B. das Damara-Gebirge, siehe Kapitel 2).

Durch die Aufschmelzung von ozeanischer Kruste unter der Kollisionszone bilden sich umfangreiche Magmenherde im Untergrund. Diese Gesteinsschmelzen finden durch die tektonische Zerrüttung der Erdkruste während der Gebirgsbildung leichte Aufstiegswege. Es ist daher nicht verwunderlich, dass am Aufbau solcher Faltengebirge nicht nur die (z. T. metamorphisierten) Meeresablagerungen beteiligt sind, sondern auch große Mengen von Magmatiten, vor allem Plutonite, auftreten. Insbesondere die tiefere Gebirgswurzel unterhalb des aufgefalteten Sedimentstapels besteht zu wesentlichen Teilen aus granitischen Gesteinen. Diese Granite kommen erst ans Tageslicht, nachdem die Gebirge durch viele Jahrmillionen andauernde Abtragungsvorgänge bis auf ihren Rumpf eingeebnet worden sind. Diese sogenannten **Rumpfflächen** mit zahlreichen Granitvorkommen sind auch in Namibia zu finden und künden von ehemals mächtigen Faltengebirgen, die Namibia vor Urzeiten überragten.

2. Die erdgeschichtliche Entwicklung Namibias

Die 4,5 Milliarden Jahre alte Geschichte unserer Erde kann in den Gesteinen gelesen werden. Bei der erdgeschichtlichen Forschung gilt es zunächst, das Alter von Gesteinen zu bestimmen. Bei der Ablagerung von Sedimenten legt sich stets die jüngere auf die ältere Schicht. Dieses stratigrafische Grundgesetz ermöglicht eine relative zeitliche Gliederung von Sedimenten. Eine weitere Möglichkeit der **relativen Altersbestimmung** sind Fossilien (Tier- und Pflanzenreste vergangener Lebensgemeinschaften), deren Verbreitung in den Gesteinen als Zeitmarke dient. Eine **absolute Altersbestimmung** ist aufgrund radiometrischer Methoden möglich. Diese Methoden beruhen auf dem radioaktiven Zerfall von instabilen Elementen in stabile Elemente. Da dies unter zeitlichen Gesetzmäßigkeiten (Halbwertzeit) verläuft, sind Altersbestimmungen von Gesteinen bis zu mehreren Milliarden Jahren möglich.

Aufgrund der relativen oder absoluten Zeitbestimmung kann die Erdgeschichte in verschiedene Abschnitte gegliedert werden, die jeweils mit bestimmten Namen bezeichnet werden. Auf diese Weise entsteht eine **stratigrafische Tabelle**, in der die Gesteine den jeweiligen Zeiträumen zugeordnet sind. Eine vereinfachte stratigrafische Tabelle Namibias finden Sie in der vorderen Umschlagklappe, die Verbreitung der genannten erdgeschichtlichen Abschnitte können Sie der **geologischen Karte** (vereinfacht nach Geological Survey of Namibia) dort entnehmen. Eine ausführlichere stratigrafische Tabelle lässt sich im hinteren Umschlag ausklappen.

Die geologische Entwicklung Namibias reicht bis in die Zeit des mittleren Präkambriums vor mehr als 2,5 Mrd Jahren zurück. In diesen unvorstellbar lange zurückliegenden Zeiten sah das Gesicht der Erde noch völlig anders aus als heute. Riesige Ozeane prägten die Weltkugel. In den endlosen Wasserflächen lagen die ersten Festlandssockel, **Kratone,** unscheinbar, wie Inseln verstreut. Das Leben auf der Erde beschränkte sich auf Mikroorganismen wie Bakterien und Algen, die ausschließlich in den Fluten der Ozeane lebten. Auf den Kratonen, die zu den Wurzeln der zukünftigen Kontinente werden sollten, regte sich nichts. Keinerlei Lebensform hatte unter der damals noch mit Kohlendioxid angereicherten Gashülle der Erde Fuß gefasst. Der für höhere Organismen so unentbehrliche Sauerstoff fehlte fast völlig. Eine schützende Ozonschicht konnte sich folglich ebensowenig ausbilden, sodass die harte Strahlung der Sonne ungefiltert auf die Erdoberfläche traf und die Entstehung von Leben außerhalb des Wassers zusätzlich erschwerte. In dieser lebensfeindlichen Umwelt lagen im Bereich des heutigen südlichen Afrika unter anderem zwei Festlandsockel als Inseln im Ur-Meer: der **Kalahari-Kraton** im Südosten und der **Kongo-Kraton** im Norden. Diese beiden Kontinentkerne gehören zu den Ur-Bausteinen des gesamten afrikanischen Kontinents, an die sich im Laufe der Jahrmillionen durch Gebirgsbildungen immer weitere Festlandsmassen angliederten.

Die erste Gebirgsangliederung im Bereich des heutigen Namibia fand zwischen ca. 2,6 und 1,8 Milliarden Jahren statt und umfasst Gesteine, deren Formationen als **Vaalian** und

Abb. 2.1: Die Epupa-Wasserfälle am Kunene bestehen aus den ältesten Gesteinen Namibias

unteres Mokolian bezeichnet werden. Da in Namibia der noch ältere Fels des Kongo- bzw. Kalahari-Kratons nicht vorkommt, bilden diese aus Metamorphiten aufgebauten Komplexe die ältesten Gesteine des Landes. Die Vorkommen sind jedoch relativ begrenzt. Im äußersten Nordwesten Namibias im Kaokoveld tritt der sogenannte Epupa-Metamorphit-Komplex zutage, der teilweise ein gesichertes Alter von ca. 2,645 Mrd Jahren aufweist.

Nur wenig jünger sind die Gesteine des Huab-Metamorphit-Komplexes (Abb. 2.2), der sich westlich von Outjo ausbreitet. Ein ähnlich imposantes Alter von ca. 2 Mrd Jahren hat auch der Grootfontein-Metamorphit-Komplex, der im Nordosten des Landes gelegen ist. Die ältesten Gesteine Süd-Namibias, die der Orange-River-Group (Abb. 2.3) angehören, wurden ebenfalls zu dieser Zeit gebildet und direkt anschließend von den Pluton-Gesteinen der Vioolsdrift-Intrusive-Suite durchdrungen.

Im Rahmen von Gebirgsbildungen wurden die Metamorphit-Komplexe an den Kongo-Kraton und die Orange-River-Group und die Vioolsdrift-Intrusive-Suite an den Kalahari-Kraton angegliedert. Die geologische Karte Namibias im vorderen Umschlag zeigt Ihnen die heutige Lage dieser ältesten geologischen Formationen des Landes.

In einer zweiten Angliederungsphase, die etwa zwischen 1,8 bis 1 Mrd Jahre stattfand, kam es zur Bildung von Gesteinen des **mittleren** und **oberen Mokolian**. Diese Metamorphite wurden großteils aus den Sedimenten gebildet, die als Abtragungsmaterial des Kongo- und Kalahari-Kratons und der angegliederten Gebirge des Vaalian ins Meer gelangten. Die

Abb. 2.2: Der Huab-Metamorphit-Komplex in der Umgebung von Kamanjab

Abb. 2.3: Die Gesteine der Orange-River-Group längs des Oranje-Flusses

Abb. 2.4: Die wilden Bergregionen bei Ai-Ais bestehen aus Gesteinen des Namaqualand-Metamorphit-Komplexes

neuen Gebirge, die den Kratonen angefaltet wurden, sind also letztendlich alle aus dem Abtragungsmaterial des jeweils älteren Festlands hervorgegangen. Mit Graniten und Vulkaniten durchsetzt, bauen die Gesteine des Mokolian heute vor allem den Untergrund Süd-Namibias z. B. in Form des Namaqualand-Metamorphit-Komplexes auf (Abb. 2.4). Die Gesteine der Rehoboth- bzw. Sinclair-Sequenzen (Abb. 2.5) des selben Zeitabschnitts sind im Südwesten des Landes weit verbreitet. Im Nordwesten, Süden und in Zentral-Namibia stiegen während des gesamten Zeitraums zahlreiche Granit-Plutone auf, die noch heute weiträumig die Landoberfläche bilden.

Im Zuge der sogenannten **Kibarischen Gebirgsbildung** zwischen 1,4 und 1 Mrd Jahren wurden die Gesteine metamorphisiert und dem Kalahari- bzw. Kongo-Kraton angegliedert. Durch diese weltweit auftretenden Gebirgsbildungs-Ereignisse wurde der **Superkontinent Rodinia** gebildet, der den Vorläufer des so bekannten Gondwana-Kontinents bildete.

Die dritte Evolutionsphase begann vor ca. 900 Mio Jahren und startete mit dem Auseinanderbrechen des nur kurz zuvor gebildeten Rodinia-Kontinents. Damit wurde das **Damara-Zeitalter** eingeläutet, welches für das heutige Gesicht Namibias von besonderer Bedeutung ist. Zu Beginn der Damara-Zeit bildete sich ein schmaler Meeresarm, das sogenannte **Damara-Meer**, welches zwischen Kongo- und Kalahari-Kraton lag und sich von Walvis Bay bis zu dem sogenannten Katanga-Kupfergürtel nach Sambia erstreckte (Abb. 2.6). Nach Westen hin befand sich der **Adamastor-Ozean**, welcher den Vorläufer des heutigen Atlantiks

Abb. 2.5: Vulkanite der Sinclair-Sequenz auf der gleichnamigen Sinclair Gästefarm

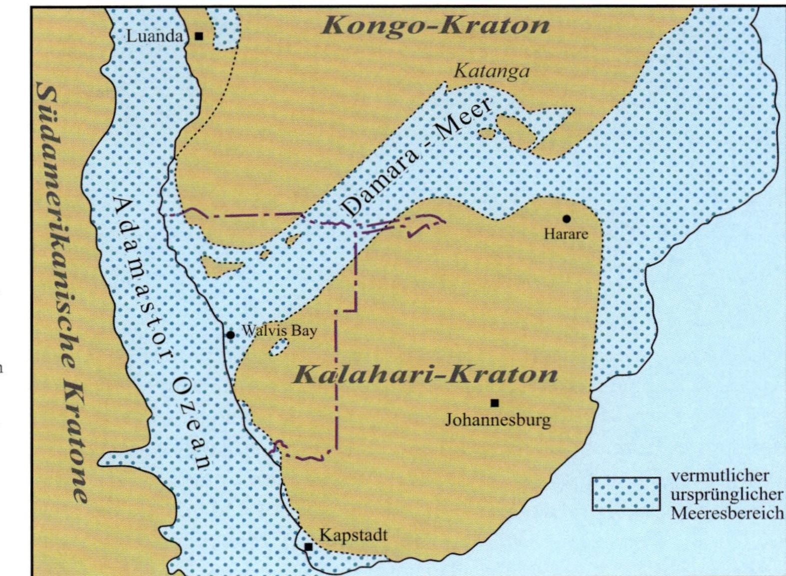

Abb. 2.6: Ursprüngliche Ausdehnung des Damara- und des Adamastor-Ozeans zwischen Kongo- und Kalahari-Kraton in den Grenzen des heutigen südlichen Afrika

Grafik: Yvonne Höfgen

darstellt und die Kratone des südlichen Afrikas von denen Südamerikas trennte. In Höhe des heutigen Küstenortes Swakopmund trafen die beiden Meeresarme aufeinander, die für mindestens 200 Mio Jahren den Abtragungsschutt der älteren Festländer aufnehmen sollten.

Obwohl die damaligen atmosphärischen Bedingungen immer noch anders waren als heute, unterlagen die Festlandbereiche des Kalahari- und Kongo-Kratons und die angegliederten Festlandteile des Vaalian und Mokolian dennoch den uns bekannten Prozessen von Verwitterung und Abtragung (exogene Dynamik). Regen und Wind, Sonne, Kälte und Hitze zermürbten den Fels, der ohne jede Vegetationsdecke ungeschützt den Elementen unterworfen war. Das dabei entstandene Abtragungsmaterial gelangte durch die Transportkraft von Wind und Wasser in die erwähnten Ozeane.

Während sich die Meeresbecken mit Sedimenten füllten, liefen in der Tiefe bereits gigantische plattentektonische Vorgänge ab. Die ozeanische Kruste des nur schmalen Damara-Meeres wurde mehr und mehr unter die Platte des Kongo-Kratons geschoben, wobei der Kalahari-Kraton entsprechend nachrückte (Abb. 2.7). Ebenso verengte sich der Adamastor-Ozean, da die südamerikanischen Kratone unaufhaltsam nach Osten drängten. Innerhalb von etwa 250 Mio Jahren näherten sich auf diese Weise die beteiligten Kratone immer weiter an, bis sie schließlich in gewaltigen Kollisionen zusammenstießen. Die Meeressedimente als ehemalige Abtragungsprodukte dieser Kontinente wurden dabei zwischen den Kratonen regelrecht in die Höhe gepresst. Gegen Ende dieses Auffaltungsprozesses stiegen aus dem Erdinneren zahlrei-

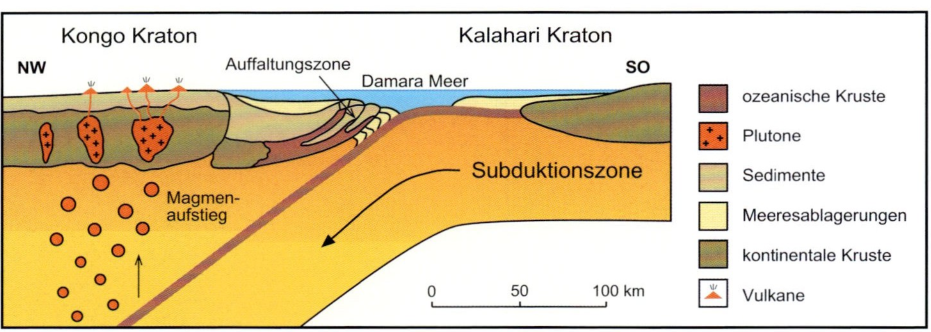

Abb. 2.7: Plattentektonische Vorgänge bei der Bildung des Damara-Faltengebirges (nach Kasch)
Grafik: Wenke Müller

che Magmenkörper auf, die aus der aufgeschmolzenen Kruste des Meeresarms und der Kratone gespeist wurden und die als Granit-Plutone in die aufgetürmten Sedimentstapel eindrangen. Im Zeitraum von 750 bis 460 Mio Jahren bildete sich auf diese Weise der mächtige Faltengebirgszug des Damara-Gebirges, dessen Gesteine als **Damara-Sequenz** bezeichnet werden.

Während die Auffaltung des Damara-Meeres zur Bildung des Damara-Gürtels Zentral-Namibias führte, hatte die Kollision von Südamerika und dem südlichen Afrika die Bildung des Gariep-Gesteinsgürtels (Abb. 2.8) zwischen Lüderitz und Rosh Pinah, sowie die Entstehung des Kaoko-Gürtels im gleichnamigen Kaokoveld zur Folge.

Abb. 2.8: Damara-zeitliche Gesteine des Gariep-Gesteinsgürtels am Oranje

Die Abtragungsreste des Damara-Gebirges sind heute in Form von Bergzügen (Abb. 2.9), verstreuter Granit-Kuppen oder eingeebneter Rumpfflächen in vielen Teilen Namibias anzutreffen (siehe geologische Karte im vorderen Umschlag).

Abb. 2.9: Gefaltete, damara-zeitliche Gesteine bei Brandberg-West

Abb. 2.10: Rote Sedimente der Nama-Gruppe am Fisch-Fluss nahe Berseba

Etwa zeitgleich zur Bildung des Damara-Gebirges breitete sich auf dem Kalahari-Kraton eine Flachmeer-Zone, die Nama-Plattform aus, die zwar mit den randlichen Adamastor- und Damara-Meeren in Verbindung stand, aber nicht in die Auffaltungsprozesse einbezogen wurde. In diesem Flachmeer kamen die Sedimente der **Nama-Gruppe** zur Ablagerung, deren steinerne Zeugen Sie an zahlreichen touristischen Zielen in Süd-Namibia bewundern können. Die Nama-Gesteine liegen noch heute, unbeschadet von den tektonischen Kräften der Damara-Gebirgsbildung, in fast horizontalen Schichten, so wie sie sich in dem Flachmeer vor ca. 600 bis 530 Mio Jahren ablagerten (Abb. 2.10).

Die Damara-Gebirgsbildung zählt zu einer ganzen Gruppe von Auffaltungsvorgängen, die zum Ende des Präkambriums weltweit eine ganze Reihe von Gebirgen entstehen ließen. Durch die Summe dieser globalen tektonischen Ereignisse wurden vor etwa 540 Mio Jahren die damals bestehenden Festländer der Südhalbkugel zu einer Einheit zusammengeschweißt. Es entstand eine große, zusammenhängende Landmasse, der sogenannte **Gondwana-Kontinent** (Abb. 2.11).

Dieser riesige Festlandsbereich umfasste die heutigen Kontinente Afrika, Süd-Amerika, Australien, Antarktis sowie Madagaskar und Indien, wobei sich Namibia im südlichen Teil von Gondwana-Land befand. Das zukünftige Schicksal Gondwanas prägte deshalb auch die weitere erdgeschichtliche Entwicklung Namibias. Während der folgenden Jahrmillionen unterlag das mächtige Damara-Gebirge ausschließlich den Prozessen der Verwitterung und Abtragung.

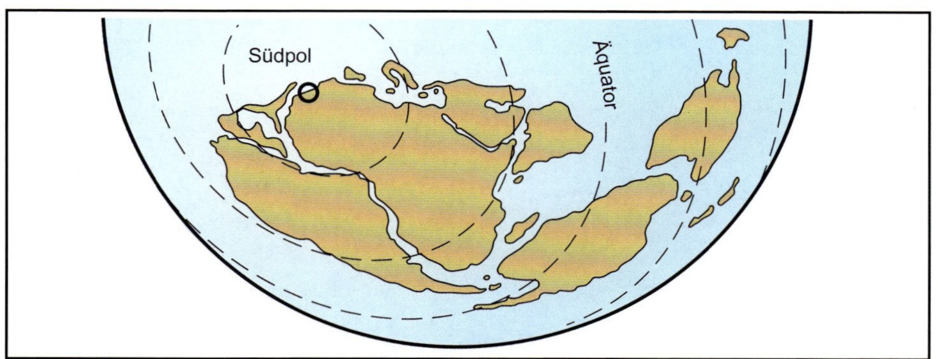

Abb. 2.11: Der Gondwana-Kontinent während des Kambriums vor ca. 540 Mio. Jahren (nach Brinkmann)
Grafik: Henrik Rachel

Erst vor etwa 300 Mio Jahren setzte in Namibia die vierte Entstehungsphase ein, die als sogenannte **Karoo-Zeit** das Gesicht des Landes wesentlich mitgeformt hat. Wie Sie in Abbildung 2.12 sehen können, lag Namibia als Teil Gondwanas zu Beginn der Karoo-Zeit sehr viel näher am Südpol als heute. Damit gelangte Namibia in die südliche Vereisungszone der Erde.

Die Abbildung 2.12 zeigt, dass Südwestafrika damals fast völlig von riesigen Inland-Gletschern bedeckt wurde, die sich außerdem über die gesamte heutige Antarktis und Teile Australiens, Indiens und Südamerikas erstreckten. Diese **Gondwana-Eiszeit** ging im südlichen Afrika vor etwa 280 Mio Jahren zu Ende, nachdem sich dieser Teil des Riesenkontinents durch plattentektonische Vorgänge wieder vom Südpol entfernt hatte. Die abschmelzenden Eismassen ließen gewaltige Mengen von Gletscher-Schutt (Moränen) zurück. Diese

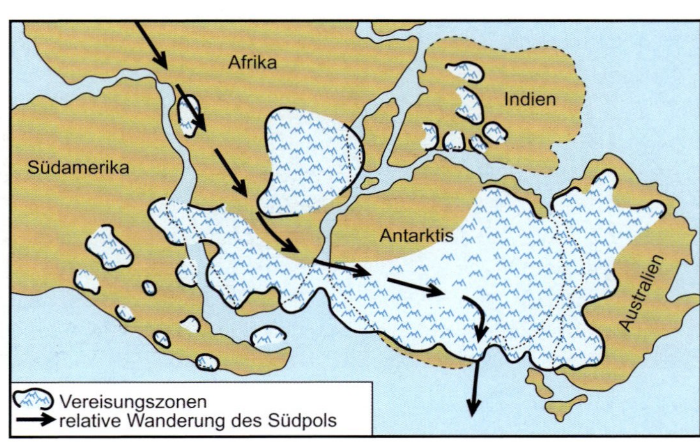

Abb. 2.12: Vereisungszonen während der Gondwana-Eiszeit und relative Wanderung des Südpols (nach Crowell). Beachten Sie, dass nicht der Südpol wandert, sondern Gondwana im Sinne der Plattentektonik darüber hinweg gleitet

Grafik: Henrik Rachel

sogenannte **Dwyka-Gruppe** (Abb. 2.13 a + b) ist an vielen Stellen in Namibia, vor allem in Südnamibia zwischen Mariental und Keetmanshoop und vereinzelt in NW-Namibia (Kaokoveld) erhalten.

Die Schmelzwässer der Gletscher bildeten zudem riesige Seen-Platten, die zu Auffangbecken für weitere Sedimente wurden. Dabei bildeten sich die Gesteine der Ecca-Gruppe,

Abb. 2.13 a: Versteinerte Moränen (Tillite) im Fisch-Fluss-Tal nahe Berseba
Abb. 2.13 b: Durch Gletscherschliff glattpoliertes Geröll

die heute in lokal begrenzten Vorkommen in der Region um Twyfelfontein oder im Süden am Mukorob (Abb. 2.14) zu sehen sind.

Während sich das Klima zunehmend erwärmte, transportierten zahlreiche Flüsse große Mengen Abtragungsmaterial aus nahegelegenen Bergregionen mit sich, die in weitläufigen Deltas zur Sedimentation kamen. Zu diesen Ablagerungen zählt die Omingonde-Formation, die besonders in Zentral-Namibia zutage tritt.

Abb. 2.14: Tonsteine der Ecca-Gruppe bauen die Steilkante am Mukorob auf

Das Abschmelzen der Gletscher der Gondwana-Eiszeit war aber nur der Anfang einer Klimaveränderung, wie sie extremer kaum sein kann. Innerhalb von etwa 100 Mio Jahren breitete sich in dem Gebiet der ehemaligen Eislandschaft eine trocken-heiße, riesige innerkontinentale Sandwüste aus. Dort, wo sich einst die Eismassen auftürmten und sich später Gletscher-Seen ausbreiteten, bedeckten nun endlose Dünenfelder das Land. Die versteinerten Dünensande bildeten vor allem die **Etjo-Formation** in Zentral-Namibia, bzw. die **Twyfelfontein-Formation** im Westen des Landes (Abb. 2.15), die heute eindrucksvolle, rote Felsareale formen und die von dem großen Klima-Umschwung auf Gondwana zeugen.

Abb. 2.15: Die Sandsteinfelsen bei Twyfelfontein bestehen aus versteinerten Dünensanden

Abb. 2.16: Die vulkanische Landschaft des Etendeka-Plateaus

Während weite Teile Namibias von der Gondwana-Wüste bedeckt waren, setzte während der späten **Karoo-Zeit** vor etwa 132 Mio Jahren ein Ereignis ein, welches das Gesicht des Landes und der Welt völlig veränderte. Was zunächst mit der Bildung von mächtigen Plateau-Basalten in NW-Namibia (Damaraland und Kaokoveld) begann, endete mit dem kompletten Auseinanderbrechen des Riesenkontinents Gondwana, der Öffnung des Atlantischen Ozeans und damit der Bildung der namibischen Küste. Gewaltige Mengen glutflüssiger Basalt-Lava, die weite Landstriche überfluteten, drangen aus vulkanischen Zentren hervor. Diese Lavadecken bildeten z. B. die Vulkangesteine der **Etendeka-Gruppe** (Abb. 2.16), die heute im nördlichen Damaraland malerische Landschaften formen.

Diese magmatischen Aktivitäten waren die Vorstufe zur Aufspaltung Gondwanas, die von Süden nach Norden fortschreitend ungefähr längs der heutigen namibischen Küste verlief. Durch den vulkanischen Prozess der Ozeanbodenspreizung (siehe Kapitel 1.3.2.1) bildete sich längs dieser Bruchzone neue ozeanische Kruste. Dieser Vorgang drückte die einst miteinander verbundenen Kontinente Süd-Amerika und Afrika immer weiter auseinander. Der entstehende, schmale Meeresarm wurde von den Wassermassen des alten Süd-Ozeans geflutet. Aus dem Meeresarm wuchs der Atlantik immer mehr in die Breite und schob dabei die Kontinente Afrika und Südamerika in ihre heutige Position (Abb. 2.17). Die **Gondwana-Spaltung** betraf auch die übrigen Teile des Riesenkontinents. Gondwana löste sich in die heutigen Kontinente auf, sodass die Erde mehr und mehr das uns bekannte Gesicht annahm.

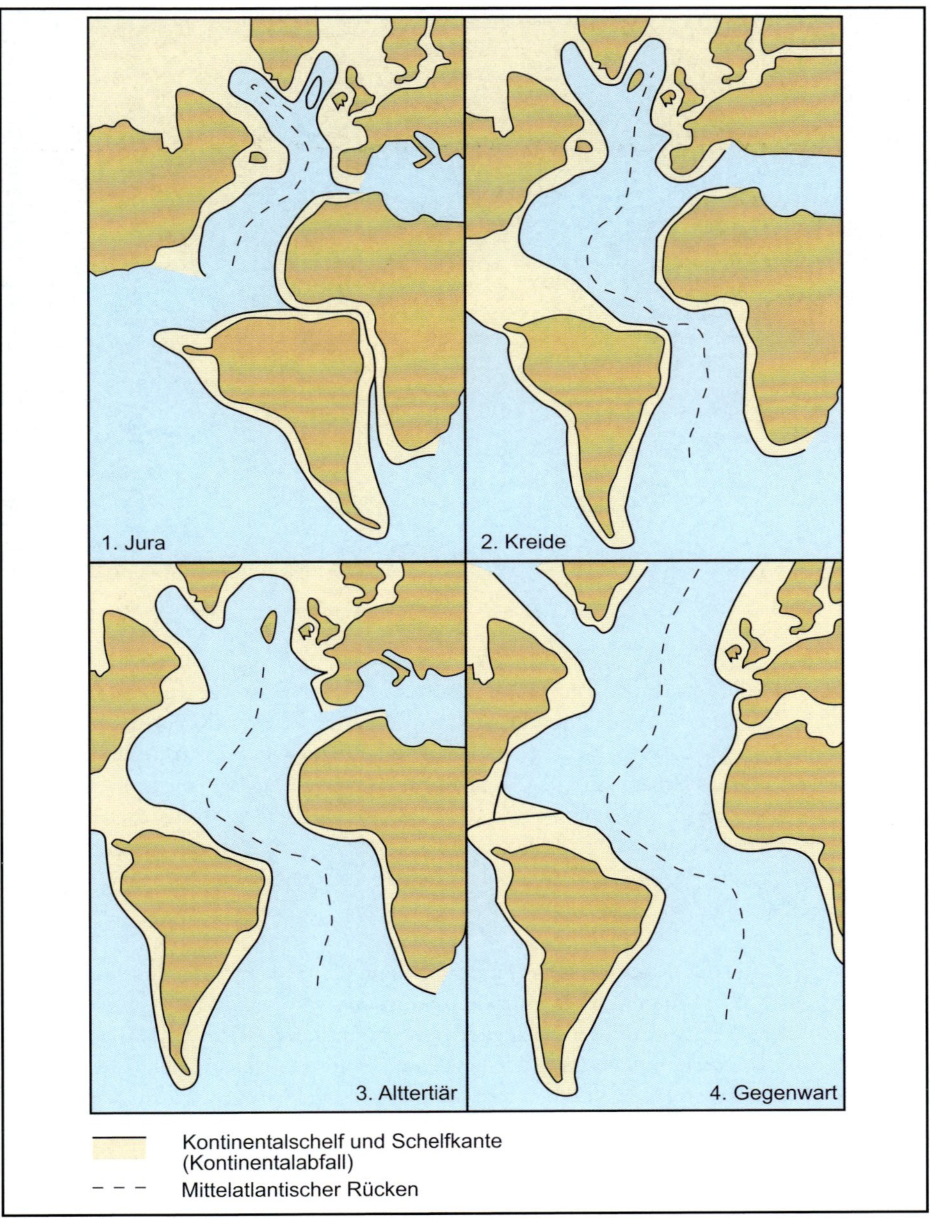

Abb. 2.17: Stadien der Gondwana-Aufspaltung zwischen Südamerika und Afrika (nach Bartlett)
Grafik: Nicole Köllmer

Abb. 2.18: Der höchste Berg Namibias, der Brandberg, zählt zu den Post-Karoo-Komplexen

Ausgelöst durch die Gondwana-Aufspaltung kam es in Namibia zu weiteren magmatischen Ereignissen. In vielen Teilen des Landes stiegen während der **Post-Karoo-Zeit** Vulkane und Plutonkörper (Abb. 2.18), die sogenannten **Post-Karoo-Gesteinskomplexe**, empor. Auch wurden zahlreiche magmatische Gänge aus den großen Magmenherden in die bereits bestehenden Gesteine gepresst. Vor etwa 100 Mio Jahren, nach Abschluss dieser großen magmatischen Phase, waren weite Teile Namibias unter mächtigen Lavadecken begraben, riesige Vulkankrater erhoben sich aus der Landschaft und zahlreiche Doleritgänge durchkreuzten die Gesteine.

Eine weitere Folge der Gondwana-Trennung ist heute längs des westlichen Randes Namibias zu sehen. Nachdem sich die einzelnen Kontinente voneinander getrennt hatten, hoben sich in einer tektonischen Ausgleichsbewegung die Kontinentalränder des südlichen Afrikas in die Höhe, sodass sich eine Art „Schüsselform“ bildete, deren Kern das heutige Kalahari-Becken bildet. Der Rand dieser „Schüssel“ wird in Namibia als **Große Randstufe** bezeichnet und durch die anhaltenden Erosionsvorgänge ständig weiter nach Osten ins Inland zurückversetzt. Es wird angenommen, dass bis heute nach Hebung der Kontinentalränder bis zu 4 km mächtige Schichten vom Festland abgetragen und ins Meer transportiert wurden, was durch die Gewichtsreduzierung zu einer weiteren Hebung des Subkontinents führte. Die enormen Sedimentmassen lagerten sich hauptsächlich auf dem Kontinentalschelf vor der namibischen Küste ab. Durch

Abb. 2.19: Die roten Dünen der Kalahari

den daraus resultierenden Auflastdruck der Sedimentlast wurde der Schelf tiefer in die Erdkruste gedrückt, sodass sich das Vorland der Großen Randstufe elastisch aufwölbte. Diese Vorgänge beeinflussten wesentlich die heutigen Landschaftsformen im westlichen Namibia.

Mit der Trennung Gondwanas fand die Post-Karoo-Zeit ein Ende. Vor etwa 65 Mio Jahren, zu Beginn der **Tertiär-Zeit**, begann die fünfte Entstehungsphase in der Entwicklung Namibias, deren Sedimente als **Kalahari-Gruppe** bezeichnet werden. Diese Zeit war vor allem durch Abtragungsprozesse gekennzeichnet. Die mächtigen Gesteinslagen der Karoo-Zeit wurden stellenweise bis hinab auf das präkambrische Grundgebirge abgetragen und verschwanden damit in vielen Landesteilen völlig. Aus diesem Grund sind in Namibia die uralten Gesteine für die geologisch interessierten Besucher so gut zu sehen. Ein Teil des dabei anfallenden Abtragungsschutts endete jedoch noch nicht im Atlantik, sondern wurde am Fuß der Großen Randstufe zwischengelagert. Diese Sedimente gehören ebenso zur Kalahari-Sequenz wie die Abtragungsmassen, die nach Osten ins eigentliche **Kalahari-Becken** gelangten. Hier sind besonders die roten Dünen der Kalahari (Abb. 2.19) typische Vertreter dieser Sequenz. Aber auch die Kalkkrusten, die große Gebiete der Kalahari, der Namib oder des Etoscha-Parks bedecken, gehören zu dieser Epoche der Gesteinsbildung.

Abb. 2.20: Unter den Sandablagerungen der Namib-Wüste breiten sich die versteinerten Dünen der Tsondab-Sandstein-Formation aus (Namib Desert Lodge)

Während einer sehr trockenen Klimaphase zwischen 20 und 14 Mio Jahren wurden mächtige Sanddünen gebildet, die durch die **Tsondab-Sandstein-Formation** (Abb. 2.20) vertreten sind. Diese versteinerten Dünen bauen heute den Untergrund weiter Teile der jetzigen Namib-Wüste auf.

Im Anschluss an die „Tsondab-Wüste" vor etwa 14 Mio Jahren vor unserer Zeit gab es dagegen eine Phase, die von feuchterem Klima zeugt. Die Erosions- und Transportkraft der Flüsse verstärkte sich, wodurch sich tertiäre Schotterlagen und Flussterrassen der **Karpfenkliff-Formation** (Abb. 2.21) bilden konnten.

Seit ca. 5 Mio Jahren herrschen in Namibia, abgesehen von kurzen, regenreicheren Phasen, in etwa die gleichen Klimabedingungen wie heute. Gesteinsablagerunen aus diesem Zeitabschnitt werden als **Namib-Gruppe** zusammengefasst. In diesem Zeitraum entstand die Wüste Namib, die dem Staat Namibia seinen Namen gab. Die Dünenbildung der Namib (Abb. 2.22) setzte vor etwa 2 Mio Jahren ein und geht bis heute unaufhaltsam weiter. Zu etwa der gleichen Zeit ist ein verstärktes Einschneiden der damaligen Flüsse festzustellen. Dieses Ereignis steht mit Vorgängen in Verbindung, die sich 10.000 km entfernt auf der Nordhalbkugel abspielten. Vor etwa 2 Mio Jahren breiteten sich dort Eiszeiten aus. Durch diese Klimaveränderung erstarrten gewaltige Mengen Wasser zu Eis, was ein weltweites

Abb. 2.21: Die mächtigen Konglomerate der Karpfenkliff-Formation am Henno-Martin Shelter (Namib-Naukluft-Park)

Abb. 2.22: Das Große Sandmeer der Namib

Absinken des Meeresspiegels von bis zu 120 m zur Folge hatte. Dadurch verstärkte sich das Gefälle zwischen Land und Meer, sodass es zur Erhöhung der Erosionskraft der Flüsse kam, die sich nun tief in ihre zuvor aufgeschotterten Ablagerungen und teilweise sogar bis in das Grundgebirge einschneiden konnten. Auch hier zeigt sich, wie stark die geologische Geschichte Namibias bis in die Gegenwart mit weltweiten Vorgängen und Veränderungen in Zusammenhang steht.

Wenn Sie die Zeitabschnitte der einzelnen geologischen Formationen Namibias genauer betrachten, wird Ihnen auffallen, dass größere Zeitlücken von mehreren Millionen Jahren auftreten (z.B. Ende Damara-Zeit vor 460 Mio Jahren bis Beginn Karoo-Zeit vor 300 Mio Jahren). Dies heißt aber keineswegs, dass in diesen Zeiträumen geologisch nichts passiert ist. Die „Zeit-Löcher“ zeigen, dass in diesen Abschnitten nicht die Ablagerung, sondern die Abtragung überwog. Zuvor gebildete Gebirge wurden zu Gebirgsrümpfen eingeebnet, bevor sich in einer nachfolgenden Sedimentationsphase neue Schichten ablagerten. Die Grenzfläche zwischen abgetragener Landoberfläche und neuem Sedimentations-Zyklus wird als **Diskordanz** (Abb. 2.23) bezeichnet. Diskordanzen sind an vielen Stellen Namibias im Gelände deutlich zu sehen (Abb. 2.24 a–d, S. 40/41).

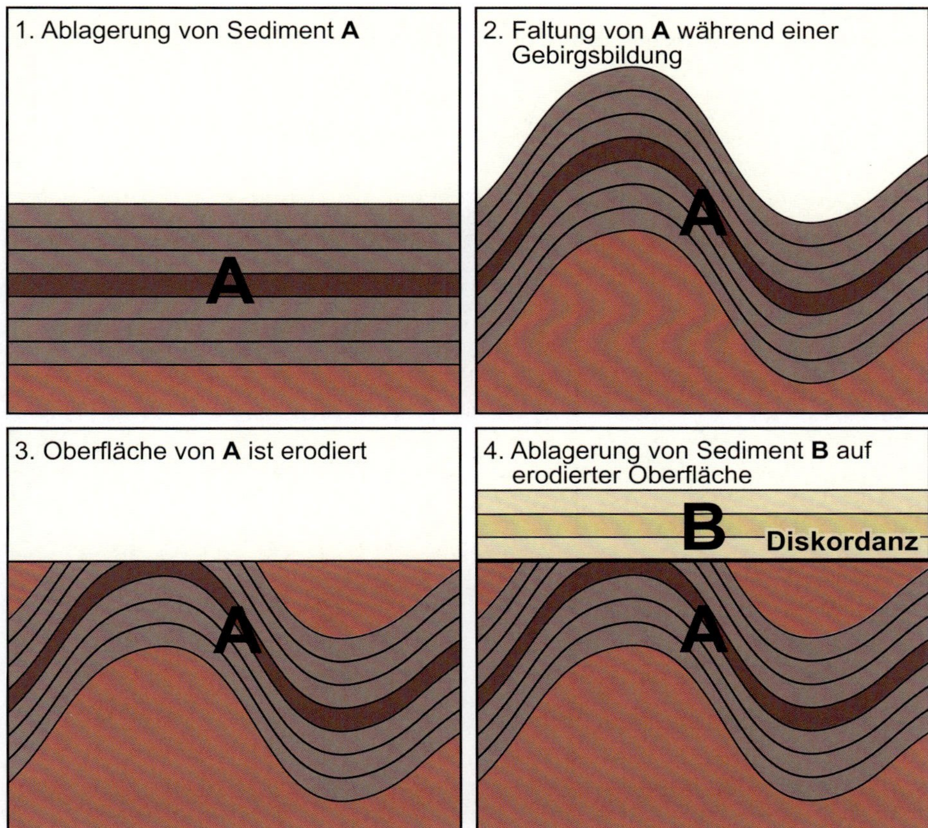

Abb. 2.23: Schematische Entstehung einer Diskordanz

Grafik: Johanna Eifrig

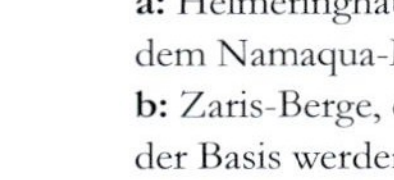

Abb. 2.24: Diskordanzen in Namibia
a: Helmeringhausen, die schwarzen Kalke gehören der Nama-Gruppe an, die darunterliegenden roten Gesteine dem Namaqua-Metamorphit-Komplex
b: Zaris-Berge, die horizontalen Schichten wurden während der Nama-Zeit abgelagert, die massigen Gesteine an der Basis werden der Rehoboth-Sequenz zugerechnet
c: auf dem Weg zum Versteinerten Wald westlich von Khorixas, Diskordanz zwischen der Karoo-Zeit (oben) und dem Damara-Zeitalter (unten)
d: Ghaub-Canyon, die dünne Lage junger Kalkkruste (oben) liegt auf gefalteten damara-zeitlichen Gesteinen

c

d

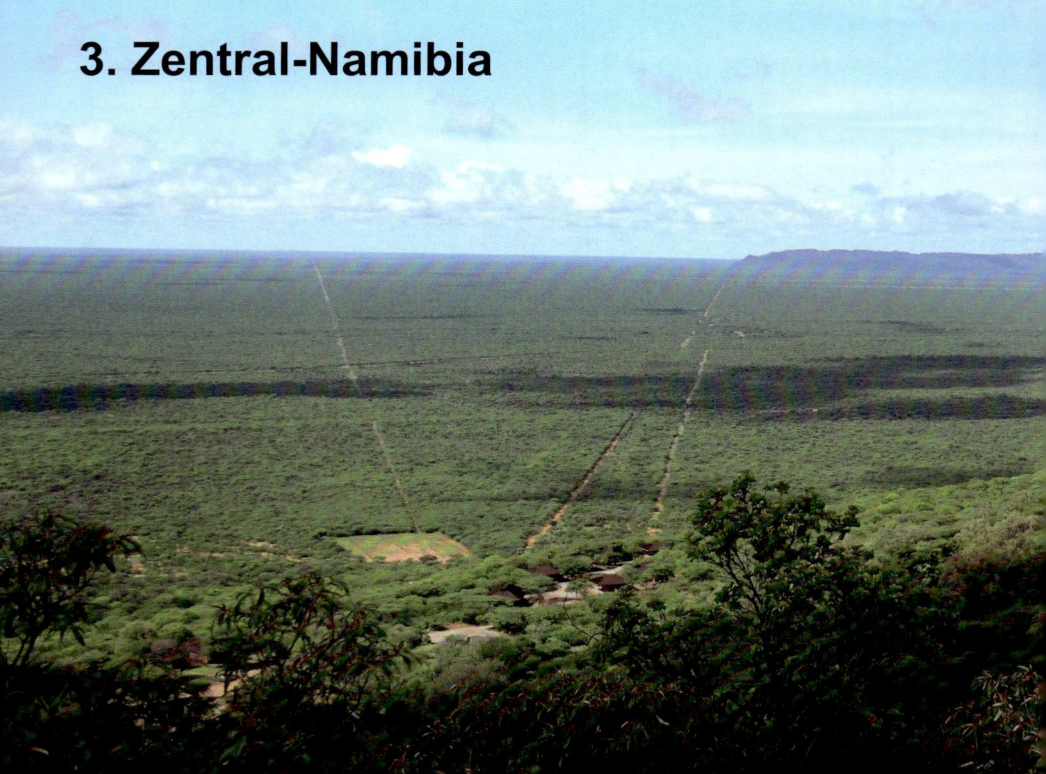

3. Zentral-Namibia

3.1 Die Region um Windhoek

Die Erkundung der geologischen Sehenswürdigkeiten Namibias kann für Sie schon in der Umgebung von Windhoek beginnen. Von besonderem Interesse sind dabei das Khomas-Hochland und die Auas-Berge, deren Gesteinsformationen zu den ersten Eindrücken des Besuchers gehören. Ebenso sollten Sie dem Windhoek-Graben, den Quellen von Groß-Barmen sowie den Auas- bzw. Aris-Vulkaniten Ihre Aufmerksamkeit schenken.

3.1.1 Das Khomas-Hochland

Den zentralen Teil des Khomas-Hochlands erreichen Sie, von Windhoek oder Swakopmund kommend, über die Straße C 28. Die nach Norden verlaufende Querstraße D 1958

führt Sie durch den landschaftlich beeindruckenden, höchsten Teil dieses Gebiets. Von dort haben Sie bei guter Sicht einen 360°-Rundumblick, der vom Gamsberg im Südwesten (siehe Kapitel 7.3.1) bis zum Erongo-Gebirge im Nordwesten (siehe Kapitel 6.1.1) reicht.

Das nach dem Nama-Wort Khomas (= Berge) benannte Khomas-Hochland erstreckt sich auf einer durchschnittlichen Höhe von fast 2.000 m westlich von Windhoek bis an die Große Randstufe (siehe Kapitel 7.3). Am Gamsberg, der die südwestliche Begrenzung darstellt, fällt das Hochland etwa 1.000 m steil zur Namib-Wüste hin ab. Nördlich bildet der Swakop-Trockenfluss, ebenfalls durch einen Geländeabbruch gekennzeichnet, die Grenze. Östlich wird das Khomas-Hochland durch das Windhoek-Tal und im Süden durch die Gebirgszüge der Auas-Berge begrenzt.

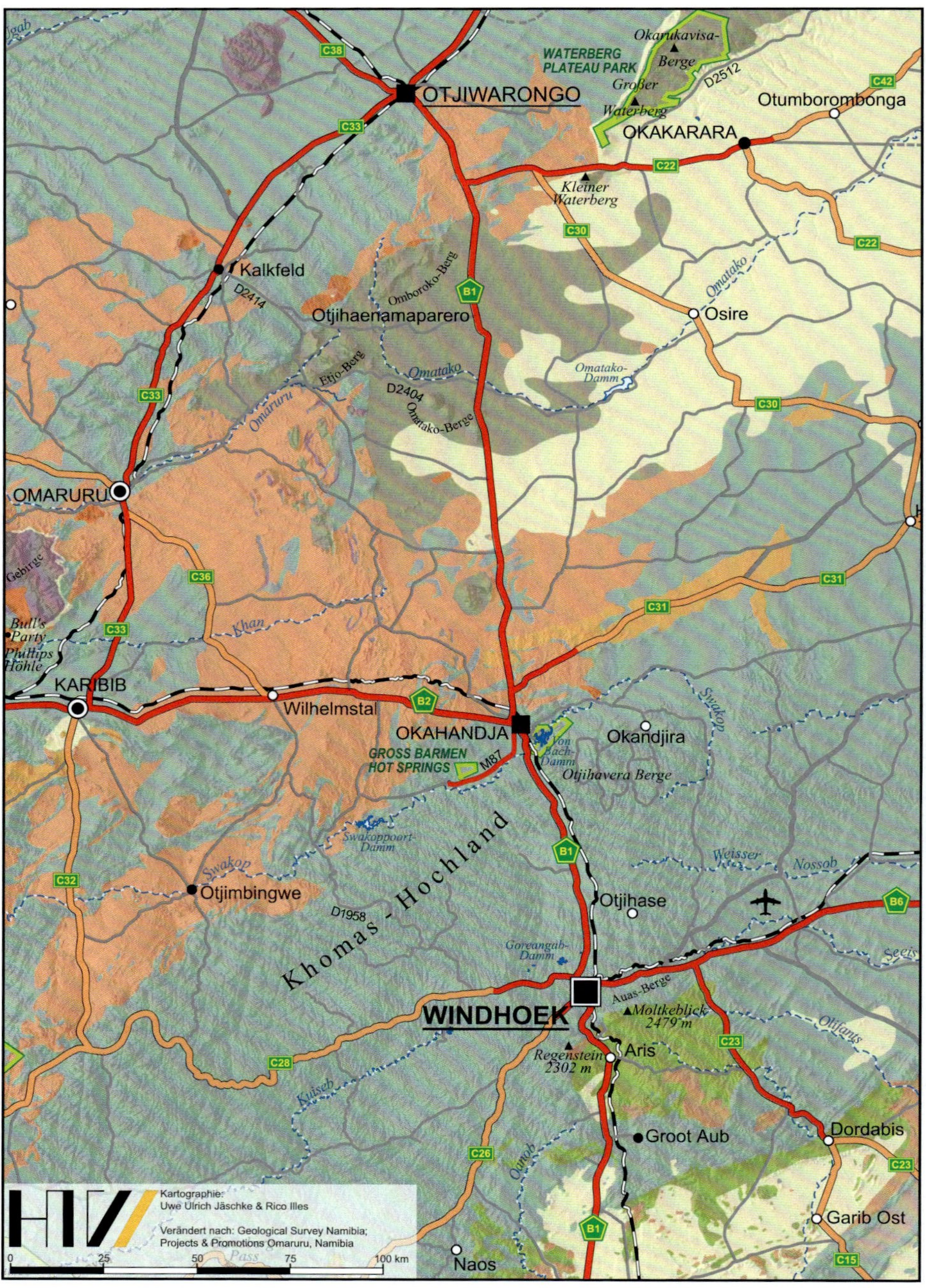

Abb. 3.1: Geologische Sehenswürdigkeiten in Zentral-Namibia (Farb-Legende siehe Karte Vorderklappe)

Abb. 3.2: Blick über die namibische Hauptstadt Windhoek mit der Verebnungsfläche des Khomas-Hochlands im Hintergrund

Die geologische Geschichte des Khomas-Hochlands und der nahe gelegenen Auas-Berge (siehe Kapitel 3.1.2) begann schon vor mindestens 750 Mio Jahren. Zu dieser Zeit bestand das heutige südliche Afrika u. a. aus zwei unabhängigen Festlandsbereichen (Kratonen), dem Kongo-Kraton im Norden und dem Kalahari-Kraton im Südosten. Diese waren durch einen lang gestreckten, schmalen Meeresarm, das sogenannte Damara-Meer, getrennt. In diesem Meer sammelte sich über Jahrmillionen der Abtragungsschutt der Festländer, wobei sich in den Tiefseebereichen hauptsächlich feinere, tonig-sandige Sedimente ablagerten. Im Zuge der **Damara-Gebirgsbildung**, die in diesem Teil Namibias vor ca. 650 Mio Jahren begann, wurden die marinen Sedimente infolge der plattentektonischen Kollision der beiden Festländer zu einem riesigen Faltengebirge aufgetürmt. Die dabei herrschenden, extremen Druck- und Temperaturbedingungen wandelten die sandig-tonigen Tiefwasser-Ablagerungen in metamorphe Gesteine, sogenannte Glimmerschiefer, um. Dieser Glimmerschiefer baut heute das Khomas-Hochland auf. Das Gestein zeugt von dem Meer, das sich hier einst ausbreitete, und von dem Hochgebirge, welches sich anschließend aus den Meeresablagerungen bildete.

Wenn Sie sich die Gesteine genauer anschauen wollen, fahren Sie zur Heinitzburg in Windhoek. Von dort haben Sie nicht nur einen hervorragenden Blick auf die Hochfläche des Khomas-Hochlands (Abb. 3.2). Die aufragenden Böschungen unterhalb der Burg bestehen ebenfalls aus dem erwähnten **Glimmerschiefer**. Während die dunkleren Gesteinslagen aus

Ton- und Glimmer-Mineralen aufgebaut werden, bestehen die hellen Anteile aus Quarz. Dieses Mineral wurde durch die hohen Druck- und Temperaturbedingungen während der Metamorphose (Gesteinsumwandlung) verflüssigt und kühlte nach Ablauf der Gebirgsbildungsprozesse in Bändern und Linsen zwischen dem Glimmerschiefer wieder ab. Die oft wellige oder gefaltete Struktur ist auf die tektonischen Prozesse während der Gebirgsbildung zurückzuführen. Die Gesteine erreichen im Khomas-Hochland auch heute noch eine Mächtigkeit von mehreren 1.000 Metern.

In den folgenden Jahrmillionen unterlag das entstandene Damara-Hochgebirge den Kräften der Verwitterung und Abtragung. Nachdem es in der Folge bereits stark eingeebnet war, setzte vor ca. 120 Mio Jahren im Anschluss an die Gondwana-Spaltung eine großräumige Landhebung ein. Der Bereich des heutigen Khomas-Hochlands wurde dabei durch die enormen Kräfte des Erdinneren um einige Kilometer emporgestemmt. Obwohl auch diese Anhebung durch die starke Abtragung der folgenden Jahrmillionen größtenteils wieder ausgeglichen wurde, stellt sich das Khomas-Hochland auch heute noch als Hochfläche dar, auf welcher nur noch sanft-gewellte Bergzüge an das ehemalige Damara-Gebirge erinnern.

3.1.2 Die Auas-Berge

Südlich der Straße B 6 zwischen dem Internationalen Flughafen und der Hauptstadt Windhoek erhebt sich der Gebirgszug der Auas-Berge, der sich parallel zu Ihrer Fahrtrichtung bis an den Stadtrand Windhoeks erstreckt. Einen noch besseren Einblick in dieses Gebirge haben Sie auf der Straße B 1 in Richtung Rehoboth, denn diese Straße führt Sie mitten durch diesen Bergzug hindurch.

Die Auas-Berge bilden zusammen mit weiteren Gebirgszügen die südliche und östliche Begrenzung des Windhoek-Tals, in dem die namibische Hauptstadt gelegen ist. Mit 2.479 Metern ist der Moltkeblick die zweithöchste Erhebung des Landes (Abb. 3.3).

Ebenso wie das Khomas-Hochland stellen auch die Auas-Berge einen Teil des **Damara-Gebirges** dar. Trotz dieser „Verwandtschaft" werden Ihnen bei einem Vergleich der beiden Bergregionen einige landschaftliche Unterschiede auffallen. Während das Khomas-Hochland durch runde Formen geprägt ist, wirken die Auas-Berge eher steil und schroff. Dieser bemerkenswerte Unterschied ist auf den Gesteinsaufbau zurückzuführen. Die Auas-Berge bestehen zu einem höheren Prozentsatz aus verwitterungsresistentem Quarzit, während das Khomas-Hochland vor allem aus dem eher „weichen" Glimmerschiefer aufgebaut ist. **Quarzit** ist ein massiges, sehr hartes Gestein, das während der Damara-Gebirgsbildung aus der Metamorphose von Sandsteinen hervorging. Die Quarzitbänder der Auas-Berge sind als deutlich sichtbare, lang gestreckte Kämme schon im Vorbeifahren an den Bergflanken und in Straßeneinschnitten zu erkennen.

Ähnlich wie bei der Entstehung des Naukluft-Gebirges im Süden des Landes (siehe Kapitel 7.3.2) spielte auch bei der Bildung der Auas-Berge die sogenannte **Deckentektonik** eine

Abb. 3.3: Der Moltkeblick am südlichen Stadtrand von Windhoek

wesentliche Rolle. Durch die relative Nähe zum Nordrand des Kalahari-Kratons gerieten auch hier ganze Gesteinsstapel auf dem Höhepunkt der Gebirgsbildung in Bewegung und wurden über unterschiedliche Distanzen verfrachtet.

Die Auas-Berge stellen zusammen mit den Otjihavera-Bergen eine wichtige **Wasserscheide** des Landes dar. Während die Fließgewässer des Khomas-Hochlands nach Westen in Richtung Atlantik entwässern, fließen die Gewässer hinter dieser Bergbarriere nach Osten, wo sie meist in den mächtigen Sandablagerungen der Kalahari versickern, wie z. B. der Weiße und Schwarze Nossob oder der Seeis-Trockenfluss.

3.1.3 Der Windhoek-Graben

Die Stadt Windhoek liegt in einer geologischen Grabenstruktur. Dieser sogenannte **Windhoek-Graben** ist Teil eines bedeutenden Störungssystems. Dieses hat sich während des Tertiärs aufgrund von Dehnungsvorgängen in der Erdkruste als Folge des Auseinanderbrechens des Gondwana-Kontinents gebildet. Dabei wurden entlang mehrerer begrenzender, tiefreichender Nord-Süd-verlaufender Störungen einzelne Gesteinsblöcke gegeneinander versetzt (Abb. 3.4).

Die gesamte Grabenstruktur, in dessen Tal heute die Innenstadt Windhoeks gelegen ist, hat Ausmaße von ca. 150 km Länge und etwa 20 km Breite. Begrenzt wird das Windhoek-Tal von den Gebirgszügen des Khomas-Hochlands im Westen, von den Otjihavera-Bergen

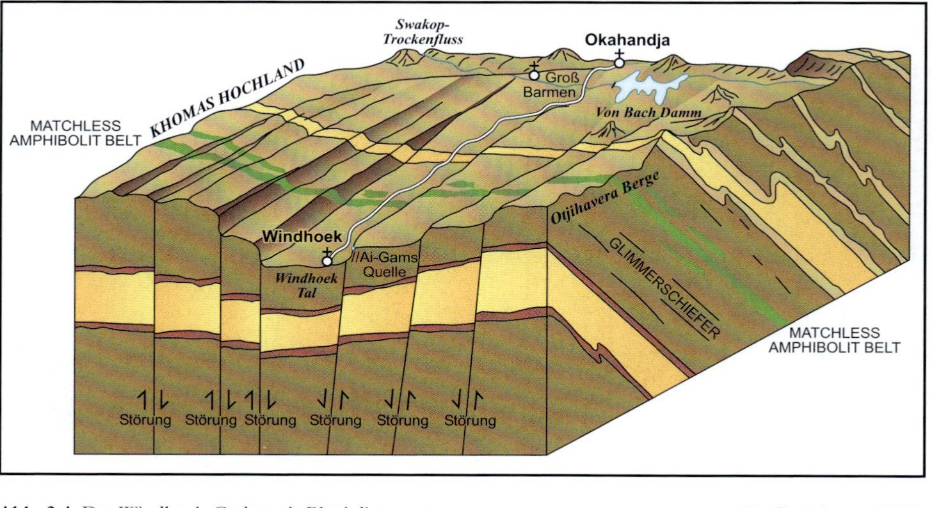

Abb. 3.4: Der Windhoek-Graben als Blockdiagramm Grafik: Johanna Eifrig

im Osten und von den Auas-Bergen im Südosten und Süden. Nach Norden in Richtung Okahandja ist das Tal offen.

Die Grabenbildung und damit verbunden auch der tertiärzeitliche Vulkanismus in den Auas-Bergen (siehe Kapitel 3.1.3.2) spielte sich vor etwa 35 Mio Jahren, also in geologisch recht junger Zeit ab. Da die Entstehung der tiefreichenden Störungszonen in Zusammenhang mit der Atlantiköffnung steht, die ja bis heute noch nicht abgeschlossen ist, verwundert es nicht, dass der Windhoek-Graben auch heute noch seismisch aktiv ist. Daher sind hin und wieder leichte Erdstöße in der Hauptstadt zu spüren.

Windhoek war früher für seine heißen Quellen bekannt, an denen sich sogar Elefanten tummelten. Diese **Thermalwässer**, die auch heute noch in begrenztem Maße aus dem Untergrund aufsteigen, sind ebenfalls an die genannten, tiefreichenden Störungszonen gebunden. Niederschläge, welche in den nahegelegenen Auas-Bergen in große Tiefen versickern, werden durch vulkanische Restwärme (siehe Kapitel 3.1.3.2) aufgeheizt und gelangen längs der Störungszonen wieder an die Erdoberfläche. In dem Vorort Klein-Windhoek zeugen zahlreiche Quellen, wie z. B. bei der Pension Palmquell, von diesem Prozess, welcher einst den Nama-Häuptling Jonker Afrikaner veranlasst hat, hier eine Siedlung zu gründen.

Heutzutage sind aufgrund der starken Grundwasserentnahme die meisten Quellen leider versiegt. Allerdings kommt es nach guten Regenjahren immer wieder vor, dass einzelne Quellen wieder für kurze Zeit aktiv sind und sogar in überbauten Bereichen die Teer- oder Zementdecken durchbrechen.

Die Störungszonen des Windhoek-Grabens bilden zusammen mit den quarzitischen Gesteinen am Südrand der Stadt ein wichtiges **Grundwasserreservoir**. Dieses wird durch eine

Brunnengalerie angezapft, welche ca. 50 Bohrlöcher umfasst. Mit diesem Wasser werden ca. 10 % des Wasserverbrauchs der Stadt gedeckt. Weitere 10 % werden durch eine hochmoderne Abwasseraufbereitungsanlage am Goreangab-Damm gewonnen. Die restlichen 80 % werden durch aufbereitetes Oberflächenwasser von drei miteinander verbundenen Staudämmen (Von Bach-Damm, Omatako-Damm, Swakoppoort-Damm) gedeckt.

3.1.3.1 Die Quellen von Groß-Barmen

Um zu den Quellen von Groß-Barmen zu gelangen, biegen Sie in Höhe von Okahandja von der B 2 auf die Straße 87 nach Westen ab und folgen den Wegweisern. Nach ca. 26 km erreichen Sie Groß-Barmen. Erkundigen Sie sich vorher, ob die bis 2013 vorgesehene Renovierung der Unterkünfte und Einrichtungen bereits abgeschlossen ist.

In einem ariden Land wie Namibia spielten ganzjährig verfügbare Wasserquellen schon in den letzten beiden Jahrhunderten eine große Rolle. 1844 gründeten deutsche Missionare daher eine Missionsstation an den heißen Quellen von Otjikango (Herero: Platz der großen Quelle) in einem Seitental des Swakop-Flusses. In Anlehnung an den Hauptsitz der deutschen Rheinischen Missionsgesellschaft in Wuppertal-Barmen wurde dieser Ort Neu-Barmen genannt. Das später daraus entstandene Groß-Barmen ist heute als Erholungsgebiet ausgebaut.

Groß-Barmen liegt an den nordöstlichen Ausläufern des Khomas-Hochlands. Der Untergrund und die umliegenden Berge werden im Wesentlichen von Glimmerschiefern des Damara-Zeitalters aufgebaut.

Die heißen Quellen von Groß-Barmen sind auf die lokale tektonische Situation zurückzuführen. Die lang gestreckten und tiefreichenden Störungssysteme, die schon für die Bildung des Windhoek-Grabens verantwortlich waren, liegen auch im Bereich von Groß-Barmen vor (siehe Abb. 3.4 in Kapitel 3.1.3). Hier ist eine NO-SW-verlaufende **Störung** ausgebildet, an der sich zwei Gesteinspakete längs eines Bruchs horizontal gegeneinander verschieben.

Bei dem **Quellwasser** von Groß-Barmen handelt es sich um meteorisches Wasser, d. h. um Regenwasser, welches in der weiteren Umgebung über Kluftsysteme bis in große Tiefen (bis ca. 2.500 m) versickert und durch die dort herrschende Erdwärme bis zum Sieden aufgeheizt wird. Der unter Druck stehende Wasserdampf steigt dann hier bei Groß-Barmen in der Störungszone wieder empor, wobei er sich soweit abkühlt, dass er an der Erdoberfläche wieder in Wasser übergeht. Der Aufstieg des Thermalwassers wird durch eine zweite Störung, welche die NO-SW-verlaufende Zone senkrecht schneidet, zusätzlich begünstigt. Der Quellaustritt fällt genau in den Schnittpunkt dieser beiden Bereiche (Abb. 3.5). Aufgrund des tektonischen Zusammenhangs wird die Quelle von Groß-Barmen deshalb als **Störungsquelle** bezeichnet.

Mit einer Austrittstemperatur von bis zu 65°C wird die Quelle von Groß-Barmen als sehr heiße Quelle klassifiziert. Diese hohen Wassertemperaturen am Quellaustritt sind durch den sehr schnellen Wiederaufstieg des Wasserdampfs innerhalb der Störungszone und der damit verbundenen geringen Abkühlungszeit erklärbar. Der Schwefelgeruch wird durch

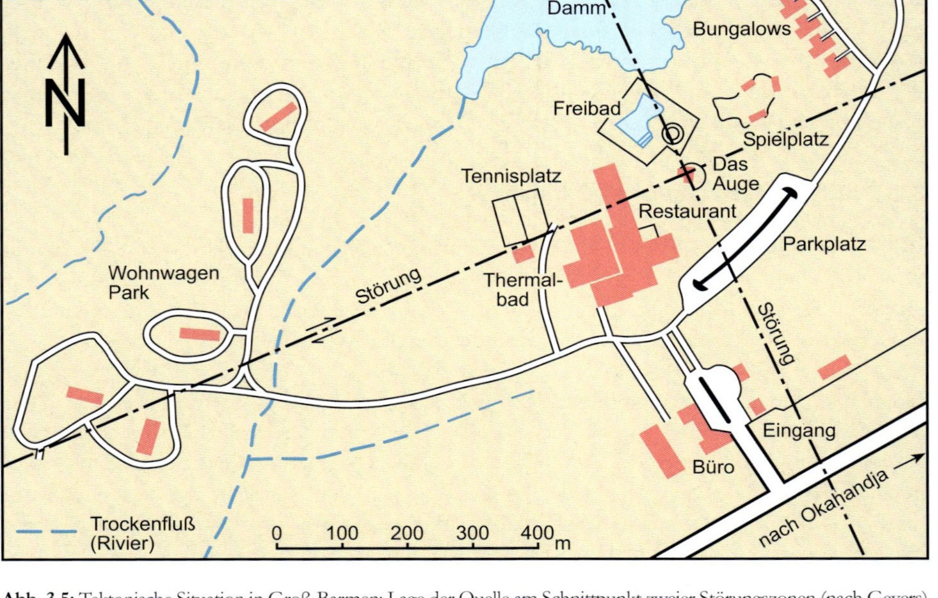

Abb. 3.5: Tektonische Situation in Groß-Barmen: Lage der Quelle am Schnittpunkt zweier Störungszonen (nach Gevers) Grafik: Kati Goldmann

Schwefelwasserstoff hervorgerufen und ist auf Bakterien zurückzuführen, die das im Wasser gelöste Sulfat zersetzen.

Vielfach sehen Sie weiße Krusten, welche die umliegenden Gesteine überziehen. Dabei handelt es sich um Salzausblühungen, die durch das Verdunsten des Quellwassers und der damit verbundenen Ausfällung von Mineralen entstanden sind.

Aufgrund des relativ hohen Mineralgehalts und seiner hohen Temperaturen ist das Quellwasser von Groß-Barmen von therapeutischem Wert. Neben Natrium enthält das Wasser größere Konzentrationen an Kalium, Calcium und Magnesium sowie Sulfat, Chlorid, Karbonat und Fluorid. Die Herkunft dieser Mineralsalze ist auf Lösungsvorgänge im Untergrund zurückzuführen. Die im Quellwasser nachgewiesenen Salze sind folglich Bestandteile von Gesteinen, die Sie in der weiteren Umgebung von Groß-Barmen finden können.

3.1.3.2 Die Auas- und Aris-Vulkanite

Die magmatischen Pfropfen der Auas-Vulkanite sehen Sie schon aus der Ferne am südlichen Stadtrand Windhoeks im Bereich der Auas-Berge aufragen (Abb. 3.6). Auch auf Ihrer Fahrt längs der B 1 nach Süden in Richtung Rehoboth sind die vulkanischen Körper der Aris-Vulkanite zu entdecken. Der sogenannte Aris-Phonolith (Aris-Steinbruch) liegt ca. 20 km südlich von Windhoek auf der linken Straßenseite und ist durch die Steinbruch-Tätigkeit nicht zu übersehen.

Abb. 3.6: Rund um den Moltkeblick sind mehrere vulkanische Pfropfen zu erkennen

Die Entstehung der Auas-Vulkanite steht in direktem Zusammenhang mit der Bildung des Windhoek-Grabens. Solch tiefreichende Störungszonen, wie sie schon bei der Graben-Bildung eine wesentliche Rolle spielten, dienen nicht selten auch als Aufstiegsbahnen für magmatische Schmelzen. Insofern ist es nicht verwunderlich, dass die Auas-Berge (siehe Kapitel 3.1.2), welche von der südlichen Verlängerung dieser Störungszonen durchdrungen wurden, von zahlreichen vulkanischen und sub-vulkanischen Körpern durchsetzt sind.

Insgesamt sind 45 vulkanische Pfropfen beschrieben, die drei unterschiedlichen Vulkan-Feldern zuzuordnen sind. Bitte beachten Sie jedoch, dass die ursprünglichen Vulkane, die hier aufragten, schon lange der Abtragung zum Opfer fielen. Heute sind nur noch die abgekühlten Schlotfüllungen der einstigen Feuerberge erhalten, die aufgrund ihrer hohen mechanischen Härte schon von weitem erkennbare, verwitterungsresistente Körper bilden.

Die hier auftretenden Gesteinen sind im Wesentlichen Trachyte und Phonolithe. **Trachyte** sind meist helle, feldspatreiche Vulkanite, die oft große Einzelkristalle von Feldspat aufweisen. **Phonolithe**, wie sie z. B. im Aris-Steinbruch als Straßenschotter abgebaut werden, sind meist feinkörnig und kommen oft mit Trachyten vergesellschaftet in kontinentalen Grabenzonen vor. Der Name Phonolith stammt übrigens aus dem Griechischen (*phonae* = Ton, Klang, *lithos* = Stein) Klingstein, denn das Gestein gibt beim Anschlagen einen hellen Klang.

Abb. 3.7: Der Aris-Phonolith-Steinbruch, im Hintergrund ist der Trachyt-Propfen des Backenzahns zu sehen

Das größte der Auas-Vulkanfelder ist der Regenstein, der im Bereich des Funkturms am Südrand Windhoeks gelegen ist. Ein weiteres Vulkanfeld ist rund um den Moltkeblick zu erkennen (Abb. 3.6). Das Aris-Vulkanfeld ist durch den Aris-Steinbruch und durch den südlich gelegenen „Backenzahn" (Abb. 3.7) nicht zu übersehen. Aufgrund seiner besonderen und zum Teil seltenen Mineralvorkommen ist der Aris-Steinbruch unter Mineraliensammlern ein beliebtes Ausflugsziel. Bitte beachten Sie jedoch, dass Sie bei dem Steinbruchbetreiber eine Erlaubnis einholen müssen, bevor Sie das Gelände betreten dürfen.

3.2 Die Region um Otjiwarongo

Auf Ihrer Fahrt durch die Region um Otjiwarongo begegnen Ihnen geologische Sehenswürdigkeiten, die sich sowohl landschaftlich als auch erdgeschichtlich von der Geologie der Umgebung von Windhoek deutlich abheben.

3.2.1 Die Omatako-Berge

Wenn Sie auf der Teerstraße B 1 von Okahandja nach Otjiwarongo unterwegs sind, sehen Sie ca. 90 km außerhalb von Okahandja in westlicher Richtung zwei markante, kegelförmige Inselberge. Die mit dem Herero-Wort omatako (= Hinterbacke) recht treffend bezeichneten

Abb. 3.8: Blick von Westen auf die Omatako-Berge

Bergformen ragen 700 bis 800 m aus der sonst relativ flachen Umgebung heraus. Mit einer Höhe von 2.289 m ist der westliche Gipfel dieser Inselberge nur ca. 300 m niedriger als der Brandberg, Namibias höchster Erhebung.

Die Omatako-Berge (Abb. 3.8) sind Zeugnisse der **Karoo-Zeit** zwischen 240 bis 180 Mio Jahren. Zu dieser Zeit waren im weiteren Umfeld der Berge geologische Grabenstrukturen ausgebildet, in denen Seen als Auffangbecken für Sedimente dienten, die durch Flüsse aus umliegenden Gebirgen herangeführt wurden. In den weitläufigen Flussdeltas kamen Sandsteine, Tonsteine und Konglomerate der **Omingonde-Formation** zur Ablagerung, die heute den unteren Teil der Omatako-Berge aufbauen. Diese Gesteine sind allerdings nicht sichtbar, da sie von mächtigen Schuttfächern der überlagernden Gesteine bedeckt sind. Über dem Schuttfächer sehen Sie eine deutlich erkennbare, 80 bis 90 m mächtige Sandsteinlage, die an vielen Stellen als Steilwand herausgewittert ist. Diese Gesteine sind die Folge eines extremen Klimaumschwungs vor 180 Mio Jahren, dem die Seenlandschaft zum Opfer fiel. Die Feuchtgebiete trockneten aus und wurden von roten Wüstensanden bedeckt. Aus diesen Wüstenablagerungen entstanden die rötlichen **Etjo-Sandsteine**, die auch in der weiteren Umgebung der Omatakos, wie z. B. am Waterberg (siehe Kapitel 3.2.3) verbreitet sind.

Die oberen 300 m der Omatako-Berge werden aus Basalt bzw. Dolerit aufgebaut. Bei genauem Betrachten mit dem Fernglas können Sie deutliche Unterschiede zwischen den beiden Gesteinen erkennen. Der dunklere, meist kugelförmig verwitterte Dolerit bildet den östlich gelegenen Gipfel, während die glatteren Hänge des höheren, westlichen Gipfels aus Basalt aufgebaut sind.

Die Entstehung dieser Gesteine steht in Zusammenhang mit dem frühen Auseinanderbrechen des östlichen Gondwana-Kontinents und des damit verbundenen **Karoo-Vulkanismus**. Weite Teile, vor allem in Südnamibia (siehe Kapitel 8.1.4), aber auch das Gebiet um die Omatako-Berge, wurden damals von Basalt-Laven überflutet und von magmatischen Doleritgängen durchschlagen. Durch die folgenden, Jahrmillionen andauernden Abtragungsprozesse wurden die vulkanischen Gesteine in Zentral-Namibia fast völlig abgetragen. Heute geben nur noch die Basalt- und Doleritgesteine auf den Gipfeln der Omatako-Berge einen Eindruck davon, wie tief sich die Abtragung seitdem in die Erde gefressen hat.

3.2.2 Die Dinosaurier-Spuren von Otjihaenamaparero

Zu den Dinosaurierspuren auf der Farm Otjihaenamaparero gelangen Sie über die Schotterstraße D 2404, die kurz hinter den Omatako-Bergen nach Westen führt. Folgen Sie dieser Straße ca. 48 km und biegen Sie dann nach rechts auf die D 2414 ab. Nach weiteren 16 km sind Sie am Ziel. Alternativ können Sie auch von Kalkfeld aus zu den Saurierspuren gelangen. Biegen Sie in Kalkfeld auf die D 2414 ab und folgen Sie der Straße für ca. 29 km. Die Dinosaurierspuren gehören zu den Nationaldenkmälern Namibias.

Die Gesteine, in denen sich die Saurierspuren von Otjihaenamaparero erhalten haben, sind Produkte der **Karoo-Zeit** vor ca. 200–180 Mio Jahren. Diese Zeit war zunächst von feuchtem Klima geprägt. Weite Seengebiete breiteten sich über große Teile Zentral-Namibias aus. Dieses Land war ein idealer Lebensraum für **Dinosaurier**. Infolge zunehmender Trockenheit stellten sich in den folgenden Jahrmillionen jedoch wüstenhafte Bedingungen ein. Starke Winde verfrachteten große Mengen Flugsand in die Region und verwandelten die Seen nach und nach in sandige Feuchtgebiete. Die Dinosaurier, die hier nach wie vor lebten und deren Lebensbedingungen sich zunehmend verschlechterten, mussten sich auf vereinzelte Wasserlöcher konzentrieren, wo sie gut sichtbare Spuren in dem weichen, feucht-sandigen Sediment hinterließen. Die Abdrücke wurden schnell mit tonigen Partikeln ausgefüllt, von weiteren Sanden überdeckt und schließlich durch die Auflast der Deckschichten verfestigt.

Durch die Ablagerung und nachfolgende Verfestigung der Flugsande entstanden die mächtigen Schichtpakete des **Etjo-Sandsteins**, der in dieser Region heute weit verbreitet ist. Als Teil dieser Sedimente waren die Dinosaurierspuren für viele Millionen Jahre im Untergrund verborgen und sind erst im Zuge der Abtragung wieder an der Erdoberfläche erschienen. Die tonigen Partikel, welche die Fußabdrücke ausfüllten, sind wenig verwitterungsresistent und wurden deshalb durch Wasser und Wind rasch herausgelöst, während der Abdruckumriss in dem härteren Sandstein erhalten blieb. Diesen Umständen ist es zu verdanken, dass Sie diese eindrucksvollen Zeugnisse des Dinosaurier-Zeitalters heute sehen können (Abb. 3.9).

Anhand dieser sogenannten **Spuren-Fossilien**, wie die Fußabdrücke von Paläontologen (Fossilienkundler) genannt werden, lassen sich Rückschlüsse auf die Art, das Aussehen und die Lebensweise der betreffenden Ur-Reptilien ziehen. Bei den über mehr als 25 m zu verfolgenden Spuren, die Sie hier in einer mächtigen Etjo-Sandstein-Platte sehen können, handelt es sich um Hinterfußabdrücke verschiedener landlebender, dreizehiger, vermutlich fleischfressender Raub-Dinosaurier der Familie Ceratosauria. Aufgrund der Größe und Tiefe der Abdrücke im Sediment gehen die Wissenschaftler von etwa 3 m hohen Tieren aus. Da nur Abdrücke von Hinterfüßen vorzufinden sind, ist anzunehmen, dass die Tiere aufrecht gingen und somit auf stark ausgeprägten Hinterbeinen standen. Schätzungen zufolge sollen die Tiere Geschwindigkeiten von bis zu 40 km/h erreicht haben, wobei der lange Schwanz als Gegengewicht zur Balance gedient haben soll. Die Vordergliedmaßen waren vermutlich vergleichsweise klein (Abb. 3.10).

Abb. 3.9: Die Dinosaurierspuren von Otjihaenamaparero (Fußabdruck ca. 30 cm lang)

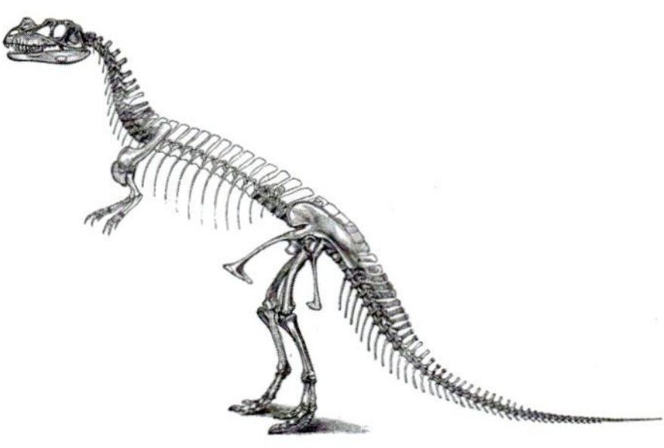

Abb. 3.10: Aufrechtgehender, dreizehiger Dinosaurier. Der Saurier von Otjihaenamaparero gehörte vermutlich dem gleichen Typ an (Skelett des Ceratosaurus, Original aus O. C. Marshs Buch „The Dinosaurs of North America“, 1896)

Von den weltweit ca. 900 bekannten Dinosaurierarten konnten nur wenige Fußspuren ihren Verursachern zugeordnet werden. Neueste Forschungen gehen davon aus, dass die Arten *Syntarsus* sp., *Quemetrisauropus princes* and *Prototrisauropus crassidigitus* sowohl die Spuren hier bei Otjihaenamaparero als auch auf dem nahegelegenen Waterberg hinterlassen haben.

Aufgrund der zunehmend wüstenhaften Klimabedingungen, als auch durch das von gewaltigen Lava-Ausbrüchen begleitete Auseinanderbrechen des östlichen Gondwana-Kontinents vor ca. 180 Mio Jahren ist anzunehmen, dass die urweltlichen Echsen von Otjihaenamaparero nicht lange nach Hinterlassung dieser Spuren für immer aus diesem Teil der Erde verschwanden.

3.2.3 Das Waterberg-Plateau

Zum Waterberg-Plateau gelangen Sie über die Straße C 22, die 30 km südlich von Otjiwarongo von der B 1 nach Osten führt. Fahren Sie für ca. 41 km auf dieser Straße und biegen Sie dann in die D 2512. Nach weiteren 24 km erreichen Sie den Abzweig zum Park und nach 1 km das Parkbüro.

Das Waterberg-Plateau gehört mit seinen für die Gegend typischen Gesteinen, versteinerten Dünen, Dinosaurierspuren und zahlreichen Quellen, denen es seinen Namen verdankt, zweifellos zu den interessantesten geologischen Sehenswürdigkeiten Namibias. Es erstreckt sich östlich von Otjiwarongo auf einer Länge von 48 km in Südwest-Nordost-Richtung. Die Breite des Plateaus variiert zwischen 8 bis 16 km. Mit durchschnittlich 1.700 m Höhe bildet der Waterberg die letzte Erhebung, bevor die Landschaft nach Osten in die weiten Ebenen der Kalahari übergeht.

Die Geschichte des Waterberg-Plateaus geht bis in die geologisch so bedeutsame **Karoo-Zeit** vor ca. 300 bis 180 Mio Jahren zurück. Zu Beginn dieses Zeitabschnitts lag Gondwana näher am Südpol als heute. Daher herrschten in weiten Teilen dieses Riesenkontinents, einschließlich des heutigen Namibias, eiszeitliche Bedingungen. Zahlreiche Gletscher breiteten sich über das Land aus und schnitten tiefe Täler in das uralte damarazeitliche Grundgebirge. Durch plattentektonische Vorgänge entfernte sich Gondwana jedoch wieder vom Südpol, was eine Klimaerwärmung im gesamten südlichen Afrika zur Folge hatte. Die abschmelzenden Gletscher hinterließen den mitgeführten Gesteinsschutt (Gletschermoränen), der heute als **Dwyka-Formation** bekannt ist und das Basisgestein des Karoo-Zeitalters bildet (Abb. 3.11 A). Diese versteinerten Moränen (Tillite) konnten durch Bohrungen in der Umgebung des Waterberg-Plateaus nachgewiesen werden.

Die durch die Gletscher ausgehobelten Senken füllten sich als weitere Folge der Erwärmung mit Schmelzwasser. Unter feucht-kühlem Klima breitete sich eine Seen- und Sumpflandschaft aus, deren Ablagerungen (**Ecca-Gruppe**) auch im Untergrund des heutigen Waterberg-Plateaus zu finden sind. Vor ca. 220 Mio Jahren bildeten sich durch tektonische Vorgänge geologische Grabenstrukturen, die als sedimentäre Sammelbecken dienten. Bis zu 700 m dicke Gesteinsschichten aus Konglomeraten, Ton- und Sandsteinen der sogenannten **Omingonde-Formation** wurden für 40 Mio Jahre von mächtigen Flüssen aus dem nahegelegenen Damara-Gebirge antransportiert und unter semi-ariden Klimabedingungen in den Gräben abgelagert. (Abb. 3.11 B)

Da sich der Gondwana-Kontinent stetig weiter vom Südpol entfernte, wurde das Klima immer wärmer. Vor 180 Mio Jahren begannen die Seen und Flüsse im Bereich des Waterberg-Plateaus auszutrocknen. Mächtige Flugsanddecken begruben die ehemals dicht bewachsenen Feuchtgebiete. Innerhalb von ca. 120 Mio Jahren verwandelte sich die Landschaft am heutigen Waterberg-Plateau von einer vergletscherten Polarzone über eine nordisch anmutende Seenlandschaft in eine heiße Sandwüste. Als Zeugen dieser extremen

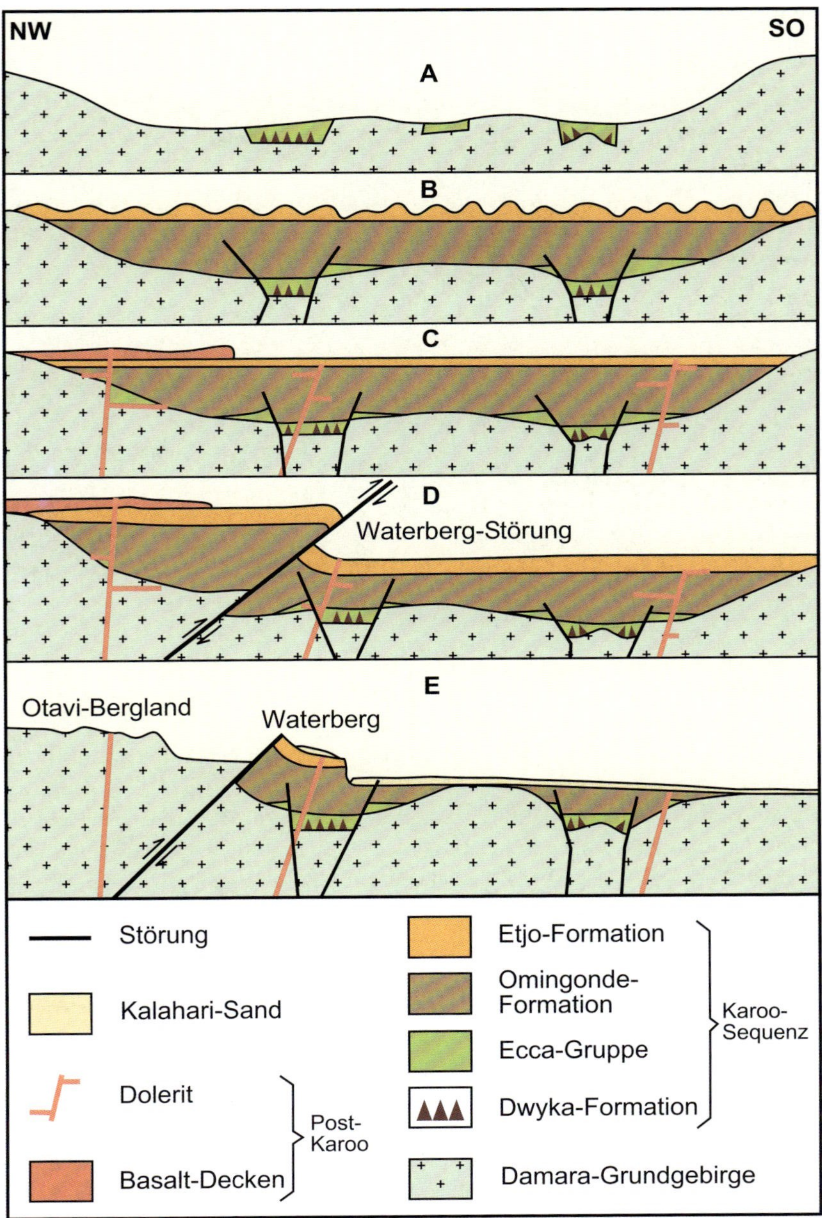

Abb. 3.11: Tektonische Gesamtentwicklung des Waterberg-Plateaus (vereinfacht nach Hegenberger)
Grafik: Patrick Heine

Abb. 3.12: Die Steilkante des Waterberg-Plateaus wird aus versteinerten Dünensanden (Etjo-Sandstein) aufgebaut

Klimaveränderung können Sie heute am Waterberg bis zu 150 m mächtige, versteinerte Dünen des **Etjo-Sandsteins** vorfinden (Abb. 3.12).

Der während der Karoo-Zeit vor ca. 180 Mio Jahren einsetzende Vulkanismus ist am Waterberg nur durch das Vorkommen kleiner Doleritgänge belegt. Im Gegensatz zu anderen Bereichen in der Umgebung (z. B. auf den Omatako-Bergen, siehe Kapitel 3.2.1) sind hier keine Überreste vulkanischer Basaltdecken vorzufinden (Abb. 3.11 C). Entweder verschonten die Lavaströme dieses Gebiet, oder die Basalte fielen in den nachfolgenden Jahrmillionen der Erosion zum Opfer.

Die weitere geologische Geschichte des Waterbergs wurde hauptsächlich durch tektonische Vorgänge geprägt. Im Zuge des post-karoozeitlichen Vulkanismus (siehe Kapitel 6.1) kam es in den westlichen und zentralen Landesteilen Namibias zu Ausgleichsbewegungen der Erdkruste, die umfangreiche Landhebungen zur Folge hatten. Durch diese tektonischen Aktivitäten wurde eine alte Störungszone im Bereich des Waterbergs erneut aktiviert. Diese Zone verläuft auf einer Länge von 250 km von Omaruru entlang des nordwestlichen Fußes des Waterbergs bis Grootfontein und ist heute als **Waterberg-Störung** bekannt (Abb. 3.13).

Entlang dieser Störung wurden das uralte Damara-Grundgebirge und die auflagernden Karoo-Gesteine durch die Kräfte des Erdinneren mehrere 100 Meter angehoben und in südöstliche Richtung über die dort befindlichen Karoo-Gesteine geschoben (Abb. 3.11 D).

Diese „Verdoppelung" des Gesteinsstapels war der entscheidende Prozess, der den Waterberg vor der Abtragung rettete. Während die überschobenen Gesteine erodiert wurden, war der ursprüngliche Sedimentstapel vor der Abtragung geschützt. Somit konnte sich der Waterberg im Gegensatz zu anderen Gebieten als Erosionsrelikt bis in die heutige Zeit als Hoch-Plateau erhalten.

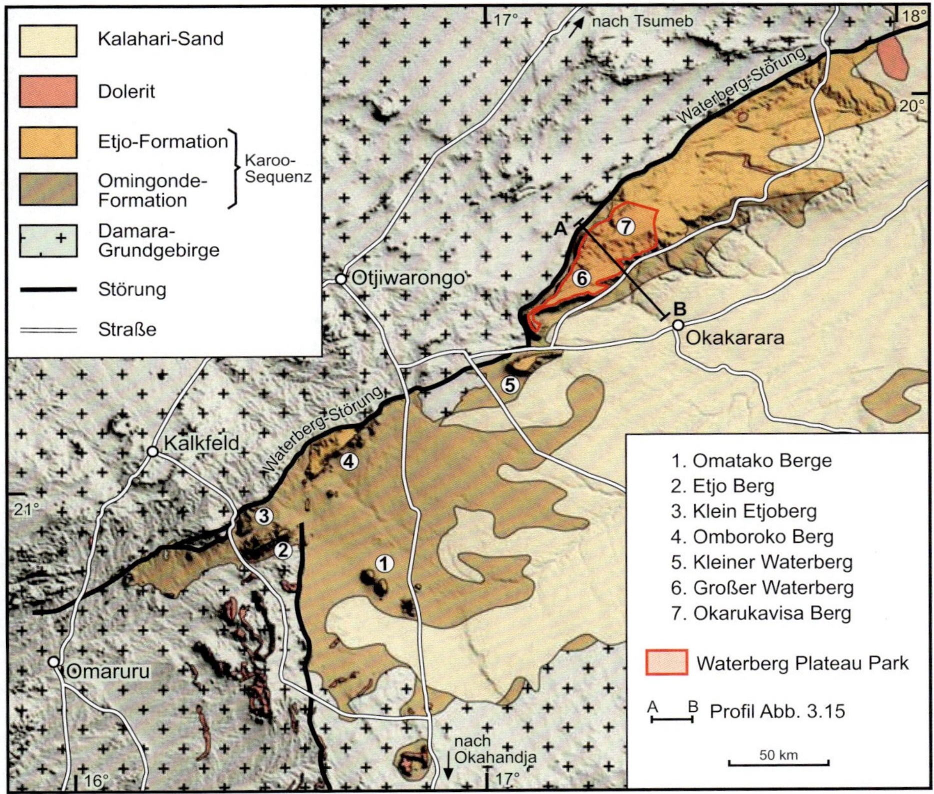

Abb. 3.13: Verlauf der Waterberg-Störung (vereinfacht nach Hegenberger) Grafik: Johanna Eifrig

Der nordwestliche Teil des Waterbergs wurde im Zuge der beschriebenen Aufschiebung zusätzlich nach Südosten verkippt und dabei hochgestellt. Er ragt heute deshalb in Form der Okarukavisa-Berge etwa 200 m höher empor als das eigentliche Plateau. Noch faszinierender ist aber die Tatsache, dass Sie die alte **Waterberg-Überschiebungsbahn** noch heute im Gelände sehen können. Wenn Sie zu den Dinosaurierspuren von Otjihaenamaparero (siehe Kapitel 3.2.2) unterwegs sind, sehen Sie südwestlich der Farmeinfahrt auf der westlichen Straßenseite Gesteinswände aufragen, die im unteren Teil aus rötlichen

Abb. 3.14: Die Waterberg-Störung bei Otjihaenamaparero (Dinosaurierspuren)

karoozeitlichen Sandsteinen und im oberen Teil aus älteren, hellen damarazeitlichen Marmoren aufgebaut sind (Abb. 3.14). Der Kontakt zwischen diesen beiden Gesteinsserien markiert genau den Verlauf der Waterberg-Störung, entlang der die enormen Gesteinsstapel verlagert wurden.

Die jüngsten Ablagerungen auf dem Waterberg-Plateau bestehen aus Sanden, die der Wind aus der heutigen Kalahari angeweht hat. Diese vom Wind herangetragenen, **äolischen Sedimente** bedecken weite Bereiche des Plateaus.

Abbildung 3.15 zeigt Ihnen die gesamte Schichtabfolge des Waterbergs als geologisches Profil längs der Profillinie A–B in Abb. 3.13.

Während seiner geologischen Entwicklungsgeschichte war das Waterberg-Plateau mehreren Abtragungsphasen unterworfen, durch die der Kleine Waterberg vom Großen Waterberg abgetrennt wurde. Auch die Schutthänge und große, herauspräparierte Sandsteintürme an den Steilwänden zeugen von diesen Vorgängen. Entlang des Weges, der vom Rastlager ausgehend auf das Plateau führt, können Sie sich von der erosiven Herauslösung der Sandsteintürme selbst überzeugen.

Die Abtragungsprozesse, die bis in die heutige Zeit anhalten, werden zusätzlich durch die am Waterberg vorhandenen Quellen intensiviert. Niederschlag, der auf das weite Plateau fällt, kann sich dort nicht sammeln. Er versickert in dem porösen Etjo-Sandstein oder

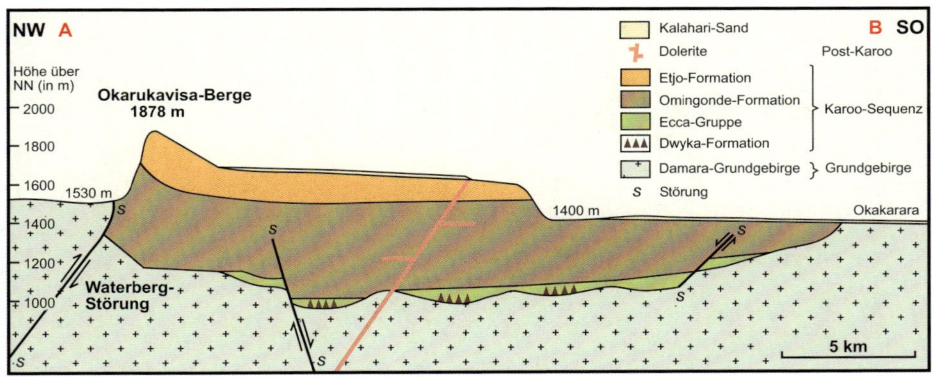

Abb. 3.15: Geologisches Profil durch den Waterberg (vereinfacht nach Hegenberger) Grafik: Katrin Arnold

fließt auf Klüften ab, bis er im Untergrund auf die wasserundurchlässigen Tonsteinlagen der Omingonde-Formation trifft. An diesen Schichtgrenzen tritt das Wasser als sogenannten **Schichtquelle** (Abb. 3.16) wieder aus. Von Schutthängen bedeckte Quellaustritte sind meist an üppiger Vegetation, wie z. B. am Rastlager, zu erkennen. Das ablaufende Wasser verstärkt die Abtragung im Bereich der Hänge des Waterbergs erheblich und trägt wesentlich dazu bei, dass das Plateau immer mehr schrumpft und in einigen Jahrmillionen völlig verschwunden sein wird. Bis dahin können sich die Besucher aber noch an dem Tierreichtum des Wildparks erfreuen. Bedingt durch die porösen, gut wasserdurchlässigen Schichten auf dem Plateau gibt es dort jedoch keine natürlichen Wasserstellen. Das Wasser für die Wildtränken muss deshalb unter großem technischen Aufwand nach oben gepumpt werden.

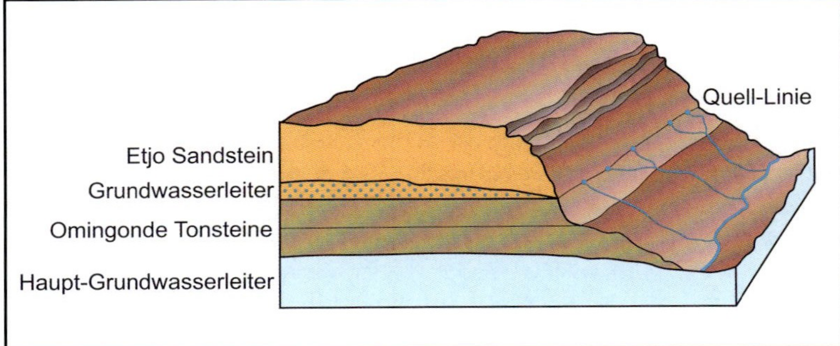

Abb. 3.16: Die Quell–austritte am Waterberg als Modell einer Schichtquelle

Grafik: Katrin Arnold

4. Nordost-Namibia

4.1 Das Otavi-Bergland

Das Otavi-Bergland, im Bereich des Städtedreiecks Otavi, Tsumeb und Grootfontein gelegen, wurde vor allem aus mineralogischer und bergbaulicher Sicht berühmt. Ein Besuch der Minenstadt Tsumeb und des dortigen Bergbaumuseums steht sicher im Besuchsprogramm jedes Besuchers, der an Erzen und Mineralien interessiert ist. Abgesehen von seinem Mineralreichtum ist das Otavi-Bergland aber auch landschaftlich sehr reizvoll und hat vor allem für den erdkundlich interessierten Besucher zahlreiche geologische Phänomene zu bieten, die in anderen Landesteilen nicht vorkommen.

Das Otavi-Bergland ist Teil des ehemals mächtigen **Damara-Hochgebirgszugs**, dessen Geschichte bereits mehrfach angesprochen wurde.

Vom Anbeginn der ersten Festlandsbildungen auf der noch jungen Erde bis zu einer Zeit vor etwa 750 Mio Jahren lagen im Bereich des heutigen Namibia nur zwei Festlandsbereiche wie Inseln im riesigen Ur-Ozean, der Kalahari-Kraton im Südosten und der Kongo-Kraton im Norden. Zwischen diesen beiden Kontinentsockeln breitete sich ein Meeresstreifen aus, der sich in nordöstlicher Richtung von Walfischbucht (Walvis Bay) bis zum sogenannten „Kupfergürtel" nach Sambia erstreckte (siehe Abb. 2.6 in Kapitel 2). Während in den tiefen Meeresregionen hauptsächlich feine, tonig-sandige Sedimente zur Ablagerung kamen, bildeten sich in den küstennahen Schelfbereichen dieses Urmeeres mächtige **Kalkriffe**. Bei Riffen denkt jeder zuerst an Korallen, aber diese heutzutage wichtigsten Riffbildner gab es zu jener Zeit noch nicht. Die frühen Riffe wurden stattdessen von Cyano-Bakterien und deren Kalkabscheidungen, den sogenannten Stromatolithen (Abb. 4.2, siehe Seite 65), aufgebaut.

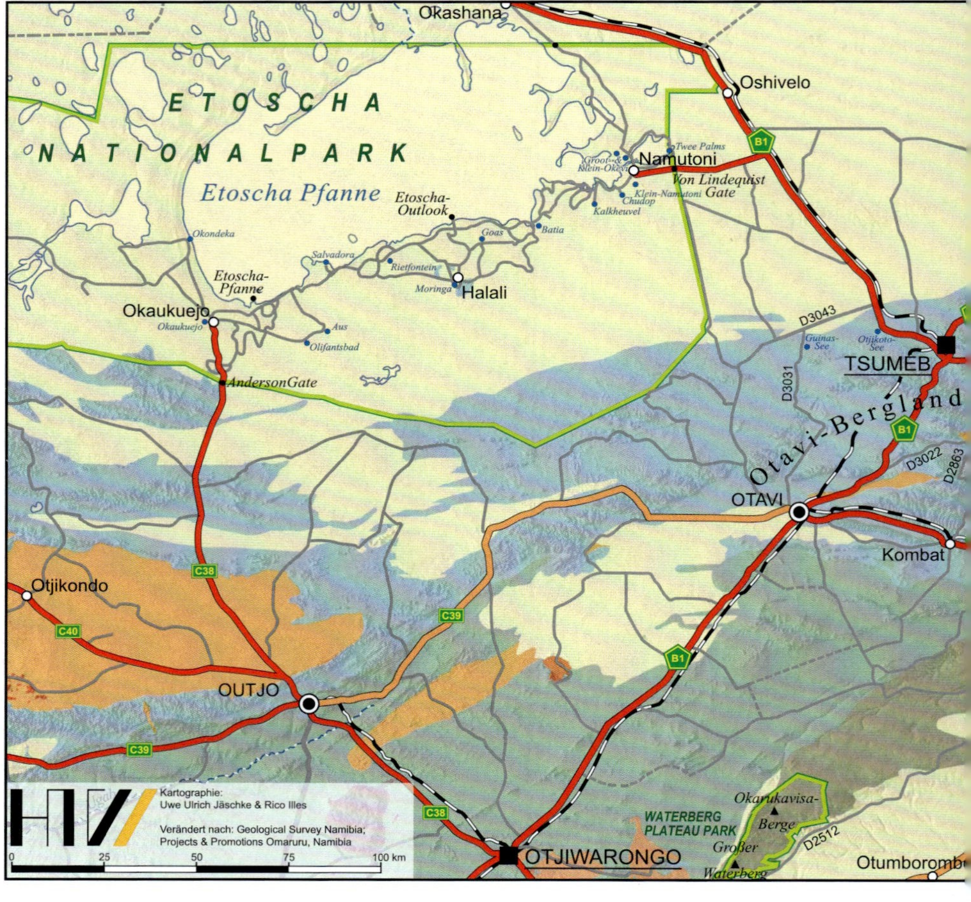

Abb. 4.1: Geologische Sehenswürdigkeiten in Nordost-Namibia (Farb-Legende siehe Karte Vorderklappe)

Die **Stromatolithen** zählen mit zu den ältesten Lebensspuren auf unserem Planeten und sind auch heute noch in den Ozeanen zu finden. Die urzeitlichsten Formen wurden in etwa 3,5 Mrd Jahre alten Gesteinen West-Australiens und Südafrikas entdeckt. Diese einfachen Lebensformen wachsen in flachem, meist warmem Meerwasser zu dichten Kalkmatten zusammen, die so beträchtliche Ausmaße und Mächtigkeiten annehmen können, dass sie während des ausgehenden Präkambriums weltweit wesentlich zur Bildung von Kalkgesteinen beigetragen haben.

Beim Anblick des Otavi-Berglands denkt wohl kaum jemand an die ungeheure Bedeutung dieser Kalk abscheidenden Organismen für die Entwicklung des höheren Lebens auf der Erde. Während der Bildung der Otavi-Karbonate bestand die Erdatmosphäre noch zu großen Teilen aus lebensfeindlichem Kohlendioxid. Die Cyano-Bakterien nahmen dieses

Abb. 4.2: Stromatolithen-Riff im Otavi-Bergland (Farm Auros)

CO_2 aus der Atmosphäre auf und spalteten in ihrem Stoffwechsel den Sauerstoff ab. Während sie den überschüssigen Kohlenstoff in Form von Kalk ($CaCO_3$) ausschieden, wurde der Sauerstoff in die Atmosphäre abgegeben und durch die harte UV-Strahlung in Ozon (O_3) umgewandelt. Die Anreicherung des Wassers und der Atmosphäre mit Sauerstoff sowie die Bildung der schützenden Ozonschicht führten schließlich dazu, dass höher entwickelte, sauerstoffatmende Organismen entstehen konnten. Bei einem Besuch des Otavi-Berglands sollten Sie sich also nicht nur vor Augen halten, dass dieser mächtige Gesteinsklotz zum großen Teil aus den Ausscheidungen von Milliarden winziger Bakterien entstand. Vielmehr zeugen die Gesteine des Otavi-Berglands von einem grundlegenden Vorgang der Erdgeschichte, der den Siegeszug des Lebens und auch die Entwicklung des Menschen erst ermöglichte.

Die mehrere 100 Mio Jahre andauernde Riffbildung in den flachen Schelfbereichen des Ur-Meeres am Südrand des Kongo-Kratons brachte einen Kalk- und Dolomit-Gesteinsstapel von fast 5.000 m Mächtigkeit hervor. Dann drifteten im Zuge plattentektonischer Vorgänge vor etwa 650 Mio Jahren die beiden Festlandssockel des Kongo- und Kalahari-Kratons aufeinander zu. Dies endete vor 542 Mio Jahren in einer gigantischen Kollision, bei der die Sedimente des zwischen den Kratonen liegenden Ozeans zu einem mächtigen Faltengebirge, vergleichbar mit den europäischen Alpen, zusammengeschoben wurden. Aus den feinkörnigen Tiefseeablagerungen wurden unter anderem die heutigen Glimmerschieferzüge des Khomas-Hochlands aufgetürmt, während die riesigen Riffe zusammen mit anderen Flachmeerablagerungen (Sande, Konglomerate, Tonsteine, Kalkschlämme) zu Karbonat-Gebirgszügen aufgefaltet wurden, deren Reste Sie heute bei einem Besuch des Otavi-Berglands als helle, stark bewachsene Felsformationen aufragen sehen.

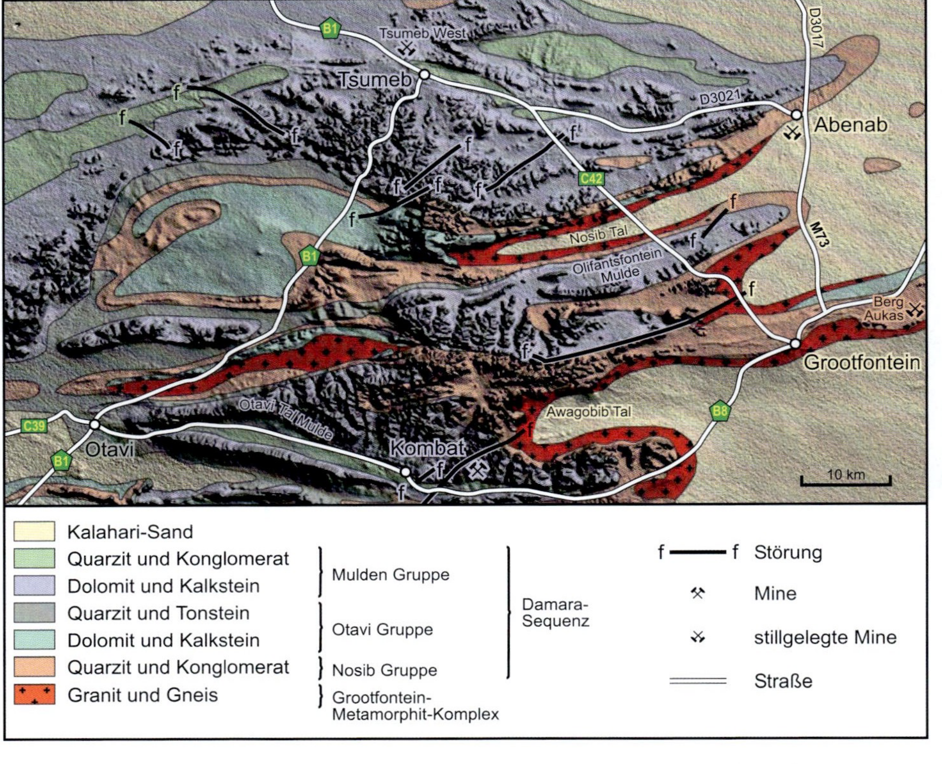

Abb. 4.3: Geologische Karte des Otavi-Berglands (vereinfacht nach Geological Survey of Namibia)
Grafik: Johanna Eifrig

Danach war das Gebiet in dem folgenden, endlos scheinenden Zeitraum von etwa 500 Mio Jahren den Erosionsprozessen unterworfen. Diese starke Abtragung hat dazu geführt, dass heute im Otavi-Bergland stellenweise die tiefsten Wurzeln des namibischen Untergrunds zutage treten. Es handelt sich dabei um die fast 2 Mrd Jahre alten Gneise und Granite des **Grootfontein-Metamorphit-Komplexes** (Abb. 4.3). Dieser Urgesteins-Sockel ist als Teil des Kongo-Kontinents zu betrachten, der hier einst mit dem Kalahari-Kraton zusammenstieß.

Der Umstand, dass die Otavi-Berge trotz der seit 500 Mio Jahren nagenden Erosion einen gewissen Gebirgscharakter bewahrt haben, liegt an einer wellenförmigen Aufwölbung (Aufdomung), welche die Erdkruste im Bereich des Otavi-Berglands erfasst und es damit weit über die eingeebneten Rumpfflächen des umgebenden Landes emporgehoben hat. Auf diese Weise ist das Otavi-Bergland mit seinen steilen Kalkwänden, die Sie besonders gut auf Ihrem Weg zwischen Otavi und Grootfontein längs der Straße B 8 bewundern können,

Abb 4.4: Die steilen Kalkwände des Otavi-Berglands längs der Straße B 8

auch heute noch von Weitem sichtbar (Abb. 4.4). Dennoch sollte der Besucher nicht vergessen, dass dieses Gebiet einst ein Hochgebirge war, wie z. B. die heutigen Alpen. Damit kann der Besucher das Otavi-Bergland auch als ein Symbol für die Vergänglichkeit ansehen, der sogar die unzerstörbar wirkenden Gebirgsriesen unterworfen sind.

4.1.1 Karsterscheinungen im Otavi-Bergland

Während der 750 Mio Jahre seit seiner Bildung kam es im Otavi-Bergland erst recht spät zu einer geologischen Entwicklung, die den heutigen Landschaftscharakter entscheidend mitgeprägt hat. Im Zuge feuchterer Klimaphasen seit dem Ende der Kreidezeit, sowie im Tertiär und zu Beginn des Quartärs setzten in den wasserlöslichen Karbonatgesteinen tiefgründige Verwitterungsvorgänge ein. Diese intensive Verwitterung der Karbonate durch Einwirkung von Wasser wird als **Verkarstung** bezeichnet und ließ im Laufe der Zeit eine typische **Karstlandschaft** entstehen, deren Formenschatz Sie heute an zahlreichen Touristenzielen im Otavi-Bergland und seiner Umgebung erkunden können.

Karsterscheinungen treten nur in Karbonat-Gesteinen (Kalkstein und Dolomit) mehr oder weniger intensiv auf. Der Prozess der Verkarstung ist eine der wichtigsten Formen der chemischen Verwitterung, der sogenannten **Kohlensäure-Verwitterung**, bei der Kalk ($CaCO_3$) und Dolomit ($CaMg(CO_3)_2$) unter Bildung von Calciumhydrogencarbonat ($Ca(HCO_3)_2$) durch Einwirkung kohlensäurehaltigen Wassers aufgelöst und abtransportiert wird.

Reines Wasser ist nur in geringem Maße in der Lage, Kalk zu zersetzen. Wird dem Wasser aber Kohlendioxid zugeführt, das in der Atmosphäre vorhanden ist und über den Regen in den Wasserkreislauf gelangt, wird die Kalklöslichkeit stark erhöht. Die Karbonate bleiben so lange gelöst, bis das Wasser mit diesen gesättigt ist. Danach findet keine weitere Gesteinsauflösung mehr statt. So leicht wie Karbonate gelöst werden, können sie auch wieder aus dem Wasser ausgeschieden werden. Dazu kommt es, wenn die Lösung übersättigt ist oder wenn sich die äußeren Bedingungen, wie z. B. Wassertemperatur und Luftdruck, ändern.

Karsterscheinungen können sowohl oberirdisch als auch unterirdisch auftreten. Die in den folgenden Abschnitten erläuterten Formenschätze der Ghaub-Höhle und des Otjikoto- und Guinas-Sees zeigen dies deutlich.

4.1.1.1 Die Ghaub-Höhle

Zur Ghaub-Höhle gelangen Sie über die Straße D 2863, die in dem kleinen Bergwerksort Kombat von der B 8 abzweigt. Nach etwa 30 km, kurz bevor Sie auf die D 3022 treffen, sehen Sie an der rechten Straßenseite das kleine blaue Hinweisschild „National Monument Ghaub-Höhle". Zur Höhle gelangen Sie von dort über einen Fußweg. Alternativ können Sie auch über die D 3022 zur Ghaub-Höhle gelangen, die auf halber Strecke zwischen Tsumeb und Grootfontein von der C 42 abzweigt. Biegen Sie dann nach etwa 20 km Richtung Süden auf die D 2863 ab. Das Hinweisschild zur Höhle folgt kurz danach auf der linken Straßenseite. Anmeldung bei der Ghaub Gästefarm ist erforderlich, wo Sie sich einer Höhlenführung anschließen können. Ein Besuch der Höhle auf eigenen Faust ist nicht möglich. Das Betreten der Höhle erfolgt auf eigene Gefahr. Bitte beachten Sie, dass die Erkundung der Höhle mit gewissen Risiken behaftet ist.

Die Ghaub-Höhle wurde zu Beginn dieses Jahrhunderts entdeckt und war seitdem des Öfteren Ziel intensiver Forschungen. Im Jahre 1967 wurde sie unter Denkmalschutz gestellt. Wie auch die zahlreichen anderen Höhlen des Otavi-Berglands stellt die Ghaub-Höhle eine typische Verkarstungsform dar.

Karsthöhlen sind oft ein Ergebnis des Zusammenwirkens von oberirdisch und unterirdisch auftretenden Lösungsvorgängen in den Kalkgesteinen (Abb. 4.5). An der Erdoberfläche bilden sich durch die Lösungskraft des abfließenden Regenwassers bis zu mehrere Meter tiefe Rillen im Kalkstein, die sogenannten **Karren**. Sie fressen sich entlang von Klüften, Schichtflächen und Störungen tief in das Gestein ein. Oft enden diese Karren in sogenannten **Schlucklöchern**, durch die das Oberflächenwasser unterirdisch abgeführt wird. Durch die Kalklösung des in die Tiefe fließenden Wassers entstehen nun unter der Erdoberfläche mehr oder weniger große Hohlräume. Werden diese Aushöhlungen zusätzlich durch die Lösungstätigkeit des Grundwassers verstärkt, entwickeln sich ausgedehntere Hohlräume, die dann, wie die Ghaub-Höhle, die Bezeichnung „Höhle" verdienen.

Die Entstehung der Ghaub-Höhle fand während regenreicher Zeiten im Tertiär und Quartär statt, die vor etwa 3 Mio Jahren begannen. Zu dieser Zeit wurde der ursprünglich kleine

Hohlraum durch einen starken, unterirdischen Wasserlauf mehr und mehr ausgeweitet. Das Ergebnis war ein weitläufiges Labyrinth von Grotten und Gängen, welches heute das „Flussbett“ dieses alten, unterirdischen Grundwasserstroms nachzeichnet. Eine Vergrößerung einzelner Grotten wurde zudem durch Einsturz instabiler Höhlendecken und -wände hervorgerufen. Der dabei angefallene Gesteinsschutt wurde durch die unterirdischen Fließgewässer zum Teil wieder abtransportiert.

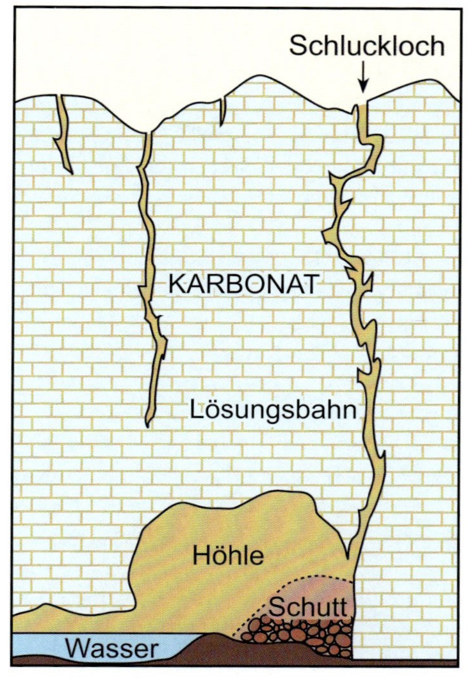

Abb. 4.5: Karsthöhle mit Schluckloch
Grafik: Andrea Glaser

Heute führt Sie ein mit Geröll bedeckter Abhang, der wahrscheinlich ein altes Schluckloch darstellt, in dieses mehrere 100 m lange, weitverzweigte Höhlensystem. Sie gelangen zunächst in eine große, eingestürzte Grotte, von wo aus sich das Höhlenlabyrinth sowohl in östlicher als auch westlicher Richtung ausbreitet.

Leider können Sie in der Ghaub-Höhle nur wenige **Tropfsteine** vorfinden, die sonst in vielen Karsthöhlen, wie z. B. in der nahegelegenen Auros-Höhle, weit verbreitet sind. Diese bizarren Formen sind Ausfällungsprodukte des im Wasser gelösten $CaCO_3$. Die Aufnahmekapazität von Wasser für $CaCO_3$ ist von chemischen Gesetzmäßigkeiten abhängig. Entscheidend dafür sind Faktoren wie Wasserdruck und Wassertemperatur sowie die gelöste Menge an CO_2. Ist das Wasser mit Kalk gesättigt oder kommt es zu Druck- und/oder Temperaturveränderungen, scheidet sich der überschüssige Kalk aus dem Wasser wieder ab. Dies geschieht entweder durch Verdunstung des Wassers oder durch Druckentlastung beim Aufprall abtropfenden Wassers von Höhlendecken auf den Boden. Es entstehen die skurrilen Tropfsteine. Die meist dünneren, von den Wänden und Decken herabhängenden Gebilde werden als **Stalaktiten** bezeichnet, während vom Boden aus die dickeren **Stalagmiten** in die Höhe wachsen. Tritt kalkhaltiges Wasser entlang von Spalten aus den Höhlenwänden aus, bilden sich oft mächtige Tropfstein-„Gardinen“.

Der Grund, warum in der Ghaub-Höhle kaum Tropfsteine zu finden sind, liegt darin, dass die versickernden Niederschläge der letzten Jahrtausende nicht ergiebig genug waren, um wesentlich in die Höhle vorzudringen und Tropfsteine entstehen zu lassen. Die wenigen ehemals vorhandenen Tropfsteine wurden durch Vandalen zerstört. Vereinzelte Reste können Sie noch an den Höhlendecken vorfinden.

Auch die alten, unterirdischen Flussläufe, die letztendlich zur Entstehung der Höhle geführt haben, sind längst versiegt. Heutzutage sammelt sich Wasser nur noch nach guten Regenjahren in tief gelegenen Bereichen der Höhle, wo es aber nach kurzer Zeit im tiefen Untergrund verschwindet. Damit stellt die Ghaub-Höhle ein geologisches Relikt dar, welches von vergangenen, regenreicheren Zeiten mit mächtigen, unterirdischen Flüssen erzählt. Sollte das Klima in ferner Zukunft auch in Namibia wieder feuchter werden, wird auch die Ghaub-Höhle aus ihrem momentanen Schlaf erwachen.

Ein weiteres faszinierendes Beispiel für die einst enormen Wirkungen von riesigen Wassermassen im Untergrund Namibias liegt nicht weit von der Ghaub-Höhle entfernt. Vor wenigen Jahren wurde hier ein weiteres Höhlensystem entdeckt, das sogenannte Drachenhauchloch. Dieses System, das nur in einer gut ausgerüsteten Expedition begangen werden kann, wird von einem riesigen See erfüllt, dessen ca. 19.000 m^2 große unterirdische Wasserfläche zu den größten der Welt zählt.

Mit dem Drachenhauchloch verfügt Namibia über einen weiteren geologischen Superlativ, der für Touristen aber leider nicht zugänglich ist.

4.1.1.2 Der Otjikoto- und Guinas-See

Zum Otjikoto- und Guinas-See gelangen Sie, von Tsumeb oder Namutoni kommend, über die Straße B 1. Der Otjikoto-See liegt etwa 22 km außerhalb von Tsumeb (ca. 70 km von Namutoni) unmittelbar an der Hauptstraße. Zu dem ca. 20 km weiter westlich gelegenen Guinas-See biegen Sie in Höhe des Otjikoto-Sees auf die Schotterstraße D 3043 ab.

In einem so trockenen Land wie Namibia sind natürliche Wasserstellen stets von besonderer Bedeutung gewesen. Daher waren die beiden Gewässer den hier beheimateten Ureinwohnern, den „Buschleuten" (San), seit Urzeiten bekannt, lange bevor die Seen 1851 durch zwei europäische Forschungsreisende „entdeckt" wurden.

Die beiden Gewässer sind in etwa 700 Mio Jahre alten Dolomit-Gesteinen auf der Nordwest-Seite des Otavi-Berglands gelegen. Sie stellen typische Karstseen dar, die sich aus sogenannten Dolinen entwickelt haben.

Dolinen sind eine sehr häufig zu beobachtende Karsterscheinung. Sie entstehen, wenn Karsthohlräume in nicht allzu großer Tiefe unter der Erdoberfläche auftreten. Bei fortgesetzter Vergrößerung dieser Hohlräume können deren Decken die darüberliegende Gesteinsauflast nicht mehr tragen. Die Decken stürzen ein und es entstehen runde, trichterförmige Einsturzkrater, die als Dolinen bezeichnet werden. Liegt der Dolinenboden tiefer als der Grundwasserspiegel oder steigt der Grundwasserspiegel, sind diese Dolinen mit Wasser gefüllt und bilden somit oberirdische **Karstseen**.

Meist weisen Dolinen nur einen Durchmesser und eine Tiefe von mehreren Metern auf. In stark verkarsteten Gebieten treten aber auch Dolinen auf, die Ausmaße von mehr als 1 km Breite und 100 m Tiefe erreichen können. Die „Dolinen von Otjikoto und Guinas" weisen ebenfalls eindrucksvolle Ausmaße vor: Guinas-See 140 m Länge und 70 m Breite, Otjikoto-See 100 m Durchmesser. Der Guinas-See reicht an seiner tiefsten Stelle am nördlichen Seeufer 119 m hinab, der Otjikoto-See (Abb. 4.6) hat immerhin noch eine beachtliche Tiefe von 55 m. Vor allem der Guinas-See kann als besonders tiefe Doline angesehen werden, die zudem noch eine weitere Besonderheit aufweist. Seitliche Gesteinsauflösungen unterhalb der Wasseroberfläche haben dazu geführt, dass der See mit zunehmender Tiefe breiter wird, also eine Art umgestülpten Trichter bildet. Der Guinas-See gilt somit als die zwölftgrößte Unterwasserhöhle der Welt. Diese Bezeichnung für einen oberirdischen See wird Sie sicher verwundern, aber letztendlich stellt der See nichts anderes dar als eine wassergefüllte Höhle mit eingestürztem Dach.

Abb. 4.6: Der Otjikoto-See, eine Doline mit Einblick in das Grundwasserstockwerk

An der Oberfläche weisen die beiden Karstseen eine runde bis ovale Form mit 10 bis 20 m hohen Steilufern auf. Diese kreisförmige Struktur ist das Relikt des ursprünglichen Dolinenrandes, der durch anhaltende Verwitterungsvorgänge immer weiter abgeschliffen wurde.

Charakteristisch für die Seen ist deren Anschluss an das unterirdische Karstgrundwassersystem. Die Seeoberflächen sind somit identisch mit dem Grundwasserspiegel.

Sowohl der Otjikoto- als auch der Guinas-See demonstrieren dem Besucher die eindrucksvolle Kraft des Wassers als Mittel der Abtragung und Gesteinsauflösung, dem besonders die Karbonatgesteine unterworfen sind. Die Seen zeigen aber auch, mit welchen Wassermassen das heute so trockene Namibia vor geologisch noch nicht sehr langer Zeit gesegnet war.

4.1.2 Der Hoba-Meteorit

Zum Hoba-Meteorit gelangen Sie über die D 2860, die kurz hinter Kombat abzweigt, oder von Nordosten kommend über die D 2859, die kurz vor Grootfontein auf die C 42 trifft. Der Weg zu diesem „Nationalen Monument" ist gut ausgeschildert.

Namibia ist weltberühmt für seine Meteoritenfunde. Diese außerirdischen Gesteinsüberreste aus dem Weltall sind nicht nur von der Farm Hoba, sondern auch aus dem Süden des Landes, speziell im Bereich des Ortes Gibeon, bekannt geworden. Im Gegensatz zu dem Einzel-Meteoriten von Hoba handelt es sich bei den Funden bei Gibeon um zahlreiche Bruchstücke, die über eine Fläche von 20.000 km² verstreut vorkommen. Exemplare dieses sogenannten **Gibeon-Meteoriten-Schwarms**, dessen Streufeld als das größte der Welt gilt, können Sie sich an dem großen Brunnen in der Windhoeker Fußgängerzone anschauen. Eine weitere Spur der außerirdischen Körper ist im Diamanten-Sperrgebiet durch den Meteoritenkrater des „Roten Kamms" belegt. Die Bezeichnung Meteor stammt aus dem Griechischen und bedeutet soviel wie „Dinge in der Luft".

Die meisten Himmelskörper treffen, wie bei Gibeon geschehen, als Meteoriten-Schwarm auf die Erdoberfläche, da größere Einzelkörper beim Eintreten in die Erdatmosphäre meist zerspringen. Der Hoba-Meteorit dagegen hat die Erdoberfläche offensichtlich unbeschadet erreicht. Er bildet daher eine Ausnahme und zählt aufgrund seiner Ausmaße zu den größten **Einzel-Meteoriten** der Welt (Abb. 4.7). Mit einer Kantenlänge von fast 3 m und einer durchschnittlichen Dicke von etwa 1 m bringt er fast 60 Tonnen auf die Waage!

Grundsätzlich wird zwischen Stein- und Eisenmeteoriten unterschieden. Mit seiner chemischen Zusammensetzung von 82,4 % Eisen, 16,4 % Nickel und 0,76 % Cobalt sowie zahlreichen Spurenelementen und Verbindungen, die auf der Erde gar nicht vorkommen, zählt der schwergewichtige Brocken aus den Otavi-Bergen zu den **Eisenmeteoriten**. Die Analysedaten klassifizieren den Hoba-Meteoriten als Ataxit, also einen Meteoriten mit hohem Nickel-Gehalt. Der Nickel-Gehalt diente nicht nur zur systematischen Einordnung des Meteoriten, er erwies sich auch bei der Bestimmung des Einschlagzeitpunktes dieses Himmelskörpers als besonders hilfreich. Über die Halbwertzeit eines radioaktiven Nickel-Isotops konnte errechnet werden, dass der Meteorit vor weniger als 80.000 Jahren niedergegangen sein muss, also vor geologisch nicht langer Zeit.

Bei seiner Entdeckung im Jahre 1920 war nur eine kleine Spitze des Meteoriten in einer dicken Kalkkruste sichtbar, die sich in den vergangenen 80.000 Jahren gebildet hatte. Erstaunlicherweise hinterließ der Brocken bei seinem Aufprall auf die Erde offensichtlich weder einen Einschlagskrater, noch konnten temperatur- und druckbedingte Veränderungen an den umliegenden Gesteinen beobachtet werden, wie dies häufig bei Meteoriten-Einschlägen großer Dimension der Fall ist. Dies liegt wahrscheinlich an der Wirkung des atmosphärischen Luftwiderstandes, der zum einen die Eigengeschwindigkeit des Himmelskörpers stark herabsetzen kann und zudem im letzten Teil des Sturzes für eine rasche Abkühlung der zuvor noch glühenden Gesteinsoberfläche sorgt.

Abb. 4.7: Der Hoba-Meteorit, geologische Attraktion aus dem Weltall

Die Oberfläche des Meteoriten, so wie Sie ihn heute vorfinden, ist von zahlreichen kleinen Höhlungen bedeckt. Diese Aufschmelzungsformen entstanden durch die extreme Hitze und Luftturbulenzen, denen der Meteoritenkörper bei seinem Flug durch die Erdatmosphäre ausgesetzt war. Solche Vertiefungen werden in der Wissenschaft als **Regmaglypten** bezeichnet.

Die meisten Meteorite treten mit einer durchschnittlichen Geschwindigkeit von ca. 90.000 Kilometern pro Stunde in die Erdatmosphäre ein. Durch diese extrem hohen Geschwindigkeiten wird die Luft vor dem Himmelskörper so stark komprimiert, dass infolge der Reibungshitze, die zwischen Meteorit und Luftmolekülen entsteht, die Oberfläche des Meteoriten zu schmelzen beginnt und schließlich sogar verdampft. Die dabei freiwerdende thermische Energie lädt die Gashülle an der Stirnseite des stürzenden Meteoriten elektrisch auf (Ionisierung), was ein deutliches Leuchten zur Folge hat. Durch die Flugbewegung bildet die ionisierte Gashülle zusätzlich einen leuchtenden Schweif, der die Meteoriten bzw. Sternschnuppen auszeichnet. Beim Flug durch die Atmosphäre verlieren viele Meteorite durch „Verglühen“ bereits so viel ihres Volumens, dass viele Körper die Erdoberfläche gar nicht erreichen.

Die genaue Herkunft der extra-terrestrischen Fragmente ist auch heute noch mit zahlreichen Rätseln behaftet. Es ist jedoch bekannt, dass Meteoriten Restbruchstücke unseres Sonnensystems sind, das vor etwa 4,6 Mrd Jahren entstanden ist. Eine besonders starke

Konzentration dieser Planetenfragmente ist aus dem Weltraum zwischen den Planeten Mars und Jupiter, dem sogenannten **Asteroiden-Gürtel**, bekannt. Es gibt zahlreiche Hinweise, dass dort ein weiterer Planet existiert hat, der explodierte und dessen Bruchstücke nun den Materiestrom des Asteroiden-Gürtels bilden. Kommt es hier zu Zusammenstößen der Fragmente, können diese aus ihrer festen Bahn abgelenkt werden und Kurs auf die Erde nehmen. Asteroid-Bruchstücke, die dann am Ende einer langen Reise zur Erde gelangen, werden Meteoriten genannt. Von den ca. 3.000 bekannten Asteroiden ist Ceres mit einem Durchmesser von 1.000 km der Größte.

Als **Kometen** werden Materiebrocken bezeichnet, die bei der Entstehung unseres Sonnensystems zurückgeblieben sind. Sie bestehen aus einem Gemenge von gefrorenem Wasser, gefrorenen Gasen, Staub und Gesteinsbruchstückchen. Bei Annäherung an die Sonne führt die Sonnenwärme zum Verdampfen der gefrorenen Gase. Daraufhin beginnt sich der Komet aufzulösen, wobei er eine große Menge seiner festen Materie verliert. Am Rand des Körpers bildet sich die leuchtende Korona, die durch den Sonnenwind zu einem von der Sonne weggerichteten Kometenschweif abgelenkt wird. Durchläuft die Erde auf ihrer Bahn um die Sonne solch einen Kometenschweif, oder die Staubspur eines vergangenen Kometen, dann kann diese feinkörnige Materie in die Atmosphäre eindringen. Größere Partikel dieses Staubes verursachen Sternschnuppenschwärme, wie etwa die Perseiden, die jedes Jahr im August zu beobachten sind.

Neben den Meteoriten, die ihren Ursprung im Asteroiden-Gürtel haben, wurden auf der Erde auch Gesteinsfragmente vom Mond als auch vom Planeten Mars gefunden. Auch diese beiden erdnahen Körper wurden häufig von gewaltigen Meteoriten-Einschlägen heimgesucht, wie z. B. die zernarbte Mondoberfläche bezeugt. Durch die gewaltigen Einschläge konnten Teile der Gesteinsoberflächen herausgerissen und in den Weltraum geschleudert werden. Als diese Fragmente nun zufällig in die Umlaufbahn der Erde gelangten, konnten sie auf der Erde einschlagen. Von den bisher ca. 19.200 weltweit gefundenen Meteoriten wurden jedoch nur jeweils 12 Einzelstücke zweifelsohne dem Mond bzw. Mars zugeordnet. Diese Zuordnung erfolgte im Falle des Mondes durch Vergleiche mit Mond-Gesteinsmaterial, welches von zahlreichen Mondexpeditionen zur Erde gebracht wurde. Die Mars-Meteorite wurden durch eine bestimmte chemische Zusammensetzung im Gestein eingeschlossener Gase identifiziert. Gesteinsfragmente weiter entfernt liegender Planeten wurden bisher leider nicht gefunden.

Zusätzlich erreichen jährlich etwa 10.000 bis 40.000 Tonnen Meteoritenmaterial unseren Planeten, das in Form von feinem Staub auf die Erdoberfläche rieselt.

Denken Sie beim Hoba-Meteoriten daran, dass dieser unscheinbare „Brocken“ eine unvorstellbar lange Reise aus den Tiefen unseres Sonnensystems zurückgelegt hat, bevor er vor 80.000 Jahren donnernd, von Feuer begleitet und zum Schrecken der Tierwelt und der ersten Menschen, genau dort aufschlug, wo Sie jetzt stehen. Der Hoba-Meteorit hat unsere Ehrfurcht verdient.

4.1.3 Die Tsumeb-Mine

Zur Minenstadt Tsumeb gelangen Sie, von Otavi oder dem Etoscha-Nationalpark kommend, über die Straße B 1. Von Grootfontein fahren Sie über die Straße C 42. Die Tsumeb-Mine selbst (Abb. 4.8) ist mitten im Ort am Ende der Hauptstraße (Main Street) gelegen. Das Minengelände ist mittlerweile stillgelegt. Dennoch ist die Tsumeb-Mine ein so interessanter geologischer Sachverhalt, dass hier genauer darauf eingegangen wird. Falls Sie sich für die Minengeschichte und die Mineralien der Region interessieren, empfiehlt sich ein Besuch des Bergbau-Museums in Tsumeb.

Die reichhaltigen Metall-Lagerstätten des Otavi-Berglands und insbesondere die Tsumeb-Lagerstätte spielen seit mehr als einem Jahrhundert die Hauptrolle in der wirtschaftlichen Entwicklung der gesamten Region. Schon den Buschleuten war der Mineralreichtum dieses Gebiets bekannt. Am berühmten „Grünen Hügel“, dem heutigen Tagebau der Tsumeb-Mine, schürften sie schon Kupfer und trieben regen Handel mit dem Bantu-Volk der Owambos, lange bevor die ersten Weißen erschienen. Überreste ihrer Erzschmelzanlagen wurden z. B. in Tsumeb und am Otjikoto-See gefunden.

Abb. 4.8: Der Förderturm der Tsumeb-Mine, Wahrzeichen der Stadt

Auch der heutige Name des Ortes Tsumeb geht auf diese Ureinwohner zurück. „Tsomsoub“ bedeutet in der Sprache der Buschleute „einen Brunnen graben, der immer wieder einstürzt“. Somit gibt allein der Name der Stadt einen geologischen Hinweis auf den verkarsteten Untergrund von Tsumeb.

Die ersten Weißen erschienen erst während des vorletzten Jahrhunderts in Tsumeb. Im Jahre 1892 wurde eine Expedition unternommen, um Erzlagerstätten im Otavi-Bergland zu suchen. Der „Grüne Hügel“ wurde am 12. Januar 1893 von Europäern „entdeckt“. Nach eingehenden Untersuchungen begann die Minentätigkeit in Tsumeb zu Beginn des 20. Jahrhunderts.

Die **Lagerstätte** von Tsumeb enthält eine ungewöhnliche Vielfalt verschiedenster **Erze** von Blei, Kupfer und Zink sowie Beimengungen von Silber, Arsen, Antimon, Cadmium, Kobalt, Germanium, Gallium, Eisen, Quecksilber, Molybdän, Nickel, Zinn und

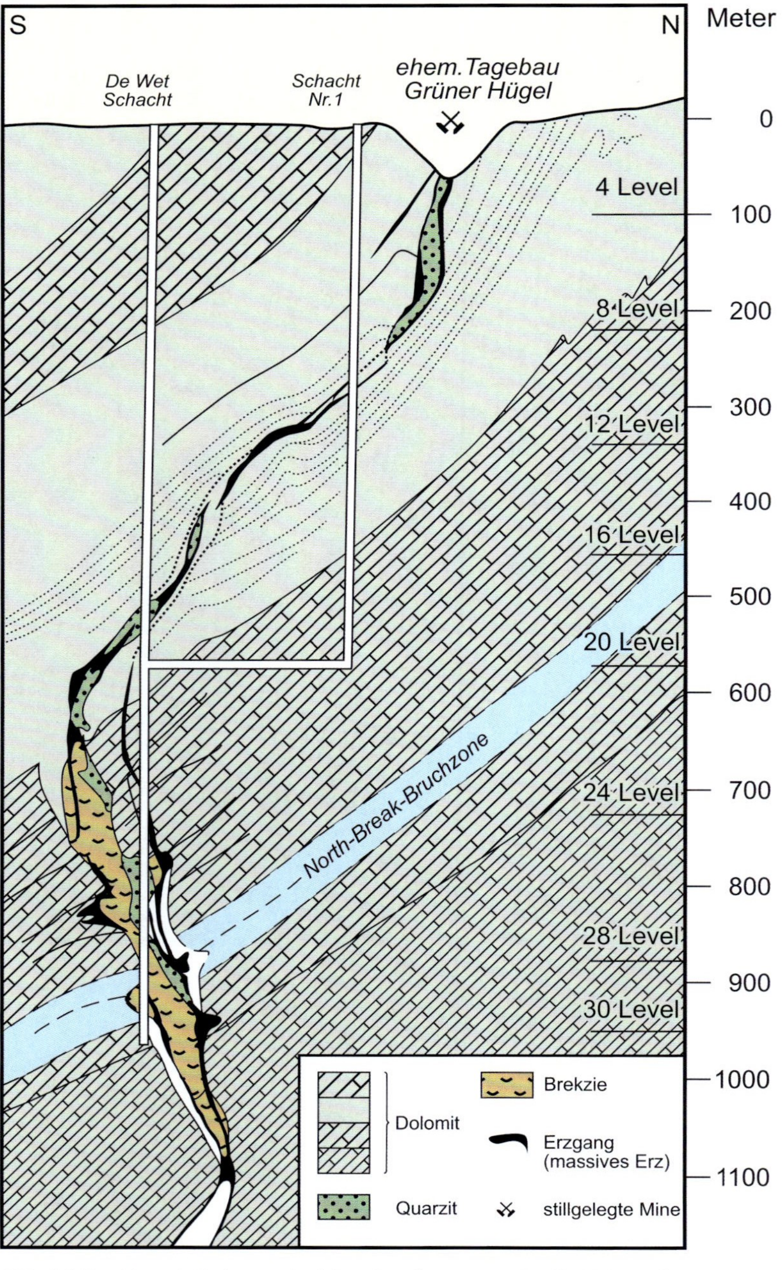

Abb. 4.9: Der Tsumeb-Erzkörper (nach Lombaard) Grafik: Kai Wendler

Vanadium. Sie liegt im nördlichen Teil des Otavi-Berglands in leicht gefalteten, verkarsteten Dolomit-Gesteinen des Damara-Zeitalters. Der Erzkörper selbst bildet eine steilstehende Röhre (Abb. 4.9) mit einer gesicherten, erbohrten Tiefe von fast 1.800 m.

Von 1905 bis 1990 wurden insgesamt 24,6 Mio t Erz gewonnen, woraus 1,7 Mio t Kupfer, 2,8 Mio t Blei und 0,9 Mio t Zink produziert wurden. Aufgrund sinkender Erzreserven und hoher Produktionskosten wurde die Mine 1996 stillgelegt.

Über die Entstehung der Erzlagerstätte von Tsumeb gab es seit Beginn dieses Jahrhunderts heftige Diskussionen unter den Geo-Wissenschaftlern. Erst seit 1986 gilt die Vorstellung als anerkannt, dass die Röhrenstruktur, in der sich die Erze befinden, vor mehr als 650 Mio Jahren durch frühe **Verkarstungsvorgänge** entstanden ist. Durch die damals einsetzende **Damara-Gebirgsbildung** (siehe Kapitel 4.1) wurde in dem bereits eng zusammengeschobenen Meeresarm zwischen Kalahari- und Kongo-Kraton eine tektonische Wellenbewegung ausgelöst, die zu Hebungen und Absenkungen des Meeresspiegels führte. Es kam zu einem ständigen Wechsel zwischen **Regression** (Meeresrückzug aus Schelf- und Küstenbereichen) und erneuter **Transgression** (Überflutung) aus den angrenzenden Ozeanen. Während der Trockenphasen setzte die Verkarstung in den Dolomit-Gesteinen ein, die tiefreichende Karstformen entstehen ließen. Die Verkarstungsvorgänge, die zur Entstehung der Röhrenstruktur der Tsumeb-Mine geführt haben, wurden hauptsächlich durch ein tiefes Grundwasservorkommen verursacht. Durch aufwärts gerichtete Lösungsvorgänge und fortschreitendes Einstürzen des im Dachbereich der Struktur gelockerten Materials bildete sich eine röhrenförmige Höhle, die sich immer höher zur Erdoberfläche hinaufschob. Nachdem die Röhre durch Einsturz ihres Daches zum trockengefallenen Meeresboden hin geöffnet wurde (Dolinen-Bildung, siehe Kapitel 4.1.1.2), kam es zu erneuten Meeres-Überflutungen. Dadurch wurde Meeressand angespült, der in den Hohlraum gelangte und sich dort im Laufe der Zeit zu einem äußerst harten Quarzit-Gestein verfestigte.

Erst während einer späteren, mit magmatischen Vorgängen verbundenen Phase der Damara-Gebirgsbildung vor etwa 580 bis 550 Mio Jahren wurde die nun mit Meeressand angefüllte Karst-Röhre von Tsumeb (ebenso wie die anderen Lagerstätten des Otavi-Berglands) mit Erzen angereichert, die sich aus heißen, wässrigen Lösungen ausschieden. Allerdings ist bis heute nicht geklärt, woher die Erzlösungen gekommen sind. Das Erzvorkommen von Tsumeb wird zum Typ der sogenannten **hydrothermalen Lagerstätten** gezählt.

4.1.4 Mineralien der Region

Die Blei-Zink-Kupfer-Lagerstätten des Otavi-Berglands sind weltberühmt für ihre faszinierenden Mineralien. Vor allem die prachtvollen und extrem vielfältigen Kristalle aus der Tsumeb-Mine sind in Sammlungen auf der ganzen Welt zu finden. Bis heute wurden 226 verschiedene Mineralarten im Tsumeber Erzkörper gezählt, von denen 40 bisher nur in der Tsumeb-Mine gefunden wurden.

Abb. 4.10: Unter Mineraliensammlern sind Dioptas-Kristalle aus der Tsumeb-Mine sehr begehrt

Die oft farbenprächtigen Minerale entstanden in der sogenannten **Oxidationszone** der Lagerstätten durch eine spezielle Form der chemischen Verwitterung. Die Oxidationszone einer Erzlagerstätte befindet sich oberhalb des Grundwasserspiegels, sodass es zu einem Kontakt der Erze mit Sauerstoff und Oberflächenwasser kommt. Infolge der dabei einsetzenden chemischen Reaktionen werden die Erze oxidiert und es bilden sich aus den primären Erzmineralen (Sulfide) die sogenannten **Sekundär-Minerale** (Oxide und Karbonate). In den Oxidationszonen von Tsumeb finden Sie zum Beispiel die intensiv blau und grün gefärbten Sekundär-Kupferminerale Azurit, Malachit und Dioptas (Abb. 4.10), die für die Tsumeb-Mine charakteristisch sind.

Neben der Bildung von Sekundärmineralen geht in der Oxidationszone ein Teil des Erzes durch Kontakt mit eindringendem Oberflächenwasser in Lösung und gelangt dadurch in den tieferen Untergrund der Lagerstätte. Unterhalb des Grundwasserspiegels, in der sogenannten **Zementationszone**, werden diese Lösungen chemisch reduziert und die gelösten Erzbestandteile wieder ausgefällt. Durch diese Vorgänge reichern sich in Zementationszonen z. B. gediegenes Kupfer, Silber und sogar etwas Gold an. In einem noch tiefer gelegenen Bereich der Lagerstätte befindet sich die **Primärzone**, in der das Erz in unverändertem Zustand vorliegt.

Neben den vielfältigen Blei-, Zink- und Kupfer-Verbindungen gibt es im Otavi-Bergland auch einige bedeutende Vorkommen von Vanadium-Mineralen (z. B. in der Mine von Berg Aukas). Somit bietet die Region um Tsumeb, Otavi und Grootfontein sowohl dem Hobby-Mineralogen als auch dem Freund „schöner Steine“ eine reiche Auswahl. Denken Sie aber bitte daran, dass alle Minerale Eigentum des Staates Namibia sind und nur mit einer speziellen Lizenz gesammelt werden dürfen. Außerdem kann das Schürfen in alten Halden und Stollen gefährlich sein. Ein weiteres Problem ergibt sich daraus, dass sich fast alle Fundpunkte auf Privatland befinden. Falls Sie am Kauf von Tsumeb-Mineralen interessiert sind, sollten Sie vor allem das Angebot der Mineralien-Läden in Windhoek und Swakopmund nutzen, da die Auswahl in Tsumeb selbst häufig sehr begrenzt ist.

4.2 Der Etoscha-Nationalpark

Der Etoscha-Nationalpark („etosha“ = großer weißer Platz) ist wegen seiner interessanten und vielfältigen Wildbeobachtungsmöglichkeiten eines der Haupt-Touristenziele Namibias. Während Ihres Besuchs sollten Sie aber Ihr Augenmerk nicht nur auf die Flora und Fauna richten, sondern auch die interessante geologische Entwicklung dieses riesigen Gebiets berücksichtigen.

Der weitaus größte Teil des Etoscha-Nationalparks wird von einer ca. 1.100 m über dem Meeresspiegel gelegenen Ebene eingenommen, die morphologisch einen Teil des Owambo-Beckens darstellt. Die 4.600 km² große Etoscha-Salzpfanne stellt den tiefsten Bereich der flachen Geländedepression des Owambo-Beckens dar. Nur der Westteil des Etoscha-Parks um Otjivasandu ist von Hügel- und Berglandschaft geprägt und wird geologisch zum präkambrischen Grundgebirge gezählt. Da dieser Westteil Etoschas für Individual-Touristen nicht zugänglich ist, wird hier nur der östliche Teil Etoschas behandelt.

Geologisch wird das Owambo-Becken ebenso wie z. B. die Kavango- und Caprivi-Region zur Kalahari gestellt, auch wenn die Gegend viele 100 km von der eigentlichen Kalahari entfernt liegt (siehe Kapitel 8.1.2).

4.2.1 Die Etoscha-Salzpfanne

Von dem ca. 9 km außerhalb Okaukuejos gelegenen, ausgeschilderten Aussichtspunkt „Etosha-Pan“ haben Sie einen guten Ausblick auf die weite **Salzpfanne** des Etoscha-Nationalparks. Auch an anderen Stellen, wie z. B. bei Etosha Lookout zwischen Halali und Namutoni, eröffnen sich Ihnen während Ihrer Fahrt durch das Naturschutzgebiet eindrucksvolle Perspektiven auf diese riesige, vegetationslose Fläche (Abb. 4.11), vor deren Hintergrund die verschiedenen Wildtiere besonders interessante Fotomotive darstellen.

Das **Owambo-Becken**, in dem die Etoscha-Pfanne liegt, spielte schon während der Damara-Gebirgsbildung vor fast 650 Mio Jahren eine Rolle als Auffangbecken für Abtragungsmaterial. In dieser Zeit entstanden große Gebirgsketten, von denen heute nur noch die Bergzüge im Otavi-Bergland und der Region um Outjo vorhanden sind. Das Owambo-Becken bildete das nördliche Vorland dieser Gebirge und diente etwa 200 Mio Jahre lang als Sedimentationsraum für den kalkigen Abtragungsschutt dieser südlich gelegenen Bergzüge.

Anschließend wurde der Bereich der heutigen Etoscha-Pfanne von der **Gondwana-Eiszeit** erfasst, die vor ca. 300 Mio Jahren einsetzte. Eingeleitet von gewaltigen Schneefällen begannen sich Gletscher zu bilden, die sich von den Bergen und Hochgebieten Südangolas in das Owambo-Becken vorschoben. Das heute von Wüsten und Trockensavannen geprägte Namibia wurde damals von Vorgängen betroffen, wie sie heute z. B. in Alaska zu finden sind. Wenigen Besuchern des Parks ist beim Blick in die unendliche Weite der Salzpfanne klar, dass sich genau an dieser Stelle vor vielen Millionen Jahren einmal ein riesiger Gletscher ausgebreitet hat. Dort, wo heute die Tiere in der flirrenden Hitze verschwimmen, hat dieser Gletscher durch die Auflast seiner mächtigen Eismassen und durch die hobelnde Wirkung

Abb. 4.11: Die endlosen Flächen der Etoscha-Salzpfanne

seiner Vorwärtsbewegung eine Senke in die Erdkruste geprägt, die die Morphologie des Owambo-Beckens auch heute noch charakterisiert.

Die Gletscher der Gondwana-Eiszeit hielten sich jedoch „nur" etwa 20 Mio Jahre lang. Während der folgenden 100 Mio Jahre kam es zu einem Klimaumschwung, wie er extremer kaum sein konnte: Die polaren Bedingungen wurden nach und nach von einem heiß-ariden Wüstenklima ersetzt. Neben den ungeheuren Auswirkungen für die hier lebenden Pflanzen und Tiere hatte dieser Klimaumschwung natürlich vor allem das völlige Abschmelzen der Gletscher zur Folge. Dort, wo einst die Gletscher lagen, breiteten sich im Laufe der Jahrmillionen weite Dünen-Felder aus. Die Wüstensande verfestigten sich zum sogenannten **Etjo-Sandstein**, der nur ca. 200 m unter der jetzigen Oberfläche der Etoscha-Pfanne durch Bohrungen nachgewiesen wurde. Diese Wüstensedimente treten heute, bedingt durch die großräumige Beckenstruktur, erst einige Hundert Kilometer weiter südlich (z. B. als Waterberg-Plateau) an die Erdoberfläche.

In Verbindung mit dem Auseinanderbrechen des Gondwana-Riesenkontinents vor ca. 120 Mio Jahren kam es zu einer gewaltigen **Hebung der Erdkruste** westlich des Owambo-Beckens. Durch die damit verbundene Verstärkung des Gefälles zwischen den Hochgebieten und der Owambo-Beckenlandschaft kam es zu einem Erosionsschub in den umliegenden Karbonatgebirgen und den Hochgebieten Süd-Angolas. Der in die Ebenen transportierte Abtragungsschutt lagerte sich in dem weitläufigen Owambo-Becken ab. So kamen während der sogenannten **Kalahari-Gruppe** insgesamt ca. 500 m mächtige Sedimente zur Ablagerung. Erst in jüngerer geologischer Zeit bildete sich im Zentrum des Beckens ein großflächiger See, der durch Wasserzuflüsse aus dem Norden gespeist wurde. Vor etwa 7 Mio Jahren mündeten zahlreiche Flüsse, aus dem Hochland von Angola kommend, in das Owambo-Becken, so auch die Vorläufer des Kunene- und des Okavango-Flusses. Der Abfluss dieser enormen Wassermengen führte aus dem Becken hinaus weit nach Westen in den heutigen Hoanib-Trockenfluss, der wiederum in den Atlantik mündete (Abb. 4.12 a). Nur gewaltige Wassermassen können die tief eingeschnittenen Canyons und Schluchten erklären, die der Hoanib vor allem in seinem Oberlauf (Khowarib-Schlucht, „Die Pforte") aufweist. Damit dient die geologische Geschichte Etoschas auch als Erklärung für diese spektakulären Landschaften im einige Hundert Kilometer entfernten Damaraland und Kaokoveld.

Klimaveränderungen mit zunehmender Trockenheit änderten vor ca. 3 Mio Jahren die Abflusswege Etoschas. Ähnlich wie der Okavango und das Okavango-Delta heute, bildete auch der Etoscha-See ein vergleichbares Feuchtgebiet. Nur noch in extrem guten Regenjahren lief der See über und entwässerte durch den Hoanib zum Ozean. Es entwickelte sich ein mehr oder weniger abflussloser, riesiger Inlandsee mit einer Oberfläche von 55.000 km^2. Damit wäre diese Wasserfläche größer als der Viktoria-See in Ostafrika und heute nach dem Kaspischen Meer der zweitgrößte See der Welt. Durch unregelmäßige Wasserzufuhr von Norden bekam aber die Verdunstung Oberhand. Das Seewasser versalzte und durch Verdunstung fielen immer mehr dieser Salze aus dem Wasser aus und überkrusteten den Boden. Es entstand mehr und mehr ein permanenter **Salz-See** (Abb. 4.12 b).

Die Wassermenge für den „Etoscha-See" wurde vor 35.000 Jahren durch ein weiteres Ereignis verringert. Durch tektonische Hebungen und die damit verbundene Gefälleverstärkung zum Atlantik konnte sich der Kunene den direkten Weg nach Westen zum Ozean bahnen (Abb. 4.12 c). Es gibt Hinweise, dass der Kunene dabei ein uraltes Gletschertal aus der Gondwana-Eiszeit vor ca. 300 Mio Jahren nutzte. Auch der Okavango schwenkte in sein jetziges Flussbett ein, wo er heute in den Kalahari-Sanden des riesigen Wildparadieses des Okavango-Deltas in Botswana versickert.

Heute ist der Kunene ein sehr aggressiver und von vielen Stromschnellen und Wasserfällen gekennzeichneter Flusslauf, dem bisher nur eine sehr kurze geologische Zeitspanne zur Verfügung stand, um ein breites Flussbett in die uralten Gesteine zu graben. Im Gegensatz zum Kunene fließt der Okavango langsam mäandrierend und mit geringem Gefälle auf die Kalahari-Senke zu.

Neuerlichen Forschungen zur Folge, waren vor allem die Wassermassen des Ur-Okavango für die Entwicklung Etoschas verantwortlich. Eine unglaubliche Vorstellung in Anbetracht der heutigen Trockenheit.

Heute wird die 120 km lange und bis zu 72 km breite Etoscha-Salzpfanne, die von dem einstigen Salzsee übrigblieb, nur noch durch Niederschläge und episodische Wasserzuflüsse durch die sogenannten **Oshanas** aus dem nördlich gelegenen Owamboland aufgefüllt

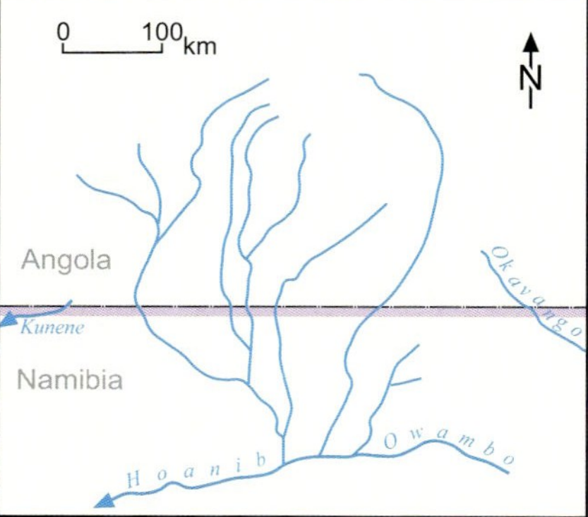

Vor 7 Mio. Jahren: Der Kunene ist ein kleiner Fluß. Der Hoanib entwässert das Einzugsgebiet des Kunene.

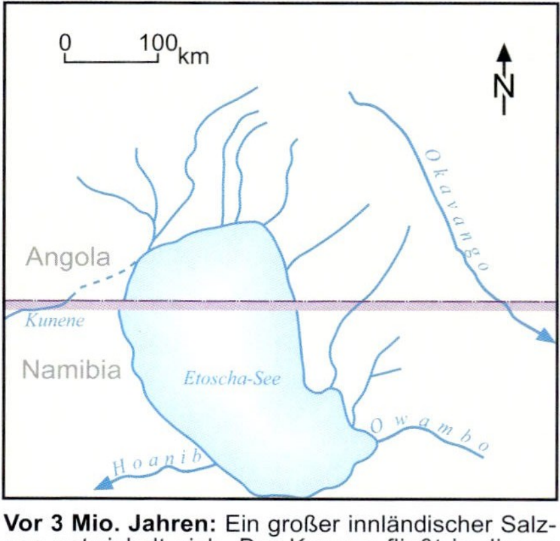

Vor 3 Mio. Jahren: Ein großer innländischer Salzsee entwickelt sich. Der Kunene fließt in diesen Etoscha-See, der in Richtung Hoanib überläuft.

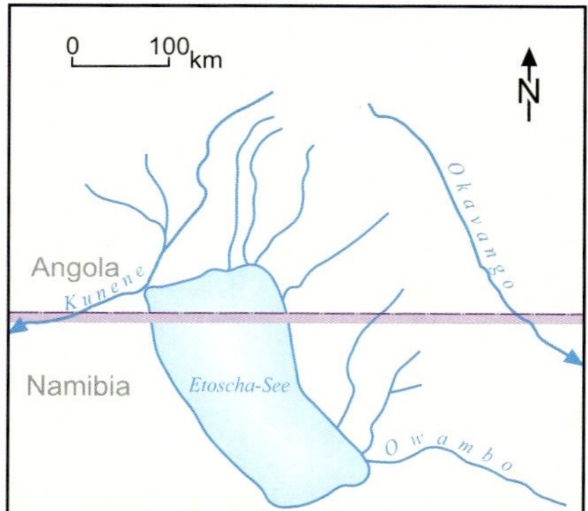

Vor 35000 Jahren: Der Etoscha-See fließt über den Kunene, der nun das Einzugsgebiet entwässert, in den Ozean.

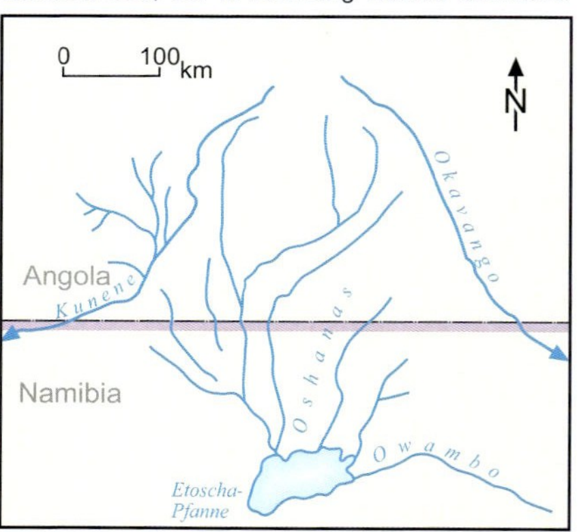

Heute: Trockenes Klima - Oshanas. Der Okavango ist ein alter Fluß, langsam und breit. Der Kunene ist ein junger Fluß, schnell und eng.

Abb. 4.12: Bildung und Entwässerung der Etoscha-Pfanne während der letzten 7 Mio Jahre (Kalahari Symposium 1992)

(Abb. 4.12 d). In guten Regenzeiten steht die flache Senke dennoch lange Zeit unter Wasser und wird von den Wildtieren als natürliche Wasserstelle genutzt, bis die glühende Sonne Namibias das wertvolle Nass wieder aufgesaugt hat und nichts als eine harte, unfruchtbare **Salzkruste** zurücklässt. Fossile Funde von Sitatunga-Antilopen, die nur in Feuchtgebieten wie z. B. dem Caprivi-Zipfel leben, zeugen aber davon, dass auch die Etoscha-Region vor nicht allzu langer Zeit noch sehr viel feuchter gewesen sein muss. Die Abbildung 4.12 zeigt Ihnen die jüngere geologische Entwicklung des Etoscha-Gebiets.

Auch heute noch ist die natürliche Landschaftsgestaltung in der Etoscha-Pfanne in vollem Gange. Generell ist der Wind aufgrund der herrschenden klimatischen Gegebenheiten und des spärlichen oder fehlenden Bewuchses der Hauptgestaltungsfaktor des Landschaftsbildes. Auf dem ausgetrockneten Pfannenboden werden feine Bodenpartikel durch den Vorgang der **Deflation** (flächenhafte Abtragung durch Wind) ausgeblasen. Dadurch hat sich die Etoscha-Pfanne in der jüngeren Vergangenheit zu einer für aride Gebiete typischen, sogenannten **Deflationswanne** entwickelt.

Von der starken Wirkung des Windes zeugen heute u. a. die Dünenbildungen an den Rändern dieser Deflationswanne, wie z. B. bei Andoni im Nordosten der Etoscha-Pfanne. Hier hat sich eine riesige bewachsene **Barchan-Düne** entwickelt, die von der fast ununterbrochenen, abtragenden Tätigkeit des Windes im Bereich der Etoscha-Pfanne zeugt. Auf Ihrem Weg von Namutoni nach Andoni steigt der Weg stetig an und endet schließlich auf dem Dünenkamm. Die Fahrt hinunter in die Flächen von Andoni erfolgt längs des Dünenabhanges.

4.2.2 Quellen am Rande der Etoscha-Pfanne

Am Südrand der Etoscha-Pfanne liegen zahlreiche natürliche Wasserstellen, die den Wildtieren des Nationalparks als Tränke dienen.

Sicher stellt sich Ihnen die Frage, wie es gerade entlang solch ausgedörrt wirkender Gegenden wie der Etoscha-Pfanne zu natürlichen Grundwasseraustritten kommen kann. Dies ist durch die spezielle geologische Situation am unmittelbaren Rand der Etoscha-Pfanne und durch die starke Verkarstung des Gesteinsuntergrunds der Umgebung zu erklären.

Insgesamt werden im Etoscha-Gebiet drei verschiedene Quelltypen unterschieden.

4.2.2.1 Schichtquellen

Das in den verkarsteten, stark durchhöhlten Karbonatgesteinen des Otavi-Berglands und der Bergzüge um Outjo kursierende Grundwasser tritt dort seit Millionen Jahren an natürlichen Quellaustritten zutage. Zahlreiche Ortsnamen (z. B. Grootfontein, Rietfontein, Otavifontein) zeugen noch heute vom Grundwasserreichtum dieser Gegend. Im Laufe geologischer Zeiträume hat dieses, mit Kalk gesättigte Quellwasser durch Kalkausfällung eine Kalkkruste gebildet, die von den Gebirgszügen ausgehend, bis an den Rand der Etoscha-Pfanne reicht (Abb. 4.13).

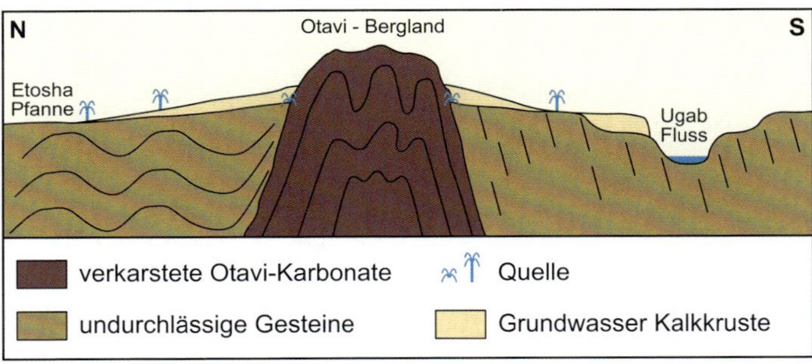

Abb. 4.13: Verborgene Quellaustritte rund um das Otavi-Bergland unterhalb von Kalkkrusten

Grafik: Johanna Eifrig

Durch diese Kalksteinlagen fließt nun das Quellwasser, dem natürlichen Gefälle folgend, auf die Etoscha-Pfanne zu, wo es bei Kontakt mit den tonreichen Sedimenten der Salzpfanne als sogenannte **Schichtquelle** ausläuft. Die Wasserlöcher von Twee Palms, Batia, Salvadora (Abb. 4.15) oder Okondeka gehören diesem Quelltyp an. Sie sind alle am direkten Pfannenrand gelegen.

Abb. 4.15: Ein durch eine Schichtquelle gespeister Wasserlauf fließt der Etoscha-Salzpfanne zu (Wasserstelle Salvadora)

4.2.2.2 Artesische Quellen

Neben den Schichtquellen im Bereich der Etoscha-Pfanne ist auch ein weiterer Quelltyp in Etoscha weit verbreitet. Dieser liegt immer in einigem Abstand vom Pfannenrand und wird als **artesische Quelle** bezeichnet.

Ein gutes Beispiel für diesen speziellen Quelltyp stellt die Wasserstelle Klein-Namutoni dar, die Sie ca. 2 km südlich des Rastlagers Namutoni finden. Auch bei Klein-Namutoni wird das Wasser in der Grundwasser führenden Kalkschicht (Grundwasserleiter) durch tonige Sedimente angestaut.

Der Unterschied besteht jedoch darin, dass der Aufstieg des Grundwassers und damit der sofortige Quellaustritt durch eine abdichtende Gesteinsschicht an der Erdoberfläche verhindert wird. Durch das stetig nachfließende Wasser, das nicht nach oben durchbrechen kann, entsteht ein erheblicher Wasserdruck. In der Hydrogeologie nennt man diese Situation einen **artesisch gespannten Grundwasserleiter**. Oft erreicht dieses „gespannte" Wasser nur die Erdoberfläche, wenn die grundwasserführende Schicht angebohrt wird. Dabei kommt es zu einer Druckentlastung, und das Wasser kann gemäß physikalischer Gesetzmäßigkeiten so hoch ansteigen wie der **Grundwasserspiegel** innerhalb des Grundwasserleiters steht (Abb. 4.16). Es kann also zu einem starken, fontänenartigen Austritt des Wassers durch das Bohrloch kommen.

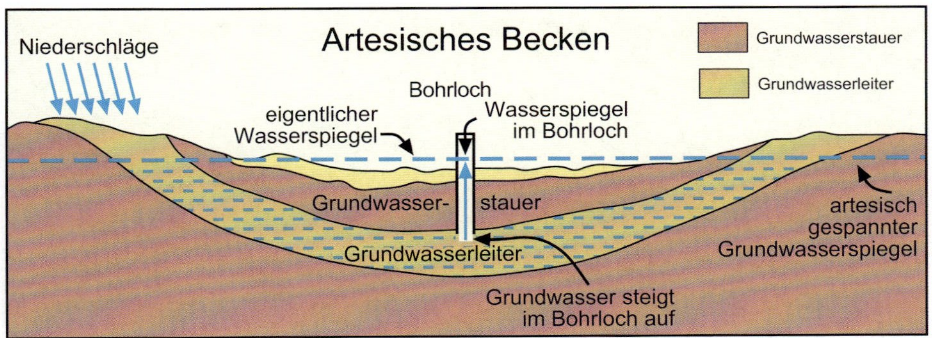

Abb. 4.16: Mechanismus einer artesischen Quelle — Grafik: Uwe Jäschke

Wenn, wie bei Klein-Namutoni, die Druckentlastung jedoch nicht durch künstliche Eingriffe herbeigeführt wird, „sucht" sich das artesisch gespannte Wasser oft eine Schwachstelle in der aufliegenden, abdichtenden Schicht. Im Falle von Klein-Namutoni stellt ein schmaler, wasserdurchlässiger Kalksteinzug, der vom Grundwasserleiter bis an die Erdoberfläche reicht, eine solche Schwachstelle dar. Durch dieses „Loch" in der abdichtenden Oberflächenkruste kann das unter Druck stehende Wasser nun weit vor der Etoscha-Pfanne ausfließen und die bei zahlreichen Wildtierarten sehr beliebte Wasserstelle Klein-Namutoni bilden.

Neben Klein-Namutoni gehören unter anderem auch die Wasserstellen von Groot- und Klein Okevi (Abb. 4.17), Chudop, Kalkheuvel, Goas, Rietfontein und Okaukuejo diesem Quelltyp an.

4.2.2.3 Karstquellen

Dieser Quelltyp ist im Süden des Parks, weit ab vom Pfannenrand gelegen. Dabei handelt es sich um Karstlöcher innerhalb der Kalkkruste, an denen, ähnlich wie bei Dolinen (siehe Kapitel 4.1.1.2) das Grundwasser zutage tritt. Vertreter dieser Quellkategorie sind z. B. die tief gelegenen Wasserlöcher von Aus oder Olifantsbad. Die wassergefüllten Senken werden nicht zuletzt durch die Aktivität der Wildtiere, die hier zum Trinken kommen, offen gehalten (Abb. 4.18).

Abb. 4.17: Die Wasserstelle Groot Okevi wird von einer artesischen Quelle gespeist

Abb. 4.18: Die beliebte Wasserstelle Olifantsbad gehört dem Typ der Karstquellen an

4.2.3 Die Hamada-Fläche bei Kalkheuvel

Die Wasserstelle Kalkheuvel liegt etwa 20 km südwestlich von Namutoni. Biegen Sie nach etwa 15 km von dem Hauptweg entlang der Etoscha-Pfanne nach Süden ab. Nach weiteren 5 km gelangen Sie zu dem Wasserloch, das für seine besonders guten Wildbeobachtungsmöglichkeiten bekannt ist.

Bei Kalkheuvel sehen Sie etwa faust- bis kopfgroße, weiße, unregelmäßig geformte Kalkgerölle weit verstreut umherliegen (Abb. 4.19). Diese Brocken sind Verwitterungsreste einer Kalkkruste, die einst als ehemalige Landoberfläche weite Gebiete um die Etoscha-Pfanne bedeckte. Stellenweise ist diese Kruste auch heute noch unzerstört vorhanden (Abb. 4.20).

Abb. 4.19: Hamada-Fläche um die Wasserstelle Kalkheuvel

Diese **Kalkkrusten** (siehe Kapitel 7), die stratigrafisch zur Kalahari-Sequenz zählen, sind ein typisches Phänomen für den ariden Klimabereich. Die mächtigen Lagen dieses Karbonat-Gesteins können auf unterschiedliche Weise entstehen. Hier bei Kalkheuvel handelt es sich um eine Grundwasser-Kalkkruste, die sich knapp oberhalb des Grundwasserspiegels in porösem, wasserdurchlässigem Material durch Ausfällung von gelöstem Kalk gebildet hat. Einzelne Lagen erreichen normalerweise eine Mächtigkeit von ca. 2 m. Durch Absenkung des Grundwasserspiegels können auch dickere Schichten gebildet werden. Zusätzlich

Abb. 4.20: Mächtige Kalkkruste am Südrand der Etoscha-Pfanne

entstehen Kalkkrusten an Quellaustritten oder Flussläufen sowie durch Bodenbildungsprozesse (siehe Kapitel 7).

Aufgrund der Häufigkeit von Kalkgesteinen südlich der Etoscha-Pfanne im Otavi-Bergland ist das im Untergrund zirkulierende Wasser sehr reich an gelöstem Kalk ($CaCO_3$). Zusammen mit den beschriebenen Mechanismen kann damit leicht erklärt werden, weshalb im Bereich der Etoscha-Pfanne diese ausgedehnten Kalkkrusten entstanden sind. Die Kalkgesteine gehören der sogenannten **Etosha Calcrete Formation** (engl. Calcrete = Kalkkruste) an, die sich seit dem Auseinanderbrechen des Gondwana-Kontinents von den kalkigen Otavi-Bergen sowohl in nördlicher (Richtung Etoscha) als auch südlicher Richtung ausgebreitet hat. Aufgrund der langen Entstehungsgeschichte ist es nicht verwunderlich, dass die Kalkkrusten-Mächtigkeit an einigen Stellen bis zu 120 m erreichen kann. Wie alle Karbonat-Gesteine unterliegen auch die Kalkkrusten den Prozessen der Verkarstung (siehe Kapitel 4.1.1). Im Laufe der letzten 10.000 Jahre haben mechanische Verwitterungsvorgänge und die unaufhörliche Einwirkung der harten Hufe der zahlreichen Wildtiere die ehemals einheitliche Kalkoberfläche in einzelne Schuttbrocken zerlegt, die heute weite Flächen des Etoscha-Parks bedecken. Das zwischen den einzelnen Brocken abgelagerte, feine Verwitterungsmaterial wird im Wesentlichen durch den Wind ausgeblasen oder durch ablaufendes Regenwasser ausgewaschen. Zurück bleibt eine als Hamada-Fläche bezeichnete Felsschutt-„Wüste" aus scharfkantigen Gesteinsstücken, wie hier bei Kalkheuvel.

Die **Hamada** ist eine für viele aride Gebiete der Welt typische Erscheinungsform, die z. B. auch in der Sahara zu finden ist. Für Menschen sind ausgedehnte Hamada-Flächen ein schwer zu durchquerendes Gelände. Die Tuareg der Sahara machen mit ihren Kamel-Karawanen einen großen Bogen um die Hamadas. Die an harte Lebensbedingungen angepassten Wildtiere Namibias scheinen jedoch wenig Probleme mit dieser extremen Landschaft zu haben. Auf ihren stark ausgetretenen Wildwechseln durch den Etoscha-Park haben Zebras und Antilopen die scharfkantigen Gerölle durch ständigen „Wild-Verkehr" nach und nach aus dem Weg getreten, sodass die Tiere mittlerweile zwischen Weideflächen und Wasserstellen recht ungehindert umherziehen können.

4.2.4 Das Moringa-Wasserloch in Halali

Die Moringa-Wasserstelle im Restcamp von Halali ist zweifach interessant. Dort kann der Besucher das Wild nicht nur außerhalb des Fahrzeugs beobachten, sondern kann zugleich am selben Ort faszinierende geologische Phänomene erkunden.

Die grauen Karbonatgesteine am Moringa-Wasserloch, die zum Platznehmen und Wildbeobachten einladen, wurden vor etwa 700 Mio Jahren als Kalkriffe in Flachmeerbereichen des Damara-Meeres abgelagert. Und nun sitzen Sie auf diesen Riffen und beobachten Wild! Aber Vorsicht: Die Felsoberfläche zeigt zum Teil messerscharfe Kanten und Ecken. Diese Formen sind die Folge von chemischen Verwitterungsvorgängen (siehe Kapitel 4.1.1), bei denen das Karbonatgestein an der Oberfläche durch kohlensäurehaltige Wässer herausgelöst wurde. Die dabei entstandenen Furchen, sogenannte **Karren**, charakterisieren bevorzugte Ablaufwege und somit intensive Lösungsbahnen des Wassers. Vereinzelte, herausgewitterte, blumenkohlartige Knoten aus Quarz tragen zur scharfen Gesteinsoberfläche bei.

Außerdem können Sie hier am Moringa-Wasserloch interessante Sediment-Deformationen, sogenannte **Slumping-Strukturen** entdecken (Abb. 4.21). Während die hier auftretenden Ablagerungsformen in der Vergangenheit von einigen Wissenschaftlern als Stromatolithen interpretiert wurden, haben neuere Untersuchungen gezeigt, dass es sich nicht um die Ablagerungen von kalkabscheidenen Cyano-Bakterien (siehe Kapitel 4.1 und 8.2.1.1), sondern um Sediment-Strukturen handelt. Schichtdeformationen wie das Slumping entstehen unmittelbar nach Ablagerung in dem noch fließfähigen, wassergesättigten Sediment. Sie entstehen entweder bei der Entwässerung der Ablagerungen oder als Folge von Rutschungen an Hängen mit geringer Neigung. Die Fließbewegungen können sowohl durch unterschiedlichen Auflastdruck, als auch durch plötzliche Erdstöße ausgelöst werden.

Was letztendlich die Verformung der Kalksteine von Halali ausgelöst hat, lässt sich heute kaum noch nachvollziehen, aber es ist denkbar, dass die dunklen Kalkschlämme mit ihren feinen, helleren sandigen Lagen einst auf dem unebenen Kontinental-Schelf des

Abb. 4.21: Die gefalteten Sedimentstrukturen am Moringa-Wasserloch sind auf Slumping zurückzuführen

Kongo-Kratons zur Ablagerung kamen und im Zuge der Faltung des Damara-Gebirges leicht ins Rutschen gekommen sind. Während Sie die Wildtiere an diesem beliebten Wasserloch betrachten, denken Sie auch daran, dass die Gesteine eine lange geologische Geschichte zu erzählen haben.

5. Nordwest-Namibia

5.1 Die Region um Khorixas

Das Gebiet um Khorixas, dem Hauptort des ehemaligen Damaralands (heute Region Kunene), hat touristisch viel zu bieten. Neben den berühmten Felsgravuren von Twyfelfontein finden Sie in diesem landschaftlich sehr schönen Teil Namibias auch einige geologisch interessante Sehenswürdigkeiten, die im Folgenden beschrieben werden.

5.1.1 Der Versteinerte Wald

Zum Versteinerten Wald gelangen Sie über die C 39 (ehemals D 2620), der Verbindung zwischen Khorixas und der Palmwag-Region. Das zum Nationalen Denkmal erklärte Gelände des Versteinerten Waldes liegt direkt an dieser Straße. Von Khorixas ist dieses

Fossilienvorkommen nach etwa 50 km zu erreichen, von Palmwag Lodge aus sind es ca. 120 km. Der Versteinerte Wald beheimatet die größte Ansammlung versteinerten Holzes im südlichen Afrika.

Beim Versteinerten Wald, der in den 1940er Jahren entdeckt wurde, handelt es sich um fossile Baumstämme, die in ca. 280 Mio Jahre alte Sedimente der Tsarabis-Formation der Karoo-Zeit eingebettet wurden und heute wieder an der Erdoberfläche zu sehen sind. Diese versteinerten Pflanzenfossilien zeugen von ehemals ausgedehnten Wäldern in diesem Bereich Namibias. Der erstaunte Besucher wird sich sicherlich fragen, ob die Bäume an ihrem heutigen, wüstenartigen Fundort wuchsen. Die Geologen haben diese Frage mit einem klaren „Nein" beantwortet und Beweise erbracht, dass die Bäume durch Wasserkraft antransportiert wurden. Dies ist zum einen durch das Fehlen der sogenannten Wurzelböden

Abb. 5.1: Geologische Sehenswürdigkeiten in Nordwest-Namibia (Farb-Legende siehe Karte Vorderklappe)

zu belegen. Als Wurzelböden werden mit Wurzeln durchzogene Sedimentschichten bezeichnet, durch welche die Bäume im Untergrund verankert waren. Ebenso spricht die überwiegend parallele Ausrichtung der versteinerten Stämme für einen Transport durch Wasser und nicht für ein Absterben des Waldes an Ort und Stelle. Zudem sind die Stämme in typische Flusssedimente eingebettet. All diese Umstände weisen auf eine plötzliche Flutkatastrophe hin, bei der die bis zu 30 Meter hohen Baumriesen regelrecht abgebrochen und dort angespült wurden, wo sie heute zu bewundern sind.

Die Ursache für dieses dramatische Ereignis scheint auf den ersten Blick schwer erklärbar zu sein. Um das Rätsel dennoch zu lösen, wurde das absolute Alter des versteinerten Holzes

bestimmt. Die Untersuchung ergab, dass die Bäume einst zu riesigen Wäldern gehörten, die vor ca. 280 Mio Jahren weite Flächen des Gondwana-Kontinents bedeckten. Es ist bekannt, dass zu dieser Zeit auf Gondwana eine **Eiszeit** zu Ende ging. Die dem kühlen Klima angepassten Baumarten breiteten sich an den Rändern der polaren Tundra- und Vereisungszonen aus, ähnlich wie heute in einigen Gebieten Alaskas und Sibiriens.

Dies waren die Umweltbedingungen, in denen sich die Gesteine der **Tsarabis-Formation** bildeten, zu denen auch der Versteinerte Wald gehört. Mit dem Ausklingen der Eiszeit begannen die riesigen Inland-Gletscher abzuschmelzen, wodurch gewaltige Wassermengen frei wurden, die tosende Wildwasser und Flüsse speisten und weite Seenlandschaften entstehen ließen. Diese Wassermassen bieten nun eine Erklärung für die Vorgänge, denen die Bäume des Versteinerten Waldes zum Opfer fielen. Da die Entwurzelung der Bäume eine plötzlich hereinbrechende Überflutung voraussetzt, ist anzunehmen, dass ein Fluss durch enorme Schmelzwasserzufuhr schlagartig über die Ufer trat. Ebenso kann es sein, dass sich Schmelzwässer an einem natürlichen Hindernis solange aufstauten, bis dieser Damm brach. Nur durch solche speziellen Umstände ist die Gewalt zu erklären, mit der die Wassermassen über einen intakten Wald mit bis zu 30 Metern hohen Bäumen herfielen, die Stämme wie Streichhölzer knickten und viele Kilometer mit sich rissen. Beim Versteinerten Wald handelt es sich also um die Zeugnisse einer klimatisch bedingten „Umweltkatastrophe“, lange bevor es den Menschen gab.

Die in den Flutwellen ebenfalls mitgeführten Schlamm- und Sandmassen bedeckten die zusammengeschwemmten und vom Wasser abgelagerten Baumriesen innerhalb kurzer Zeit in solcher Mächtigkeit, dass sie luftdicht abgeschlossen wurden. Daher konnten die Stämme nicht mehr vollständig vermodern, wie es unter atmosphärischen Bedingungen mit abgestorbenem Pflanzenmaterial geschieht. Das organische Material wurde regelrecht konserviert. Damit war die erste Voraussetzung für den Prozess der **Versteinerung** erfüllt.

Im Verlauf der Erdgeschichte wurden die Baumstämme durch fortwährende Sedimentation immer tiefer begraben, bis die Mächtigkeit der aufliegenden Schichten schließlich mehrere 1.000 m betrug. Zeitgleich setzte der Prozess der **Einkieselung** ein. Dabei kam es zu einer Reaktion zwischen dem vermodernden Holz und Kieselsäure (SiO_2), die in den zirkulierenden Wässern gelöst war. Bei diesem Prozess wird nicht, wie früher angenommen, die Holzsubstanz unter Sauerstoffabschluss durch Kieselsäure ersetzt, sondern die Zellhohlräume mit Kieselsäure ausgefüllt und die dazwischenliegende Holzsubstanz umhüllt. Dadurch wird sie vor der Zersetzung geschützt und somit konserviert. Dabei wurden auch

Abb. 5.2: Versteinerte Baumstämme, die größten sind bis zu 30 m lang

die feinsten Strukturen und Details des Holzes durch Quarz, also kristallisierte Kieselsäure, exakt nachgebildet. Das Ergebnis sind perfekt erhaltene, völlig versteinerte Baumstämme, die nur noch durch ihre Form an ehemalige Pflanzen erinnern (Abb. 5.2). Zusätzlich kam es beim Wiederausfällen des Quarzes aus der kieselsäurehaltigen Lösung zur Verkittung einzelner Sand- und Geröllpartikel. Aus den ehemals lockeren Ablagerungen entstanden somit Festgesteine. Die Abbildung 5.3 zeigt die schematische Entstehung des versteinerten Waldes.

Da es sich beim Versteinerten Wald um einen wirklichen „geologischen Schatz" handelt, ist es verständlich, dass die Entfernung und Mitnahme versteinerten Holzes streng verboten ist.

Infolge der perfekten Einkieselung, welche Rindenstruktur, Astlöcher und jahresringähnliche Zuwachsstreifen (Abb. 5.4 a+b) deutlich sichtbar macht, gelang es auch, die Pflanzen biologisch zu identifizieren. Die hier abgelagerten Bäume werden zu den Gymnospermen (Nacktsamer) gezählt und sind damit der Vorfahre heutiger Nadelhölzer wie Tanne und Fichte. Die Pflanzen gehören zu der bekannten Glossopteris Flora und waren auf dem Gondwana-Kontinent die am weitesten verbreitete Pflanzengruppe. In der Wissenschaft werden sie als *Dadoxylon arberi* bezeichnet. Die unterschiedliche Dicke der Jahresringe deutet zudem auf ein saisonales Klima mit schwankenden Niederschlagsmengen hin.

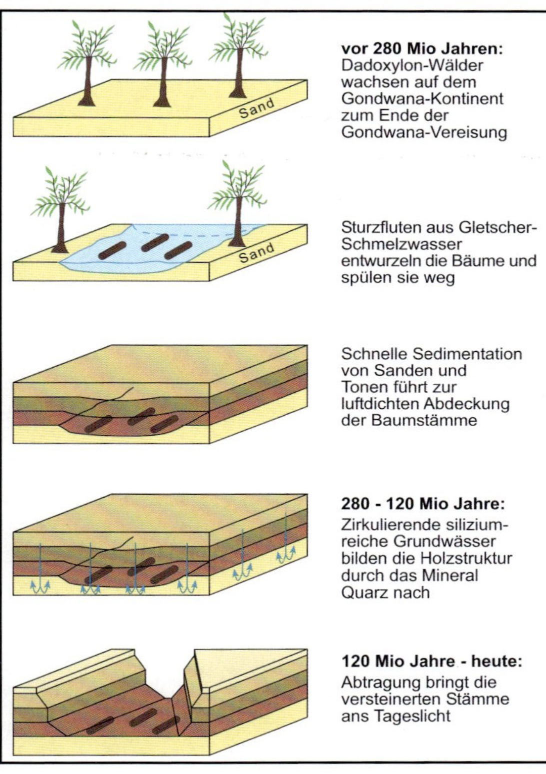

Abb. 5.3: Schematische Entstehung versteinerter Hölzer
Grafik: Johanna Eifrig

Abb. 5.4 a + b: Astlöcher und Jahresringe im versteinerten Holz

Der urweltliche **Dadoxylon-Baum** kam einst auch in Europa vor. Er wuchs in den Wäldern, aus denen sich u. a. später die europäischen Steinkohlelagerstätten bildeten. Der Umstand, dass Sie diese Zeugen der ehemals üppigen, kühl-gemäßigten Wälder Namibias heute wieder an der Erdoberfläche sehen können, nachdem sie immerhin mehrere 1.000 m tief unter der Erde gelegen haben, ist durch Abtragungsvorgänge zu erklären. Während des Auseinanderbrechens des Gondwana-Kontinents vor etwa 120 Mio Jahren kam es im Zuge der Öffnung des Atlantiks zu einer tektonischen Anhebung Namibias. Durch diese Verstärkung des Oberflächenreliefs intensivierte sich die Abtragung, sodass die ehemaligen Sedimentbecken, in denen die fossilen Baumstämme begraben lagen, in einem Millionen von Jahren andauernden Prozess so weit ausgeräumt wurden, dass diese Relikte aus der feucht-kalten Zeit nach der Gondwana-Vereisung heute wieder im heißen Tageslicht zu bewundern sind.

5.1.2 Twyfelfontein

Von Khorixas kommend, gelangen Sie über die Straße D 2612, die einige Kilometer westlich des Versteinerten Waldes von der C 39 (ehemals D 2620) abzweigt, nach Twyfelfontein. Der Weg zu dieser archäologischen Sehenswürdigkeit ist von dort ab ausgeschildert. Von Uis kommend, biegen Sie nach etwa 75 km von der C 35 auf die D 2612 ab. Von dort sind es noch etwa 80 km.

Twyfelfontein ist vor allem wegen seiner eindrucksvollen Felsgravuren weltberühmt und wurde daher im Jahre 2007 von der UNESCO zum Weltkulturerbe proklamiert. Verständlicherweise tritt dabei oft in den Hintergrund, dass auch die Felsen, die den eingeborenen Künstlern als Gestaltungsfläche dienten, eine sehr interessante Geschichte zu erzählen haben. Unbeachtet bleibt auch die Tatsache, dass die für Felsgravuren so idealen, glatten Gesteinsoberflächen letztlich erst durch geologische Vorgänge entstanden und die Geologie somit auch an der Entstehung dieser Kunstwerke, wenn auch nur indirekt, beteiligt war.

Schon allein der Name Twyfelfontein, „Zweifelhafte Quelle", ist geologisch bedingt. Eine wasserführende Sandsteinschicht trifft hier auf eine relativ wasserundurchlässige Tonschicht. Bei starkem Wasserangebot staut es sich an der Tonschicht und tritt dann zuweilen als **Quelle** zutage, jedoch so unzuverlässig und selten, dass der Name berechtigt ist.

Auf Ihrem Weg von Khorixas nach Twyfelfontein werden Sie sicher feststellen, dass sich auf einer Strecke von wenigen Kilometern die Landschaft stark verändert. Während nahe der Ortschaft Khorixas noch die abgerundeten Formen der damarazeitlichen Granite und Glimmerschiefer die Morphologie prägen, führt Sie der Weg nach Twyfelfontein durch eine zerfurchte Landschaft aus Schiefern und Marmoren sowie rötlichen Granit-Kuppen des gleichen Zeitabschnitts. Bei Twyfelfontein schließlich wird die Landschaft von spektakulären Tafelbergen dominiert. Die plattigen Bergrücken, die das Tal des Aba-Huab-Trockenflusses bei Twyfelfontein umgeben, bestehen aus den roten, karoo-zeitlichen Sandsteinen der **Twyfelfontein-Formation**. Diese Sediment-Gesteine sind die versteinerten Überreste einer urzeitlichen Wüste, die vor etwa 132 Mio Jahren weite Teile West-Namibias im Inneren des Gondwana-Kontinents bedeckte, während sich zeitgleich die ersten Lavadecken der Etendeka-Vulkanite (siehe Kapitel 5.3) über die weitläufigen Dünenfelder ergossen.

Die heutigen, beeindruckenden Landschaftsformen entstanden aber erst durch Jahrmillionen andauernde Abtragungsprozesse, welche die ehemaligen Wüsten-Sedimente und die darunter lagernden, noch älteren Gesteine in langgestreckte Tafelberge mit tief eingeschnittenen Tälern zerlegten. Infolge der Verwitterungsvorgänge wurden dabei große Sandsteinblöcke aus den Berghängen rings um Twyfelfontein herausgelöst, die in Lawinen zu Tal stürzten und dabei entlang ihrer bereits im Gestein vorgegebenen Schicht- und Kluftflächen in einzelne Platten und Blöcke zerbrachen. Die dadurch entstandenen, ebenen Oberflächen, welche durch die einheitliche, feine Korngröße der versteinerten Wüstensande zudem besonders glatt sind, lockten die steinzeitlichen Jäger und Sammler nach Twyfelfontein, um hier ihre rituellen Felsgravuren zu hinterlassen.

Abb. 5.5: Dünne Lagen aus weißem Quarz-Geröll zeugen von Fließgewässern in der Twyfelfontein-Wüste

Aber nicht alle Gesteinsblöcke weisen diese feinkörnige Struktur auf. Auf Ihrer Wanderung durch das „Open-Air-Museum" von Twyfelfontein können Sie auch Sandsteinblöcke entdecken, die verschiedene Lagen kleiner, abgerundeter Quarzsteinchen enthalten (Abb. 5.5). Diese feinen Flussgerölle inmitten der Wüstensande zeugen von einem äußerst interessanten Sachverhalt: In den **Gondwana-Wüsten** flossen zuweilen auch Bäche und Flüsse.

Dass es sich hier dennoch um eine typische Wüste gehandelt hat, darauf weisen nicht zuletzt die Strukturen hin, die Sie in einigen großen Sandsteinblöcken finden können. Die **Kreuzschichtung** (Abb. 5.6) erkennen Sie daran, dass versteinerte Sand-Schichten unter spitzem Winkel in mehrfachem Wechsel aufeinanderstoßen. Dies ist eine typische Erscheinungsform in windgeformten Dünen auch heutiger Trockengebiete. Kreuzschichtung in Dünen entsteht durch die

Abb. 5.6: Kreuzschichtung ist häufig in Dünensandablagerungen zu finden

Abb. 5.7: Versteinerte Rippelmarken auf einer Sandsteinplatte

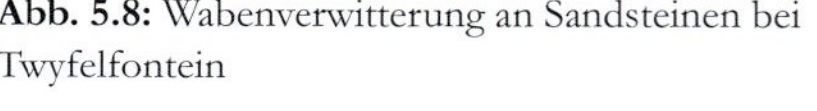

Abb. 5.8: Wabenverwitterung an Sandsteinen bei Twyfelfontein

Veränderung oder Verlagerung der Schüttungsrichtung des durch den Wind antransportierten Sandes. Ein Besuch in der Namib-Wüste kann Ihnen diesen Vorgang anschaulich machen.

Daneben können Sie auf Sandsteinoberflächen bei Twyvelfontein auch fossile **Windrippelmarken** (Abb. 5.7, siehe Kapitel 5.2.2) entdecken. Rippelmarken werden immer dann gebildet, wenn es zu periodischen Wellenbewegungen an der Grenzfläche zwischen Medien unterschiedlicher Dichte kommt. Dies ist nicht nur beim Sand-Wasser-Kontakt an einem Meeresstrand der Fall, sondern auch beim Sand-Luft-Kontakt auf der Oberfläche einer Düne. Auch dieser Vorgang ist in der Namib, besonders an der Skelettküste (siehe Kapitel 5.2.2), sehr gut zu beobachten.

Diese nun versteinerten Zeugen des damaligen Ablagerungsmilieus sind Hilfsmittel der Geologen, um die Klima- und Umweltbedingungen zu rekonstruieren, unter denen sich die Sandsteine vor etwa 132 Mio Jahren gebildet haben. Aufgrund dieser Indizien ist anzunehmen, dass die Wüstenlandschaft, die damals weite Teile Namibias bedeckte, Ähnlichkeit mit einigen heutigen Kalahari-Dünenfeldern aufwies.

Darüber hinaus weisen einige der größeren Sandsteinblöcke eine weitere interessante Erscheinung auf, die jedoch nicht auf Ablagerungsvorgänge zurückzuführen ist. Dabei handelt es sich um löchrige Oberflächenstrukturen (Abb. 5.8), die durch die sogenannte **Wabenverwitterung** entstanden sind. Wabenverwitterung, die übrigens ebenso in Granit-Gesteinen häufig ist, bildet sich meist unter einer harten Gesteinsoberfläche, einer sogenannten **Hartrinde** (siehe Kapitel 6.1.1.1). Ähnlich dem Wüstenlack (siehe Kapitel 6.1.3) werden manche Gesteinsoberflächen von einer harten Kruste überzogen, die von ausgefällten Mineralen gebildet wird, die zuvor durch chemische Verwitterung im oberflächennahen Gesteinsinneren gelöst wurden. Da diese Krusten nicht unbedingt einheitlich über die Gesteinsoberfläche verteilt sind, treten immer Schwachstellen in dieser Hartrinde auf. Geschieht dies in Felsarealen, die sonnengeschützter sind und somit stärker durchfeuchtet werden, kann die Feuchtigkeit das Gestein unterhalb der Hartrinde verstärkt angreifen. Das Ergebnis ist eine zwar löchrige, aber harte Gesteinsaußenkruste, hinter der sich Hohlräume verschiedener Größenordnung verbergen (Abb. 5.8). Diese Strukturen können sich unter gleichbleibend idealen Bedingungen immer weiter vergrößern und zu „Tafonis" genannten Höhlungen auswachsen (siehe Kapitel 6.1.1.2). Dabei spielt vor allem mit Sand beladener Wind eine wesentliche Rolle, wie an den glatt geschliffenen unteren Felsbereichen unschwer zu erkennen ist. Der Wind verhält sich dort wie ein Sandstrahlgebläse.

5.1.3 Das Tal der Orgelpfeifen

Das Tal der Orgelpfeifen passieren Sie auf Ihrem Weg entlang der Straße D 3254 von Twyfelfontein zum Verbrannten Berg. Etwa 3 km hinter der Kreuzung nach Twyfelfontein geht ein schmaler Weg nach links zum Parkplatz am Tal der Orgelpfeifen. – Achtung: Dieser Weg ist leicht zu übersehen.

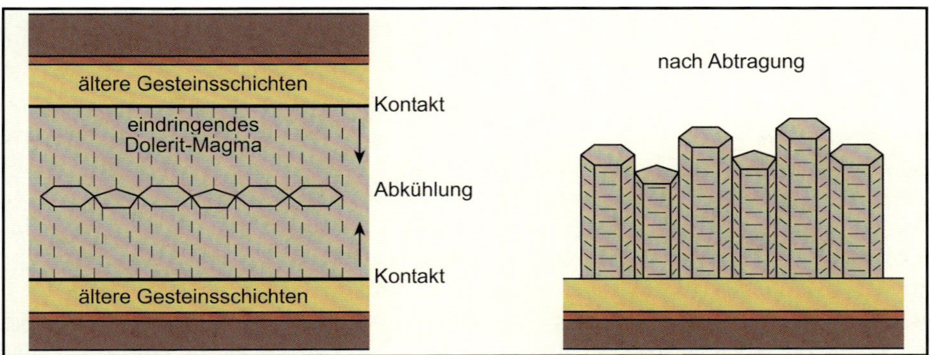

Abb. 5.9: Schematische Entstehung von Basaltsäulen Grafik: Johanna Eifrig

Dort können Sie einen **Dolerit-Lagergang** erkunden, der im Zuge der magmatischen Ereignisse vor ca. 130 Mio Jahren entstanden ist, die damals weite Teile des Damaralandes erschütterten (siehe Kapitel 5.3). Obwohl solche Dolerit-Gänge in vielen Teilen Namibias vorkommen (siehe Kapitel 7.1.2), bietet der Dolerit im Tal der Orgelpfeifen dem Besucher etwas Besonderes. Die glutflüssige Schmelze drang parallel zur Schichtung in das Nebengestein ein. Durch diese schichtparallele Erstarrung (Lagergang) konnte er zu gleichmäßig ausgerichteten, mehreckigen Säulen erstarren (Abb. 5.9), den sogenannten „Orgelpfeifen".

Abb. 5.10: Basaltsäulen im Tal der Orgelpfeifen

Die geometrische Form des Vielecks (**Polygonal-System**) ist in der Natur ein weitverbreitetes Ordnungsprinzip. Beispiele dafür sind z. B. Trockenrisse in austrocknenden Sedimenten (siehe Kapitel 8.1.2). Im Bereich der Geologie neigen alle Basaltgesteine, und dazu gehört auch der Dolerit, zur Bildung von mehreckigen Formen. Dies ist durch physikalische Naturgesetzmäßigkeiten zu erklären. Körper, die sich frei verformen können, sind bestrebt, die Gestalt einer Kugel anzunehmen, da die Kugel der Körper mit dem größten Inhalt bei kleinstmöglicher Oberfläche ist. Körper, die sich nicht beliebig frei verformen können, und dazu gehören die Lava-Gesteine, ordnen sich in Vielecken an. Begründet wird dies durch den Umstand, dass das Vieleck in seiner äußeren Form der Kugel am nächsten kommt. Ferner können sich Gesteinsbereiche in dieser eckigen Form lückenlos zusammenfügen, eine Eigenschaft, die eine Kugel natürlich nicht vollbringt. Vielecke sind also die geometrischen Formen in der Natur, die ein lückenloses Zusammenfügen einzelner Elemente bei größtmöglichem Rauminhalt und kleinstmöglicher Oberfläche in sich vereinen.

Die doleritische Gesteinsschmelze, die im Tal der Orgelpfeifen erstarrte, kühlte von außen nach innen ab. Sie konnte sich also nicht in jede beliebige Richtung bewegen bzw. verformen. Bei dieser Abkühlung zog sie sich zusammen. Die Folge waren Kontraktionsrisse, die sich gemäß des beschriebenen Polygonal-Gesetzes in Vieleckform anordneten. Dadurch entstanden die **Basaltsäulen** („Orgelpfeifen"), die Sie bei einem Spaziergang durch das kleine Tal bewundern können und die Ihnen die strengen Ordnungsprinzipien in der Natur deutlich vor Augen führen (Abb. 5.10).

Abb. 5.11: Der Verbrannte Berg ist durch Kontaktmetamorphose entstanden

5.1.4 Der Verbrannte Berg

Der Verbrannte Berg liegt etwa 12 km von Twyfelfontein entfernt an der Straße D 3254. Der Weg dorthin ist ausgeschildert. Kurz nachdem Sie das Tal der Orgelpfeifen passiert haben, ragt die ca. 200 m hohe, schwarz-violette Kuppe an der rechten Straßenseite auf.

Der Verbrannte Berg (Abb. 5.11) hat zwar nicht wirklich in Flammen gestanden, aber bei seiner Entstehung haben extrem hohe Temperaturen eine bedeutende Rolle gespielt. In Zusammenhang mit dem intensiven, **post-karoo-zeitlichen Vulkanismus** im Damaraland vor etwa 130 Mio Jahren wurden ausgehend vom Magmenzentrum große Mengen basaltischer Lava unterirdisch in eine angrenzende Tonsteinschicht der Verbrannte-Berg-Formation getrieben. Bei dem Kontakt mit der über 1.000° C heißen, glutflüssigen Gesteinsschmelze kam es in den Tonsteinen zu chemischen und thermischen Veränderungen, einer sogenannten **Kontaktmetamorphose**. Da die Tonsteine die Ablagerungen eines Süßwasser-Sees darstellen, waren sie reich an Überresten organischen Materials. Die glühend heiße Basalt-Lava bewirkte, dass die organischen Bestandteile im Kontaktbereich mit der Schmelze regelrecht verdampften und die Tonminerale wie in einem Backofen ausgehärtet wurden. Insofern ist es auch nicht verwunderlich, dass feine Kohlelagen das Sediment durchziehen. Dieser Prozess der kontaktmetamorphen Härtung von Sediment-Gesteinen wird übrigens als **Frittung** bezeichnet.

Wenn Sie den Verbrannten Berg genauer betrachten, werden Sie feststellen, dass der Berg nicht nur aus schwarz-gebrannten Sedimenten besteht, sondern dass diese zum Teil von violett- und rot-glänzenden, dünnen Krusten überzogen sind, die vor allem im Abendlicht optisch äußerst interessant und fotogen sind. Diese Farbschattierungen werden durch **Eisen- und Manganoxide** hervorgerufen, die sekundär, also nachträglich, durch Oxidation beim Kontakt des Gesteins mit dem Luftsauerstoff gebildet wurden. Dies konnte also erst dann geschehen, als der Verbrannte Berg durch die Abtragung wieder in den Einfluss der Atmosphäre gelangte.

5.1.5 Die Fingerklippe

Die Fingerklippe liegt südlich der Teerstraße C 39, die von Outjo nach Khorixas verläuft. Biegen Sie etwa 50 km östlich von Khorixas von der Hauptstraße auf die Straße D 2743 nach Süden ab. Bis zu dem markanten Felsen der Fingerklippe sind es noch ca. 30 km. Der Weg ist ausgeschildert.

Im Gegensatz zu den bisher in diesem Kapitel beschriebenen geologischen Sehenswürdigkeiten, die alle der Karoo-Zeit entstammen, sind das Erosionsrelikt der Fingerklippe und die umgebenden Ugab-Terrassen im Wesentlichen geologisch recht junge Gebilde, die erst während des Tertiärs und des Quartärs entstanden.

Der Ugab-Trockenfluss, der für die Entstehung der interessanten Ablagerungen verantwortlich ist, entspringt in den westlichen Ausläufern des Otavi-Berglands und mündet ca. 200 km nördlich von Swakopmund in den Atlantik. Westlich des Ortes Outjo hat sich der Fluss auf einer Strecke von etwa 100 km Länge während regenreicherer Klimaabschnitte im **Tertiär** ein Bett in die uralten Gesteine des eingeebneten Damara-Gebirges geschnitten. Dieses intensive Einschneiden der damaligen Flüsse ist eine Folge der tektonischen Anhebung Namibias nach dem Auseinanderbrechen Gondwanas. Durch die Landhebung wurden das Gefälle zum Meer verstärkt und die Erosionskraft intensiviert.

Die Tiefenerosion des Flusses kam jedoch vor ca. 14 Mio Jahren zum Stillstand und sein eigenes Bett begann folglich „aufzuschottern“. Durch diese Sedimentationsvorgänge stapelten sich im Laufe geologischer Zeiträume mehr als 100 m mächtige Schotter- und Sandlagen der **Bertram Formation** (benannt nach der Farm Bertram, auf der die Fingerklippe gelegen ist) im Ugab-Tal übereinander.

Erst vor ca. 2 Mio Jahren gaben erneute **Meeresspiegelabsenkungen**, ausgelöst durch die Eiszeiten auf der Nordhalbkugel (siehe Kapitel 2 und 7.2.2), der Tiefenerosion neue Kraft. Der Ugab fraß sich nun in sein eigenes, aufgeschottertes Bett aus mächtigen Geröllagen. Durch diese Erosionsvorgänge und durch ein erneutes tektonisches Anheben der Landoberfläche verkleinerte sich die Flussbreite des Ugabs, sodass Teile seines alten, mitunter sehr viel breiteren Flussbetts schrittweise trocken fielen und zu **Flussterrassen** wurden.

Da der Ugab in seinem Einzugsgebiet ausgedehnte Karbonat-Gebiete (z. B. westliches Otavi-Bergland und das Gebiet um Outjo) entwässerte, war das Flusswasser schon immer reich an gelöstem Kalk. Während der Austrocknung der alten Flussbettteile verdunstete nun ein Großteil des Wassers, und der gelöste Kalk wurde dabei ausgefällt. Dieses kalkige

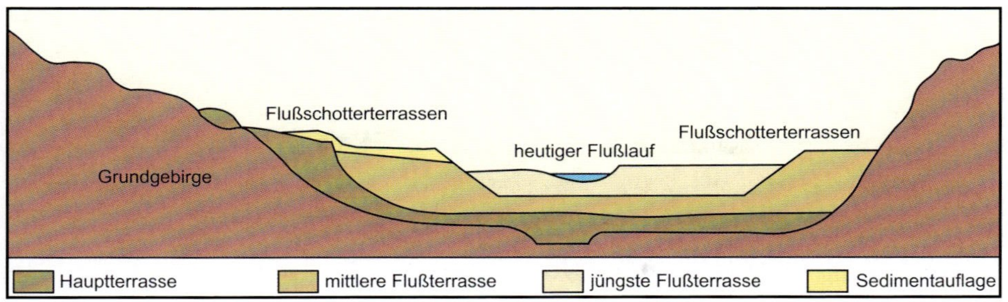

Abb. 5.12: Bildung von Flussterrassen durch Zerschneiden der Schotterfüllung eines Flussbetts
Grafik: Carola Morgenstern

Bindemittel verfestigte die bisher lockeren Flussgerölle der Terrassen zu einem kompakten **Konglomerat-Gestein**. Durch den fortschreitenden Rückzug des Ugabs bildeten sich in der Folge Terrassenstufen aus, welche die einzelnen Rückzugsstadien des Ugabs anzeigen (Abb. 5.12).

Durch das kalkige Bindemittel in den Konglomeraten sind die Flussterrassen stark anfällig für Lösungsverwitterung durch fließendes Wasser. Die Terrassen wurden deshalb durch kleinere Bachläufe oder Rinnen stark zergliedert. Die imposante Felsnadel der Fingerklippe stellt den isolierten Überrest einer solchen Terrasse dar.

Die geologische Geschichte des Ugabs lässt sich an der etwa 35 m hohen Fingerklippe (Abb. 5.13) sehr gut ablesen. Wenn Sie den Felsen genau betrachten, sehen Sie einen Wechsel von unterschiedlich großen Geröllen und feinen Sandlagen. Diese Ablagerungen weisen nicht nur auf unterschiedlich hohe Fließgeschwindigkeiten des damaligen Flusses hin (große Gerölle = hohe Fließgeschwindigkeit mit starker Erosion, feine Sande = langsame Fließgeschwindigkeit mit stärkerer Sedimentation), sie zeigen auch das Gesteinsspektrum aus dem Einzugsgebiet

Abb. 5.13: Die Fingerklippe ist ein Erosionsrelikt der Ugab-Terrassen

des Ugab-Flusses auf: abgerundete Dolomit-, Schiefer-, Marmor- und Quarzit-Gerölle des Damara-Gebirges sowie Gneis-Gerölle, die einem noch älteren Gebirge entstammen. All diese uralten und harten Gesteine wurden von dem einst mächtigen Ugab fortgerissen, zugerundet und glatt geschliffen. Heute ist dieser Fluss nur noch ein versandetes „Rivier“, das lediglich in guten Regenjahren Wasser führt.

Von der Fingerklippe aus können Sie bei einem Blick nach Süden die einzelnen Terrassenebenen des Ugab erkennen. Die sogenannte **Hauptterrasse**, die als Ablagerung des Ugabs in seiner breitesten Ausdehnung anzusehen ist, liegt heute 160 m über dem jetzigen Trockenflussbett. Eine weitere Terrassenfläche ist auf einer Höhe von etwa 100 m ausgebildet. Die jüngste Flussterrasse liegt ca. 30 m oberhalb des heutigen Ugabs. Der Felsen der Fingerklippe entstammt dem Bereich der Hauptterrasse.

Die Konglomerate der Ugab-Terrassen sind übrigens zeitgleich mit den Ablagerungen des Sesriem Canyons im Süden des Landes (siehe Kapitel 7.4.1) entstanden. Ebenfalls wurden die durch den Geologen Henno Martin berühmt gewordenen Karpfenkliff-Konglomerate im Kuiseb-Trockenfluss (siehe Kapitel 7.2) während dieser regenreicheren Zeit gebildet.

Im Gegensatz zum „Finger Gottes“ in Süd-Namibia (siehe Kapitel 8.1.1.2) wird die Fingerklippe wohl noch eine ganze Weile den Angriffen der Erosion trotzen. Immerhin steht diese 35 m hohe Felsnadel auf einem Sockel von ca. 44 m Umfang. Bis auch dieser eindrucksvolle Gesteinspfeiler der Abtragung zum Opfer fallen wird, werden noch viele Besucher den Weg hinaufsteigen, der zu seinem Fuß führt.

5.2 Der Skelettküsten-Park

Zum Skelettküsten-Park gelangen Sie über die C 34, die von Swakopmund nach Norden führt, oder von Khorixas aus über die Straße C 39. Im Park können Sie sich mit Ihrem Fahrzeug nur auf der C 34 und der D 3245 fortbewegen. Daher ist es angebracht, die Naturschönheiten des Skelettküsten-Parks zu Fuß zu erkunden. Um alle Sehenswürdigkeiten in Ruhe aufsuchen zu können, sollten Sie eine Übernachtung in Terrace Bay einplanen. Dadurch erhalten Sie automatisch eine Zutrittsgenehmigung für das Uniab-Delta, das ca. 30 km südlich von Terrace Bay gelegen ist. Buchungen für das Camp müssen Sie beim Reservierungsbüro der Namibia Wildlife Resorts (NWR) in Windhoek vornehmen.

Als Skelettküste wird der nördliche Abschnitt der namibischen Atlantikküste bezeichnet, der sich über fast 500 km Länge und bis zu 40 km Breite von der Ugab-Flussmündung bis zum Kunene an der Grenze zu Angola hinzieht. Der National-Park ist in zwei Abschnitte unterteilt: der südliche Bereich, der oberhalb von Terrace Bay endet und für Besucher mit gültigem Permit frei zugänglich ist, und der für Individual-Touristen gesperrte nördliche Teil. Dieser Abschnitt der Küste ist nur mit den Safari-Gesellschaften zu besuchen, die Inhaber der entsprechenden Tourismuskonzession sind. Die folgenden Beschreibungen beschränken sich daher auf den frei zugänglichen, südlichen Teil der Skelettküste.

Abb. 5.14: Tiefgründig verwitterte Granite bilden die Überreste des ehemals mächtigen Damara-Gebirges im Skelettküstenpark

Die Herkunft des Namens „Skelettküste" ist wahrscheinlich auf die zahllosen Überreste gestrandeter Wale zurückzuführen. Diese Knochen wurden schon von den Ureinwohnern vor mehr als 600 Jahren zum Bau ihrer Hütten verwendet. Mittlerweile werden die großen Meeressäuger nur noch selten an Land gespült. Heute finden Sie in erster Linie Robbenskelette an den endlosen Stränden dieses einsamen Küstenstreifens.

Der 1,6 Mio ha große Skelettküsten-Park liegt im Bereich einer ca. 20–40 km breite Küstenplattform, die nach Osten durch die Große Randstufe (siehe Kapitel 7.3) begrenzt wird. Weiter östlich breiten sich die Berge des Damaralands aus. Diese spektakulären Gebirgszüge können Sie bei guter Sicht am Horizont im Osten aufragen sehen. Die Küstenplattform wird von einigen Flussläufen (z.B. Ugab und Huab) durchschnitten, die in guten Regenjahren ihre Wassermassen in den Atlantik ergießen.

Die Geologie der Skelettküste weist ein großes Spektrum an Felsformationen aus dem **Damara-Zeitalter** auf. Heute bilden diese Gesteine in Form der völlig eingeebneten Rumpffläche des ehemaligen Damara-Hochgebirges zusammen mit Vulkaniten der Etendeka-Gruppe (siehe Kapitel 5.3) die Küstenplattform der Skelettküste. Bei Ihrer Fahrt durch den Park sehen Sie entlang der Straße zahlreiche granitische Felseninseln aus den ebenen Flächen aufragen (Abb. 5.14). Diese kleinen Hügel sind das „Höchste", was die Erosion an der Skelettküste von diesem Gebirge übriggelassen hat. Zusammen mit den **Dünengürteln** und Geröllflächen der Namib sind die Felskuppen das prägende Merkmal dieser abweisend wirkenden Gegend.

Mit dem Ende des **Post-karoo-zeitlichen Vulkanismus** vor etwa 130 Mio Jahren, der auch das Gebiet der Skelettküste erschütterte, war die Entstehung der Festgesteinsmassen des Skelettküsten-Parks im Wesentlichen abgeschlossen. Von diesem Zeitpunkt an prägte die Entstehung der Küstenplattform und noch später die Bildung der heutigen Namib-Wüste die geologische Entwicklung dieser Region.

5.2.1 Die Küstenplattform

Die Küstenplattform entstand nicht, wie es auf den ersten Blick naheliegend scheint, durch die starke Brandung des Atlantiks. Vielmehr waren es tiefgründige Verwitterungsvorgänge, kombiniert mit starker Abtragung durch Fließgewässer, welche die Landschaft der Skelettküste einebneten. Die Erosion erreichte ihren Höhepunkt, nachdem sich die Kontinentalränder im Anschluss an die Aufspaltung Gondwanas durch tektonische Ausgleichsbewegungen herausgehoben hatten. Dadurch wurde die Erosionskraft der Flüsse, welche nun aus größerer Höhe der Küste zustrebten, erheblich verstärkt, die Einebnung der Küstenplattform stark beschleunigt und die Große Randstufe durch rückschreitende Erosionsvorgänge immer weiter ins Landesinnere verlegt. Neben der erosiven Tätigkeit des Wassers wurde das durch Verwitterung gelockerte und zerkleinerte Material zusätzlich von starken Winden ausgeblasen. Gelegentliche Sturmfluten des Atlantiks, die weit auf die entstehende Küstenplattform vorstießen, haben sicherlich einen – wenn auch geringen – Anteil bei der Formung der Küstenplattform gehabt.

5.2.2 Dünen bei Torra Bay

Wenn Sie die Skelettküste von Swakopmund kommend besuchen, werden Sie feststellen, dass der Küstenstreifen ab Swakopmund bis etwa 250 km in nördlicher Richtung mehr oder weniger dünenfrei ist. Erst nördlich der Straße D 3245 nach Springbokwater beginnt das nördliche Dünenmeer der Namib, das sich bis nach Süd-Angola hinein erstreckt. Vermutlich stellen Sie sich die Frage, warum der Küstenstreifen zwischen Swakopmund und Torra Bay dünenfrei ist und sich dann unvermittelt erneut ein gut ausgeprägter Dünengürtel aus der Landschaft erhebt.

Die Ursache, weshalb das Große Sandmeer der Namib am Kuiseb- bzw. Swakop-Fluss endet, wird in den Kapiteln 6.2.2 und 7.2.1 erläutert. Der Grund, warum sich aber erst in Höhe von Torra Bay wieder größere Sandanhäufungen sammeln, ist in der Morphologie der Küstenplattform und in der starken Windeinwirkung zu suchen. In dem heute dünenfreien Bereich kann der durch den Benguela-Meeresstrom permanent nach Norden verfrachtete und an den Strand gespülte Sand auf der ebenen Küstenplattform keine stabilen Ablagerungen bilden und wird durch die starken Südwest-Winde ständig ausgeblasen. Erst ein stärkeres Landschaftsrelief, eingeleitet durch einen großen Granit-Gesteinszug, der südlich der Straße D 3245 aufragt, bietet genug Windschatten, damit sich ausreichende Mengen Sand sammeln und hinter dieser Gesteinsbarriere als Dünen ablagern können. Ab dort

Abb. 5.15: Kleine Barchan-Dünen auf dem „Weg" zum nördlichen Dünenmeer

bilden sich die sehr mobilen Barchan-Dünen, die durch den Wind nach Norden getrieben werden, um sich hinter Torra Bay zum nördlichen Dünenmeer der Namib zu vereinen. Die Dünenbildung setzte erst vor etwa 2 Mio Jahren ein und ist, wie Sie beim genauen Hinschauen selbst beobachten können, bis heute nicht abgeschlossen.

Wenn Sie die Straße D 3245 Richtung Osten fahren oder von dort kommen, sehen Sie zahlreiche kleine, manchmal nur einen Meter hohe, frisch gebildete **Barchan-Dünen** (Abb. 5.15), welche die Südgrenze des nördlichen Dünenfeldes markieren. Nicht selten wird auch die Straße durch diese kleinen Wanderdünen blockiert. Die Barchan-Dünen der Skelettküste legen im Schnitt pro Jahr eine Entfernung von 10 m, in einigen Gebieten sogar bis zu 150 m zurück.

Auf ihrem Weg nach Norden vereinen sich die Barchane zu sogenannten Querdünen, welche den vorherrschenden Dünentyp des nördlichen Dünenmeers darstellen. **Querdünen** breiten sich stets senkrecht zur Hauptwindrichtung aus (Abb. 7.6 auf Seite 173). Zwischen Torra Bay und Terrace Bay ist ein Weg ausgeschildert, der Sie bis an den Fuß der größeren Dünen heranführt. Dieser Weg ist allerdings nur für Allradfahrzeuge zu befahren.

Grundsätzlich sind die Dünen des **nördlichen Dünenmeers** bei Weitem nicht so hoch wie im Großen Sandmeer südlich des Kuisebs. Dies liegt nicht etwa daran, dass das Materialangebot oder die Windstärke im nördlichen Teil der Namib geringer ist. Die Ursache ist vielmehr in den ausgeprägten Trockenflussläufen des Uniabs und des Hoanibs zu suchen.

Abb. 5.16: Granat-Sand ruft den roten Schimmer auf den Dünen der Skelettküste hervor

Durch ihre relativ häufig auftretenden Fluten durchstoßen sie den Dünengürtel mit großer Regelmäßigkeit. Die Wassermassen der Regenzeiten im Landesinneren unterbrechen auf diese Weise immer wieder die Dünenbildung und entziehen dem Dünenmeer regelmäßig so viel Material, dass das Größenwachstum der Sandanwehungen begrenzt wird.

Auf den Dünen selbst können Sie oft einen roten Schimmer erkennen, der nicht selten ein skurriles Muster auf den Sand zeichnet (Abb. 5.16). Dabei handelt es sich um Ansammlungen von feinst zermahlenem Granat. Dieses Mineral war einst massenhaft in den **Granat-Glimmerschiefern** enthalten, die zusammen mit anderen Gesteinen das mächtige **Damara-Gebirge** aufbauten. Untersuchen Sie einmal die Glimmerschiefer-Gerölle, die Sie bei einer Strandwanderung finden, auf Einschlüsse dieser rot-gefärbten Minerale mit der typisch kugelähnlichen Kristallform. Mit der Verwitterung und Abtragung der Glimmerschiefer wurden auch die Granate über die Jahrmillionen hinweg durch Einwirkung der Elemente zu immer feiner werdendem Sand zerkleinert und schließlich durch den Wind auf den Dünen abgelagert.

Der rote Granatsand tritt häufig in Kombination mit schwarzen Sanden auf. Zusammen bilden diese dunkleren Ablagerungen regelrechte Zebrastreifen-Muster auf den sonst hellgelben Dünen. Der schwarze Sand besteht entweder aus fein zermahlenem Basalt-Gestein oder aus kleinsten Magnetit- oder Ilmenit-Partikeln. Diese beiden Eisenminerale waren einst in den Festgesteinen des Damara-Gebirges oder der Etendeka Vulkanite enthalten, be-

Abb. 5.17: Kleine Dünen mit „Zebrastreifen" aus Quarz- und Schwermineralsand im Uniab-Delta

vor sie das gleiche Schicksal durchliefen wie die oben beschriebenen Granat-Minerale. Falls Sie einen Magneten zur Hand haben, können Sie diese Eisenmineral-Ablagerung (wobei nur Magnetit magnetisch ist) leicht von den ebenfalls schwarzen Basaltsanden unterscheiden. Der Grund, warum sich Granat-, Ilmenit- und Magnetit-Sande als oberflächlicher Schleier auf den Dünen ablagern, liegt an ihrem relativ hohen spezifischen Gewicht. Aufgrund dieser Eigenschaft werden diese Minerale in der Geologie auch zu den sogenannten Schwermineralen gezählt. Da der helle Quarzsand sehr viel leichter ist, wird er vom Wind eher ausgeblasen als die Schwermineral-Sande, die folglich zurückbleiben. Vor allem im Bereich des Uniab-Deltas können Sie diese interessanten Muster an den dortigen, kleinen Dünenbildungen untersuchen (Abb. 5.17).

Die **Rippel-Strukturen** auf den Dünen bilden sich übrigens immer an der Berührungsfläche von Medien unterschiedlicher Dichte, z. B. bei permanentem Kontakt zwischen Sand und Wasser an Stränden oder, im Fall der Dünen, bei Sand-Luft-Kontakt. Voraussetzung ist, dass sich Luft bzw. Wasser in Form von Wind und Wellen in stetiger Bewegung befinden. Die Abbildung 5.18 verdeutlicht Ihnen den Aufbau von Sandrippeln.

Bei Ihrer Fahrt durch die Skelettküste werden Ihnen sicher auch die Miniatur-Dünen auffallen (Abb. 5.19), die sich an den zahlreichen Büschen und Sträuchern auf den weiten Flächen der Küstenplattform entwickelt haben. Diese meist nur 1 bis 2 m hohen sogenannten

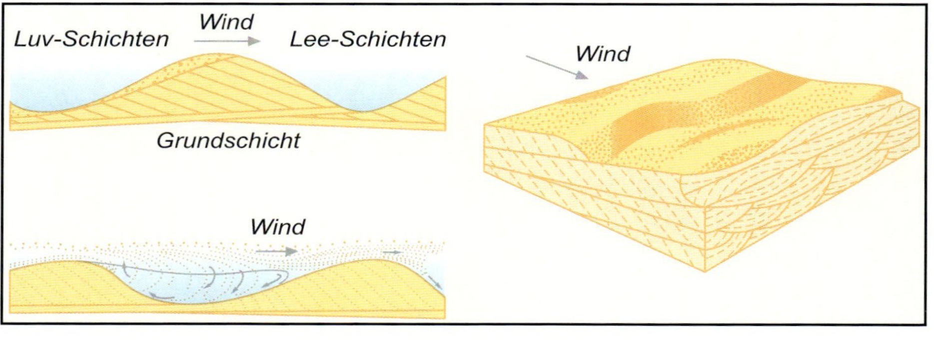

Abb. 5.18: Aufbau von Rippelstrukturen in Dünensanden Grafik: Anja Krüger

Abb. 5.19: Sandanwehungen an Sträuchern

Schattendünen machen sich die Vegetation als Sandfänger zunutze. Für größere Dünenbildungen reichen diese Pflanzen allerdings nicht aus. Nehmen Sie sich einmal die Zeit und studieren Sie an diesen Mini-Dünen den Aufbau und die Struktur der Windrippeln. Sie können bei starkem Wind sehr gut den Antransport des Sandes zur Düne beobachten. Alles läuft nach den gleichen Gesetzmäßigkeiten ab, wie es auch bei großen Dünen der Fall ist.

5.2.3 Das Uniab-Delta

Das Uniab-Delta gehört zweifellos zu den schönsten Gebieten im Skelettküsten-Park. Es liegt nördlich von Torra Bay auf halbem Weg nach Terrace Bay längs der Straße C 34.

Die Entstehung des Uniab-Deltas und des malerischen, kleinen Canyons geht in die regenreicheren Zeiten des Tertiärs und Quartärs zurück. Die Niederschläge speisten den Uniab, der sich in den Atlantik ergoss und dabei ein weitläufiges Delta bildete. Infolge von Meeresspiegelabsenkungen und tektonisch bedingter Küstenhebung wurde das gesamte Delta jedoch angehoben, sodass die unverfestigten Geröllablagerungen heute ca. 40 m über dem Meeresspiegel liegen. Aufgrund dieser Einflüsse und gleichzeitiger regenarmer Klimaphasen fielen die Flussarme des Deltas zeitweise trocken. Erst durch einen erneuten Klima-Wechsel, der wieder regenreichere Zeiten mit sich brachte, wurde das Uniab-Delta neu belebt. Insgesamt fünf Arme des ehemals noch weiter verzweigten Deltas führten wieder Wasser und konnten sich einen neuen Zugang zum Meer öffnen. Noch heute misst das Delta eine Breite von ca. 12 km. Unter den jetzigen Klimabedingungen fließt der Uniab auch in guten Regenjahren nur noch durch einen einzigen Arm ins Meer. Wie stark sich gute Regenfälle im Uniab-Delta jedoch auswirken können, zeigte sich im Februar und März des Jahres 1995. Eingeleitet durch heftige Niederschläge im Landesinneren, wurde der Dünengürtel durch die starken Fluten des Uniabs durchbrochen, der Dünensand weggespült und der Fluss konnte seit langer Zeit wieder in voller Breite das Meer erreichen. Durch dieses Ereignis hat der Uniab heute wieder mehr oder weniger freien Zugang zum Atlantik. Selbst während der Trockenzeit läuft seitdem in dem aktiven Flussarm ein kleines Rinnsal permanent in Richtung Meer (Abb. 5.20).

Abb. 5.20: Im Hauptarm des Uniab-Deltas fließt permanent Frischwasser in Richtung Meer

Abb. 5.21: Der Uniab-Delta-Canyon ist ein Relikt feuchterer Perioden der Erdgeschichte

Die üppige Vegetation im Bereich des gesamten Uniab-Deltas zeugt davon, dass auch in den übrigen vier Flussarmen noch reichlich Grundwasser vorhanden ist. Teilweise wird dieses Wasser durch unterirdische Barrieren aufgestaut, sodass es an der Oberfläche kleine Tümpel und Rinnsale bildet, die zahlreichen Wasservögeln und anderen Lebewesen eine Existenz sichern. Insofern ist es auch nicht verwunderlich, wenn auf einmal Herden von Springböcken oder Oryxantilopen vor der Brandung des Atlantik auftauchen. Ganz selten sollen sogar Spitzmaulnashörner ihren Weg durch die grüne Oase des Flusslaufes bis an den Atlantik finden. Die unterirdischen Wasserreservoirs des Uniabs versorgen zudem die Touristen-Camps von Torra Bay und Terrace Bay mit Trinkwasser.

Bei Ihrem Besuch an der Skelettküste sollten Sie sich die Zeit nehmen, um dieses nicht nur geologisch interessante Delta zu erforschen. Wenn Sie von dem Parkplatz an der Pumpstation in Richtung Küste wandern, stoßen Sie, abgesehen von den Dünen, auf die jüngste geologische Formation im Delta. Dabei handelt es sich um nachträglich verfestigte Flussgerölle, die der Uniab zu Zeiten stärkerer Wasserführung aus seinem Einzugsgebiet heran transportiert und auf der alten Landoberfläche abgelagert hat. Diese Konglomerate, welche vorwiegend aus Basalt bestehen, bilden heute mehrere, unterschiedlich hohe Flussterrassen, die von der einst starken Transportkraft des Uniabs zeugen.

Wenn Sie den Flusslauf weiter in Richtung Küste entlang wandern, gelangen Sie zu einem idyllischen kleinen Wasserfall, der zu einem schmalen Canyon überleitet

(Abb. 5.21). Selbst während der Trockenzeit plätschert hier immer ein wenig Wasser über die Felsenkante.

Diese mehrere 100 m lange, schmale Schlucht entstand, da sich der Fluss durch Anhebung der Küstenlinie immer tiefer in seine eigenen, älteren Ablagerungen einschneiden konnte. Infolge dieser starken Tiefenerosion findet man im Canyon aus dem Inland antransportierte, umgelagerte Flusssedimente als auch angewehtes Dünensandmaterial. Darauf lagerte der Fluss in einer späteren Phase eine weithin sichtbare Lage aus Basalt-Konglomerat ab, das nichts anderes als die Reste der weit im Osten aufragenden Etendeka-Plateau-Basalte (siehe Kapitel 5.3) darstellt.

5.2.4 Mineralien der Region

Die Skelettküste ist aufgrund ihrer geologischen Geschichte eine Schatzkammer für besonders dekorative und optisch schöne Mineralien, die an vielen Stellen entlang der Küste in oft großen Mengen vorkommen. Genießen Sie die bunte Vielfalt, aber beachten Sie bitte, dass es im Nationalpark verboten ist, Mineralien und andere Gesteine mitzunehmen.

Bei den Mineralvorkommen der Skelettküste handelt es sich in erster Linie um die **Quarz-Minerale** Achat, Chalcedon, Jaspis und Amethyst, die während der gewaltigen magmatischen Ereignisse im Zuge des Auseinanderbrechens des Gondwana-Kontinents entstanden sind. Diese so verschiedenartig aussehenden Quarz-Varietäten, die aus Silizium-Dioxid (SiO_2) bestehen, wurden alle auf ähnliche Weise in **Lava-Gesteinen** gebildet. Bei ihrer Entstehung haben vulkanische Gase eine bedeutende Rolle gespielt. Diese Gase bildeten Blasen in der noch glutflüssigen Lava. Nach Erstarrung der Schmelze und dem Entweichen der Gase blieben entsprechende Hohlräume zurück, die nachträglich von kieselsäurehaltigen, flüssigen Lösungen ausgefüllt wurden. In diesen **Drusen** konnten sich, je nach Größe der Hohlräume und chemischer Zusammensetzung der Lösungen, die verschiedenen Quarz-Varietäten entwickeln. Am ästhetischsten erscheinen die lila gefärbten **Amethystkristall-Drusen** (Abb. 5.22), die meist einen Durchmesser zwischen 15 und 50 cm aufweisen. Es wurden an der Skelettküste jedoch schon Exemplare gefunden, die groß genug sind, dass sich ein Mensch hineinhocken kann. Die Lilafärbung des Quarzes geht auf Spuren von Eisen im Kristallgitter zurück.

Abb. 5.22: Die lila-farbenen Quarzvarietät Amethyst kann nur unter bestimmten geologischen Bedingungen in Drusen auskristallisieren

Amethyst konnte sich in den Lavagesteinen nur dann bilden, wenn die Abkühlung der Gesteinsschmelze langsam genug voranschritt und damit genügend Zeit für das Kristallwachstum vorhanden war. Bei rascher Abkühlung der glutflüssigen Lava

Abb. 5.23: Die weiten Flächen werden von bunten Quarzmineralen bedeckt

fielen die Silizium-Verbindungen in den heißen Lösungen hingegen so rasch aus, dass die mikroskopisch kleinen, gebildeten Kristalle nicht mit dem bloßen Auge sichtbar sind. Es entstanden dann die sogenannten „mikrokristallinen" Quarz-Mineralien Chalcedon und Achat.

Während der Chalcedon oft eine traubige oder blasige Struktur aufweist, ist der Achat durch einen Lagenaufbau aus unterschiedlich gefärbten Schichten gekennzeichnet. Der meist blau-grau-beige gebänderte **Achat** ist an vielen Stellen des Skelettküsten-Parks über weite Flächen zwischen den Dünen und auch an den steinigen Stränden zu sehen. Eine schwarz-braune, blasige Variante des **Chalcedons** finden Sie zum Beispiel auf dem Weg zu den Dünen hinter der Landebahn von Terrace Bay. Die rote Variante, auch **Jaspis** genannt, bedeckt weite Flächen entlang der Straße von Torra Bay nach Terrace Bay (Abb. 5.23).

Alle genannten Quarz-Minerale werden zu Dekorationszwecken verwendet oder zu Schmucksteinen verarbeitet. Die örtlichen Geschäfte, z. B. in Swakopmund oder Windhoek, bieten eine reiche Auswahl dieser zum Teil wunderschönen Mineralien an.

Während einer Wanderung entlang der steinigen Strände der Skelettküste können Sie im Geröll des Meeres bequem die ganze Palette der Gesteine und Minerale erkunden, die im Skelettküsten-Park und in seinem gesamten Hinterland vorkommen. Gleichmäßig abgerundete und durch die Brandung glattgeschliffene Gerölle von Basalt, Gneis, Glimmerschiefer,

Granit und Sandstein wechseln ab mit wie poliert wirkenden Achaten, Jaspis und Chalcedonen. Diese Vielfalt ist ein eindrucksvoller Kontrast zu der stellenweise eintönig wirkenden Landschaft.

Bei Ihrer Fahrt entlang der Küste stoßen Sie hin und wieder auf Überreste alter Maschinenteile und Minenanlagen. Die verfallenen Anlagen bei Terrace Bay nördlich des Uniab-Deltas zeugen von den abenteuerlichen Versuchen, in dieser abgelegenen Region gewinnbringend nach **Diamanten** zu schürfen. Diamanten kommen zwar an der Skelettküste vor, jedoch in so geringen Mengen, dass ein umfangreicher Abbau wirtschaftlich unrentabel erscheint. Trotzdem wurde im Jahr 2001 wieder mit der Suche nach Diamanten im Skelettküstenpark begonnen. Ein abgestecktes Minengebiet nördlich der Huab-Mündung bei Toscanini zeugt von dieser erneuten Explorationstätigkeit.

5.3 Die Region um Palmwag

Die Region um Palmwag zeugt in eindrucksvoller Weise von den gewaltigen Kräften des Erdinneren, die vor etwa 132 Mio Jahren als Vorbote der Aufspaltung Gondwanas aktiviert wurden. Diese wahrhaft urtümliche und einzigartige Landschaft, in der Elefanten, Löwen und Nashörner umherstreifen, stellt einen eindrucksvollen landschaftlichen Kontrast zu allen anderen Regionen Namibias dar.

5.3.1 Der Grootberg-Pass

Falls Sie von Kamanjab über die Straße C 40 nach Westen in Richtung Skelettküste fahren, führt Sie Ihre Reise automatisch über den Grootberg-Pass. Dieser Pass ist nicht nur ein Hilfsmittel, um die über 1.600 m hohe Bergbarriere des Grootbergs zu überqueren, sondern stellt wegen des fantastischen Ausblicks eine echte Sehenswürdigkeit dar.

Auch hinsichtlich der Geologie ist ein Stop am höchsten Punkt der Passstraße hochinteressant. Von hier aus können Sie einen äußerst markanten Gesteins- und Landschaftswechsel beobachten, der auch für den geologisch nicht vorgebildeten Besucher deutlich zu erkennen ist. Ein Blick vom Grootberg-Pass nach Osten zeigt Ihnen die typische Landschaft des uralten präkambrischen Grundgebirges, die von rundgeformten Granit- und Gneiskuppen („Koppies“) gekennzeichnet ist. Wenn Sie sich umwenden und nach Westen schauen, öffnet sich vor Ihnen eine völlig andere Landschaftsform. Die runden Bergformen und hellen Flächen werden ersetzt durch weite, mit dunklem Gestein bedeckte Ebenen, die von zahllosen hohen Tafelbergen überragt werden, deren Gipfel mehr oder weniger breite Plateaus bilden (Abb. 5.24).

Diese Region einschließlich des Grootbergs wird sehr treffend **Etendeka-Plateau** genannt. „Etendeka“ bedeutet in der Sprache der Himba-Nomaden soviel wie „Hügel mit flachen Spitzen“.

Abb. 5.24: Das Etendeka-Plateau bei Palmwag

Abb. 5.25: Der Grootberg stellt einen Teil des östlichen Rands des Etendeka-Plateaus dar

Der Grootberg (Abb. 5.25) stellt eine Art Verbindung zwischen diesen beiden so gegensätzlichen Landschaften dar. An seinem Aufbau sind die vorherrschenden Gesteine beider Großlandschaftsformen beteiligt. Die tiefere Basis dieses eindrucksvollen Massivs, das Sie auf Ihrer Reise von Kamanjab nach Westen schon von Weitem aufragen sehen, besteht aus dem bis zu 2 Mrd Jahre alten Grundgebirge des **Huab-Komplexes**. Diese Metamorphite gehören mit zu den ältesten Gesteinen Namibias und bilden die Wurzel des namibischen Untergrunds. Am Grootberg sind diese Urgesteine von Schuttfächern aus den jüngeren, auflagernden Gesteinen bedeckt. Der eigentliche Gebirgskörper, der auf dieser Basis aufliegt, hebt sich dagegen in der typischen Tafelbergform deutlich aus der Landschaft heraus. Im unteren Teil wird er aus Sandsteinen (**Twyfelfon-**

tein-Sandstein, siehe Kapitel 5.1.2) aufgebaut, während der oberste Plateau-Bereich aus den sogenannten Etendeka-Gesteinsserien gebildet wird. Auf die Information hin, dass es sich bei diesen **Etendeka-Vulkaniten** um Basaltgestein handelt, sucht der geologisch vorgebildete Besucher allerdings vergeblich nach Vulkankegeln, die den **Basalt** als Lava an die Erdoberfläche förderten. Wie ist dennoch das Vorkommen der Vulkangesteine zu erklären? Und wie kann es sein, dass genau die gleichen Gesteine nicht nur hier, sondern auch Tausende Seemeilen entfernt auf der anderen Seite des Atlantiks im fernen Südamerika zu finden sind?

Die Antwort auf diese Fragen heißt „Gondwana". Wie bei vielen geologischen Wundern Namibias spielte das Schicksal dieses ehemaligen Riesenkontinents der südlichen Halbkugel eine entscheidende Rolle. Schon seit dem Kambrium vor ca. 540 Mio Jahren bildeten große Teile der heutigen Kontinente Süd-Amerika, Afrika, Australien und Antarktis sowie Indien und Madagaskar eine riesige zusammenhängende Landmasse, den sogenannten Gondwana-Kontinent. Im Zuge globaler, plattentektonischer Vorgänge während der **Post-Karoo-Zeit** seit ca. 130 Mio Jahren begann in Namibia eines der spektakulärsten Ereignisse der Erdgeschichte. Das riesige Festlandsgebilde West-Gondwanas brach auseinander und löste sich in die heutigen Einzelkontinente der Südhalbkugel auf, wobei sich gleichzeitig der Atlantik öffnete.

Für Namibia hatten diese Vorgänge schwerwiegende Folgen. Schon 1 bis 2 Mio Jahre bevor es zur Trennung von Südamerika und Afrika kam, setzte im Gebiet des nordwestlichen Damaralands, einschließlich der Palmwag-Region und in der damals noch direkt angrenzenden, heutigen südamerikanischen Paraná-Provinz, eine zunehmende Ausdünnung der Erdkruste ein. Diese **Krustenausdünnung** wurde durch eine lokale Hitzequelle (Tristan da Cunha Hot-Spot, siehe Kapitel 6) im unteren Erdmantel verursacht. Dieser Hot-Spot bewirkte, dass sowohl Gesteinsmaterial des festen, oberen Erdmantels als auch der darüber liegenden Erdkruste aufgeschmolzen und in ungeheure Mengen glutflüssigen Magmas umgewandelt wurden. Durch diese **Aufschmelzungen** dünnte die Erdkruste so stark aus, dass die damalige Landoberfläche von zentralen Magmenschloten durchdrungen wurde, die den magmatischen Schmelzen im Untergrund als Aufstiegsbahnen dienten. In der geologisch kurzen Zeit von nur 1 bis 2 Mio Jahren quollen solche Mengen von Lava hervor, dass ein riesiges Gebiet, von dem das Etendeka-Plateau nur ein kleiner Teil ist, unter einer Lavadecke von fast 2 km Mächtigkeit begraben wurde. Nicht umsonst wird die Paraná-Etendeka-Vulkanprovinz als eine der Größten ihrer Art weltweit beschrieben. Für alle damaligen Lebensformen muss dieses Ereignis wie ein „Weltuntergang" gewirkt haben.

Die gebildeten Lavagesteinsdecken, die in der Geologie als **kontinentale Deckenbasalte** bezeichnet werden, weisen in der Region um Palmwag noch heute eine Mächtigkeit von ca. 900 m auf. Allein die Tatsache, dass das heutige Etendeka-Plateau eine Fläche von ca. 78.000 km^2 umfasst und in Nord-Süd-Ausdehnung etwa vom Kreuzkap bis Kap Fria (Abb. 5.26) reicht, gibt Ihnen eine Vorstellung von den gigantischen vulkanischen Ereignissen, welche diese Region kurz vor der **Spaltung Gondwanas** trafen.

Als dann kurze Zeit später der Atlantik aufbrach, wurde das ehemals zusammenhängende Etendeka-Paraná-Vulkanfeld durch den neu gebildeten Ozean getrennt. Afrika und Süd-Amerika drifteten mit zunehmender Ausdehnung des Atlantiks immer weiter

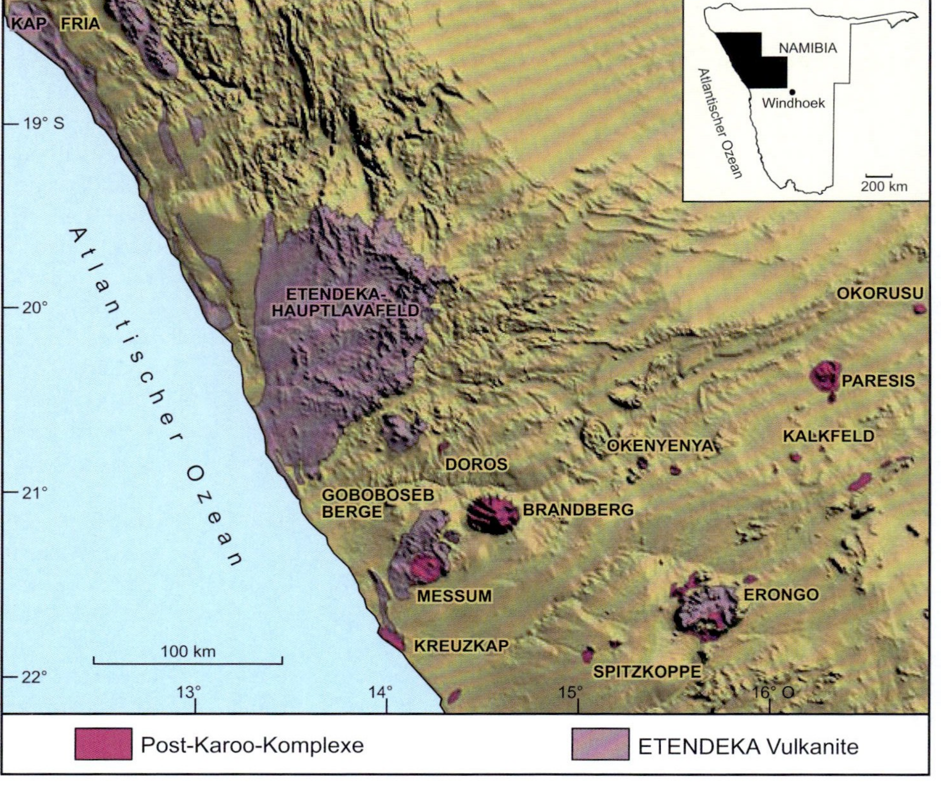

Abb. 5.26: Verbreitung der Etendeka-Laven (nach Milner) Grafik: Johanna Eifrig

auseinander – ein Prozess, der bis heute noch anhält. Somit ist es nicht verwunderlich, dass auf der anderen Seite des Atlantiks in der Paraná-Provinz der Staaten Brasilien und Uruguay genau die gleichen vulkanischen Gesteine vorzufinden sind, wie in der Palmwag-Region.

5.3.2 Der Uniab-Canyon

Einen Besuch des Uniab-Canyons verbinden Sie am besten mit einem Stopp bei der Palmwag Lodge, die auch Eigentümer der entsprechenden Tourismuskonzession ist. Der Canyon beginnt in nördlicher Richtung kurz hinter der Lodge.

Der Uniab sammelt hier in mehreren Flussarmen das Oberflächenwasser der Region, von wo es seinen ca. 117 km langen Lauf bis zum Atlantik zurücklegt und dort in einem weitverzweigten Delta mündet (siehe Kapitel 5.2.3).

Abb. 5.27: Der Uniab-Canyon – Hinweis auf ein uraltes Störungs-System

Der Uniab-Canyon (Abb. 5.27) ist in Zusammenhang mit der Gondwana-Spaltung von großem Interesse. Parallel zu dem sich öffnenden Atlantik rissen Zerrungsstrukturen in der Erdkruste auf, die heute durch N-S verlaufende Störungszonen belegt sind. Es ist daher zu vermuten, dass der Uniab-Canyon und auch der noch weiter nördlich gelegene Aub-Canyon Relikte dieser alten **Störungssysteme** darstellen. Beide Canyons zeigen einen deutlichen Nord-Süd-Verlauf. Zusätzlich wird diese These durch den Umstand gestützt, dass sich Fließgewässer immer den leichtesten Weg suchen, um ihr Bett einzuschneiden. Es ist daher anzunehmen, dass sich die Flussbetten des Uniabs und des Aubs deshalb genau dort gebildet haben, wo die Störungszonen ideale Fließwege boten.

Der Uniab war in seiner Eigenschaft als Fließgewässer auch an der Formung der umgebenden, spektakulären Landschaft beteiligt. Seine Fluten trugen in einem etwa 120 Mio Jahre andauernden Abtragungsvorgang dazu bei, dass ein mehr als 1 km mächtiger Gesteinsstapel der alten Lavadecke abtransportiert wurde. Die ehemalige, nahezu ebene **Basalt-Landoberfläche**, die sich nach den vulkanischen Ereignissen gebildet hatte, bot relativ wenig Angriffsfläche für Erosions- und Abtragungsvorgänge. Lediglich an den besagten Störungszonen in der Erdkruste konnte die Erosion in Form von Fließgewässern ansetzen und eine Kerbe in die Landoberfläche schneiden. Entlang dieser Kerben schritt dann nicht nur die Tiefenerosion voran, sondern es wurden auch seitliche Abtragungsvorgänge ermöglicht. Es kam zu einer immer größeren Ausdehnung der Täler und zu einer Zerlegung der Landoberfläche in einzelne Tafelberge, welche durch Seiten-Erosion mehr und mehr zusammenschrumpften.

Wenn Sie sich die **Tafelberge** am Horizont anschauen, können Sie verschiedene Stadien dieses Zerfalls erkennen. Zwischen Tafelbergen mit breitem Plateau sind auch solche zu erkennen, die nur noch durch schmale Gipfelplattformen oder sogar durch regelrechte „Spitzen“ gekennzeichnet sind. Die Formung der Landschaft um Palmwag ist auch heute noch längst nicht abgeschlossen.

5.3.3 Mineralien der Region

Bei einer Wanderung in der Palmwag-Region werden Ihnen beim genauen Hinsehen an einigen Stellen die vielen **Achate** auffallen, die mit ihrer hellen Färbung (meist weiß und blau-grau) zwischen den dunklen Basalt-Geröllen gut auszumachen sind. Diese für Vulkan-Gebiete typischen Quarz-Minerale wurden bereits in Kapitel 5.2.4 ausführlich beschrieben.

Die mineralogische Besonderheit in diesem Gebiet ist das Vorkommen der sogenannten Zeolith-Minerale, die auf ähnliche Art und Weise wie die Achate in Hohlräumen (Drusen) der sich abkühlenden Lavagesteine entstanden sind. Die **Zeolithe** umfassen eine Gruppe von mehr als 25 verschiedenen Mineralen, die zu den sogenannten Gerüstsilikaten zählen. Die Zeolithe sind in ihrem Aufbau mit den weitaus häufiger vorkommenden Feldspäten verwandt, nur mit dem Unterschied, dass die Zeolithe Wassermoleküle in ihrer Kristallstruktur eingebaut haben. Dieses eingelagerte Wasser ist nicht sonderlich fest im Kristallgitter eingebunden, sodass es beim Erhitzen der Minerale rasch verdampft, ohne dass die Kristallstruktur zusammenbricht. Diese physikalischen Eigenschaften der Zeolithe werden übrigens in der Technik als sogenannte „Ionen-Austauscher“ oder „Molekularsiebe“ genutzt.

Bei den in der Palmwag-Region relativ häufig auftretenden Zeolithen handelt es sich meist um den weißen Natrolith mit der chemischen Formel $Na_2Al_2Si_3O_{10} * 2H_2O$ (Abb. 5.28). Typisch für dieses Mineral ist der strahlige Verband der nadeligen Kristalle, der sehr dekorativ wirkt.

Im Felsverbund treten die Zeolithe oft zusammen mit Calcit (ein Kalk-Mineral, $CaCO_3$) und Chalcedon oder Achat auf. Bei einem Spaziergang im Uniab-Canyon können Sie Gesteinsbrocken und Felswände entdecken, die von vielen kleinen weißen, aber auch blauen, grünen oder grauen Flecken übersät sind. Bei diesen Flecken handelt es sich um kleinste Drusen, die mit den genannten Mineralen gefüllt sind. Der betroffene Fels wird beschreibend als „**Mandelstein**“ bezeichnet. Die „Mandeln“ sind nichts anderes als ehemalige Gasblasen in der glutflüssigen Lava, in denen sich nachträglich die verschiedenen Minerale, und auch die Zeolithe, bilden konnten.

Falls Sie am Mineraliensuchen interessiert sind, stellen Sie bitte erst sicher, ob Sie dazu rechtlich befugt sind. Es ist in jedem Fall bequemer, bei der einheimischen Bevölkerung am Straßenrand ausgesuchte, schöne Exemplare zu erwerben oder gegen Lebensmittel zu tauschen. Außerdem unterstützen Sie damit die recht armen Einwohner dieser Gegend.

Abb. 5.28: Natrolith-Kristall mit typisch strahliger Struktur vom Grootberg

Achtung: Bei Spaziergängen im Uniab-Canyon sind Begegnungen mit Großwild (Löwen, Elefanten, Nashörner) möglich. Sie sollten sich daher nicht ohne einen erfahrenen Führer in den Canyon begeben!

6. West-Namibia und die Küstenregion

6.1 Die Bergregionen des Erongo, der Spitzkoppe und des Brandbergs

Die Bergmassive im Bereich der Ortschaften Karibib, Usakos und Uis sind für den Besucher Namibias in vielerlei Hinsicht attraktiv. Vor allem die hier vorkommenden prähistorischen Felsmalereien, z. B. die „Weiße Dame“ (Brandberg), das „Buschmann-Paradies“ (Spitzkoppe) oder der „Weiße Elefant“ (Erongo), strahlen eine große Faszination aus. Da sich die Buschleute (San) als Urheber dieser Kunstwerke gerne in stark zerklüftete Felsregionen zurückzogen (dort gab es Wasser, gute Jagd und Schutz vor Sonne, Wind und Wetter), ist es nicht verwunderlich, dass diese Gebiete auch geologisch äußerst interessant sind. Die Spitzkoppe, der Brandberg und das Erongo-Gebirge sind also nicht nur ein Dorado für Archäologen, sondern aufgrund ihrer speziellen geologischen Entstehungsbedingungen und

vor allem wegen ihrer spektakulären Granit-Verwitterungsformen ein klassisches Studienobjekt für Geowissenschaftler aus aller Welt.

Mit den Informationen in diesem Kapitel kann auch der geologisch nicht vorgebildete Besucher sehr anschaulich nachvollziehen, wie es zur Bildung dieser Berge und der bizarren Felsformationen kam. Wegen der Fülle an Attraktionen und Eindrücken sollten Sie genügend Zeit einplanen, um diese Landschaften, die zu den faszinierendsten Gebieten Namibias zählen, ausreichend kennenzulernen.

Geologisch betrachtet gehören das Erongo-Gebirge, die Spitzkoppe und der Brandberg zur Gruppe der sogenannten **Post-Karoo-Gesteinskomplexe**, die alle magmatischer Entstehung sind. Es handelt sich dabei um mindestens 21 unterschiedlich große, vulkanische oder plutonische Felsmassive, die sich zwischen 140 – 125 Mio Jahren im Anschluss an die

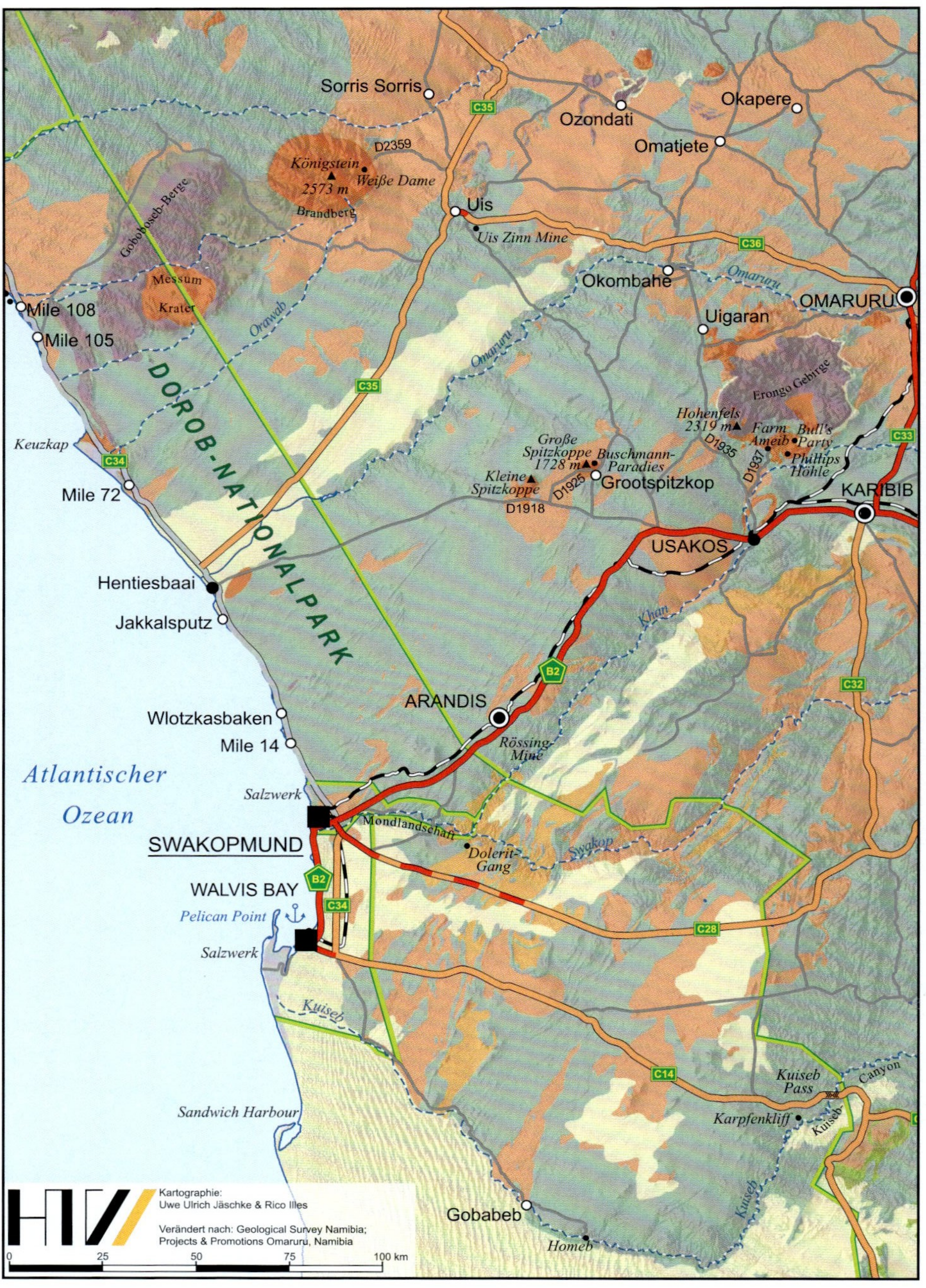

Abb.: 6.1: Geologische Sehenswürdigkeiten in West-Namibia und der Küstenregion (Farb-Legende s. Vorderklappe)

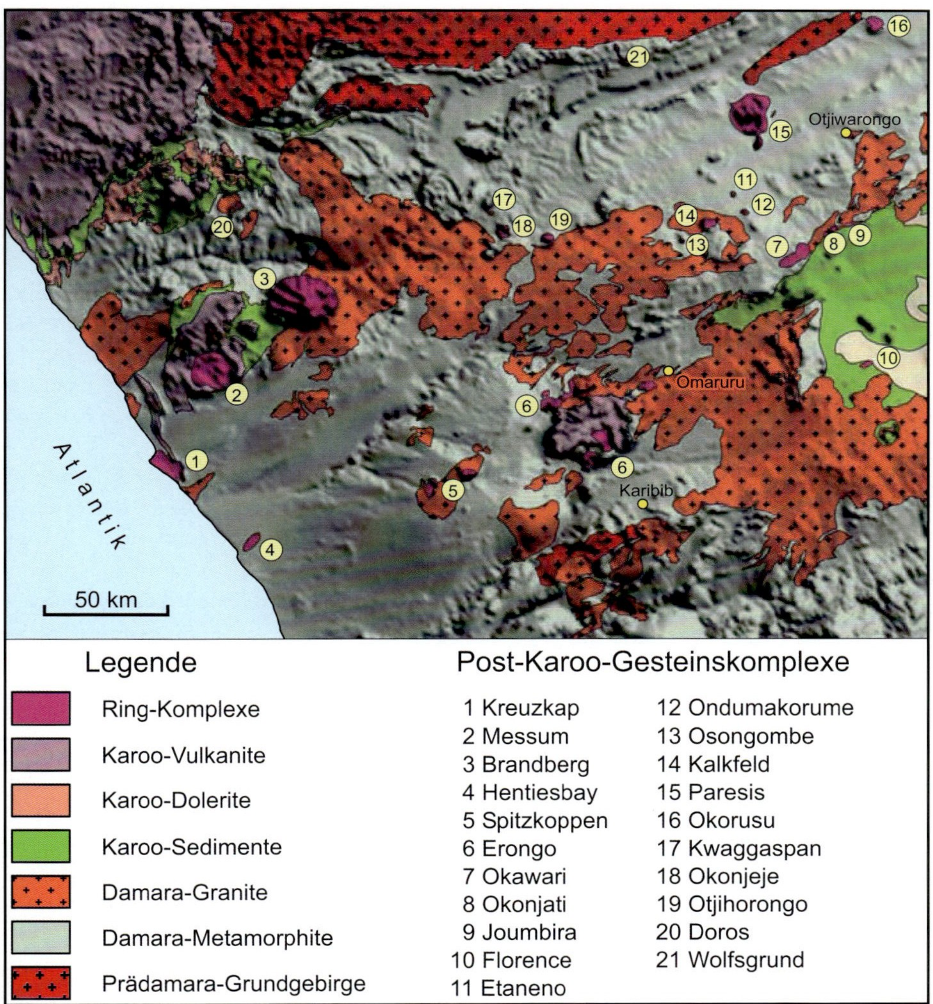

Abb. 6.2: Geologische Übersichtskarte der Post-Karoo-Gesteinskomplexe (vereinfacht nach Diehl)
Grafik: Johanna Eifrig

Karoo-Zeit (deshalb „Post-Karoo“ genannt) bildeten und die sich auf einer Strecke von 350 km Länge und 130 km Breite von der Küste bei Cape Cross in Richtung Nordosten bis hinter Otjiwarongo ausdehnen (Abb. 6.2). Die genaue Anzahl der Post-Karoo-Komplexe ist nicht bekannt, da im Nordosten Namibias weitere Massive vermutet werden. Diese zeichnen sich bisher nur durch geophysikalische Untersuchungen ab, da sie unter mächtigen Kalahari-Sedimenten verborgen liegen.

Die Post-Karoo-Gesteinskomplexe sind nicht nur zur gleichen Zeit entstanden, sie weisen auch eine ähnliche Entstehungsgeschichte auf. Die an ihrem Aufbau beteiligten Magmen quollen vor etwa 130 Mio Jahren in einer Periode großer tektonischer Unruhe (Stichwort Etendeka-Vulkanismus, siehe Kapitel 5.3) aus dem Erdinneren auf und drangen in die Rumpffläche des abgetragenen Damara-Gebirges und in die auflagernden karoo-zeitlichen Schichten ein.

Die Bildung der enormen Magmen-Mengen ist auf einen sogenannten „Hot-Spot" zurückzuführen, der aus ca. 2.900 km Tiefe aufstieg. Diese Wärmeblase breitete sich an der Untergrenze der Erdkruste aus und heizte sie so stark auf, dass es dort zur Bildung von Magmenherden kam. Da Hot-Spots ortsfeste Körper sind, die Erdkrustenplatten aber in Jahrmillionen entsprechend der Kontinentaldrift über sie hinweggleiten, kann ein Hot-Spot somit für eine ganze Kette von Magmenkammern in der Erdkruste mit den dazugehörigen Vulkan- oder Pluton-Gebieten verantwortlich sein. Der Hot-Spot, welcher die Bildung der Post-Karoo-Gesteinskomplexe in NW-Namibia verursachte, liegt heute unter der ozeanischen Platte im Atlantik, nahe der vulkanischen Insel Tristan da Cunha und ist daher als **Tristan da Cunha Hot-Spot** bekannt.

Die zugehörigen Aufstiegsbahnen, längs derer die gewaltigen Mengen glutflüssiger Gesteinsschmelze emporstiegen, sind Teil einer uralten Schwächezone in der Erdkruste, die schon ca. 400 Mio Jahre früher zu Zeiten der Damara-Gebirgsbildung aktiv war. In Verbindung mit dem Aufbrechen des Gondwana-Kontinents und den dadurch auftretenden Spannungen in der Erdkruste wurden diese uralten tektonischen Schwachstellen erneut aktiviert und bildeten ideale Aufstiegsbahnen für die Magmen der Post-Karoo-Gesteinskomplexe. Damit waren alle Voraussetzungen zur Bildung riesiger Vulkane und Plutone in Namibia gegeben.

6.1.1 Das Erongo-Gebirge

Auf Ihrer Tour von Windhoek zur Küste auf der Straße B 2 erhebt sich rechts zu Ihrer Fahrtrichtung schon von Weitem sichtbar das Erongo-Gebirge imposant aus der hügeligen Landschaft. Den besten Blick auf die steilen Außenwände dieses erloschenen Vulkankraters haben Sie entlang der Straße C 33, der Verbindung zwischen Karibib und Omaruru oder bei Ihrer Fahrt auf der B 2 zwischen Karibib und Usakos (Abb. 6.3).

Das Erongo-Massiv, das von den Orten Omaruru im Nordosten, Karibib im Südosten und Usakos im Südwesten umgeben wird, ist mit einem Durchmesser von ca. 40 km der größte aller **Post-Karoo-Gesteinskomplexe**. Es ragt im Bereich der Randstufenlücke (siehe Kapitel 7.1.1) über 1.000 m hoch aus den umliegenden Ebenen hervor. Mit 2.319 m ist der Hohenfels, am westlichen Rand des Gebirges gelegen, die höchste Erhebung des Erongo. Der Name „Erongo" stammt aus der Herero-Sprache und bedeutet soviel wie „Großer Berg".

Verglichen mit einigen anderen Post-Karoo-Komplexen nimmt das Erongo-Gebirge eine Sonderstellung ein, da es nicht nur aus Granit (wie z. B. die Spitzkoppen) oder nur aus quarzarmen magmatischen Gesteinen (wie der Doros-Krater) besteht, sondern in seinem geologischen Aufbau eine Vielzahl plutonischer als auch vulkanischer Gesteine aufweist.

Abb. 6.3: Die Außenwände des Erongo von Karibib aus gesehen

Normalerweise ist die Bildung von Granit-Gesteinen mit einer groß angelegten Gebirgsbildung (Orogenese) verknüpft. Die in Kapitel 2 erwähnten Granite des Damara-Gebirges oder auch die Granitmassive der Alpen sind alle auf Gebirgsbildungen zurückzuführen. Die geologische Besonderheit des Erongo-Gebirges liegt nun darin, dass der hier vorkommende Granit eben nicht im Zuge einer Gebirgsbildung in die höhere Erdkruste aufgestiegen ist, sondern unter anderen Bedingungen gebildet wurde. Dieses an sich schon seltene Phänomen kann im Erongo besonders gut untersucht werden, da dieses Massiv nicht nur das weltweit größte seiner Art ist, sondern durch starke Verwitterung zum Teil bis auf die Grundmauern abgetragen wurde. Somit stellt der Erongo eine echte „Vulkanruine“ dar, die einen tiefen Einblick in alle magmatischen Stockwerke erlaubt und dadurch zu einem bedeutsamen Studienobjekt der Geologie wurde.

Die Entstehung des Erongo-Gebirges begann während der **Post-Karoo-Zeit** auf dem Gondwana-Kontinent vor ca. 135 Mio Jahren. Als einer der Vorboten der kommenden Aufspaltung der riesigen Festlandsmasse Gondwanas öffnete sich im Bereich des heutigen Erongo-Massivs die Erde. Von Erdbeben begleitet, wurden die umgebenden Landstriche erstmals von mächtigen **Lavaströmen** überflutet. Dies war die Geburtsstunde des Erongo-Vulkans. Während seiner Aktivzeit stieß der mit jeder Eruption größer werdende Feuerberg in verschiedenen Zeitphasen das unterschiedlichste vulkanische Material aus. Neben glutflüssiger Gesteinsschmelze kam es zum Auswurf gewaltiger **Aschewolken**, die alles pflanzliche Leben in großem Umkreis unter sich begruben.

Die Zeugnisse dieser Lava- und Asche-Eruptionen sind heute in der weiteren Umgebung des Erongo zum größten Teil bereits abgetragen. Südöstlich von Karibib erheben sich jedoch zwei markante Berge (Abb. 6.4), welche zum Teil aus diesen vulkanischen Produkten aufgebaut sind. Einer dieser Berge weist ein kastenartiges Gipfel-Plateau auf und ist bei den Einwohnern Karibibs unter dem Namen „Sargdeckel" bekannt. In unmittelbarer Nachbarschaft erhebt sich ein zweiter, kegelförmiger Berg, der in einer auffälligen Spitze ausläuft. Wegen gewisser anatomischer Ähnlichkeiten wird er von den Einheimischen als „Jungfrau" bezeichnet.

Abb. 6.4: „Jungfrau" und „Sargdeckel" mit Resten vulkanischer Ablagerungen im Gipfelbereich

Deutlicher und eindrucksvoller als bei „Sargdeckel" und „Jungfrau" sind die verschiedenen Phasen der Vulkantätigkeit des Erongo jedoch an den mehreren hundert Meter hohen Außenwänden des eigentlichen Kraters abzulesen. Sie bestehen aus Gesteinsschichten unterschiedlichster chemischer Zusammensetzung, die während der zahlreichen Eruptions- und Explosionsphasen aufeinandergetürmt wurden. Steile und schroffe Gipfel und Grate bauen sich aus dem sogenannten **Ignimbrit** auf. Dieser vulkanische **Schmelztuff** weist auf besonders heftige Eruptionsphasen hin. Beim Aufstieg von gasreichen Magmen in den Vulkanschlot kam es dabei zu gewaltigen Explosionen, bei denen sich Gase und Lava zu regelrechten Glutwolken verbanden. Diese Wolken wälzten sich in rasender Geschwindigkeit die Vulkanhänge des Erongo hinab und schmolzen durch ihre enorme Hitze von über 1.000 Grad das bereits erstarrte Lavagestein zum Teil wieder auf, wobei es zu einer Verschweißung mit dem in der Glutwolke enthaltenen Material kam. Der gebildete Ignimbrit ist von solcher Härte und Resistenz gegen Verwitterungsvorgänge, dass er noch heute die schmalen und steilen oberen Randpartien des Erongo formt.

Durch den Auswurf riesiger Lavamengen kam es nach Abschluss der langen Eruptionsgeschichte im tieferen Untergrund des Erongo zu einem Massenverlust. Die daraus resultierende Instabilität des Vulkans hatte katastrophale Folgen: Der Untergrund konnte das auflagernde Gewicht des riesigen Berges aus Lava und Asche nicht mehr tragen, und es kam

Abb. 6.5: „Der Löwenkopf": Die abgerundeten Formen im Vordergrund werden von Granit aufgebaut. Im Hintergrund sind geschichtete karoo-zeitliche Sedimente zu erkennen, auf denen sich der Erongo-Vulkan aufgebaut hatte.

zum Einsturz des Erongo-Vulkans. Der stärkste Einbruch fand dabei im zentralen Bereich des Vulkankegels statt, sodass es zur Ausbildung einer großen Schüsselstruktur, einer sogenannten **Caldera**, kam. Diese Caldera ist heute das prägende landschaftliche Merkmal im Inneren des Erongo-Gebirges, die jedoch von außen wegen der umgebenden Steilwände nicht eingesehen werden kann.

Der gigantische Kollaps des Feuerberges war jedoch noch nicht das Ende der magmatischen Ereignisse. Durch das Einbrechen der Caldera waren ringförmig um den Krater dermaßen tiefreichende Risse in der Erdkruste entstanden, dass sie zu Aufstiegsbahnen für weitere Magmen wurden. Im Gegensatz zu den bisher geförderten, vulkanischen Schmelzen handelte es sich dabei aber um granitisches Magma, welches nicht bis an die Erdoberfläche vordrang, sondern unter dem Fuß des Erongo stecken blieb und erstarrte. Diese Granite bilden heute, konzentrisch angeordnet, einen Granit-Ring um die Lava-, Ignimbrit- und Ascheschichten und formen auf diese Weise einen typischen magmatischen **Ringkomplex**, der vor allem vom Flugzeug aus hervorragend zu erkennen ist.

Wenn Sie sich die Außenwände des Erongo anschauen, können Sie in den unteren Regionen auffällig glatte, rundliche Felspartien erkennen, die sich morphologisch stark von der eigentlichen Felsmauer unterscheiden (Abb. 6.5). Dabei handelt es sich um den erwähnten Granitring, nach dessen Bildung der Erongo-Vulkan endgültig zur Ruhe kam. Die oberen, geschichteten Gesteine bestehen aus karoo-zeitlichen Sedimenten, welche die damalige Erdoberfläche bedeckten, als der Erongo mit seinen gewaltigen Ausbrüchen das Gesicht der Landschaft entscheidend veränderte.

6.1.1.1 Die Granit-Formationen von Bull's Party (Ameib)

Die Gästefarm Ameib, am südlichen Rand des Erongo gelegen, bietet Ihnen die einfachste Möglichkeit, um zum Fuß dieses Gebirges und in den Bereich des Erongo-Granitrings vorzustoßen. Nach Ameib gelangen Sie über die Straße D 1935 in Richtung Okombahe, die in der Ortschaft Usakos von der B 2 abzweigt. Nach etwa 15 km biegen Sie rechts auf die Straße D 1937 in Richtung Ameib ab. Der Weg nach Ameib ist ab Usakos ausgeschildert. Um vom Farmhaus nach Bull's Party zu gelangen, folgen Sie den Wegweisern.

Bei Bull's Party sehen Sie zahlreiche, äußerst imposante Granit-Formationen, die neben ihrem spektakulären Aussehen eine große Vielfalt interessanter geologischer Phänomene aufweisen.

Granit ist ein massives, magmatisches Kristallingestein, das im Wesentlichen aus den Mineralen Quarz, Feldspat und Glimmer besteht. Trotz seiner hohen mechanischen Härte unterliegt auch der Granit, wie jedes andere Gestein, den Einflüssen der Verwitterung, die in Form von Sonne, Wind, Wasser, Temperaturwechsel und anderen äußeren Kräften auf den Fels einwirken. Die bizarren Granit-Formen, die Sie bei Bull's Party bestaunen können, sind im Wesentlichen eine Folge dieser Millionen von Jahren andauernden Verwitterungsprozesse. Ihre Entstehung begann bereits zu Zeiten, als der Granit noch nicht durch Abtragungsvorgänge an die Erdoberfläche gelangt war, sondern von Deckschichten überlagert unter der Erde verborgen lag. Während feuchterer Klimaperioden im Tertiär konnte Oberflächenwasser durch die Deckschichten bis in den Granit vordringen. Im Granitmassiv bewegte sich das Grundwasser entlang senkrecht aufeinanderstehender Kluftsysteme, welche durch diese ständige Einwirkung des fließenden Wassers entsprechend erweitert wurden. Damit wurde der Granitkörper schon unterirdisch durch die sogenannte **Tiefenverwitterung** in zahlreiche Würfel bzw. Quader zerlegt (Abb. 6.6).

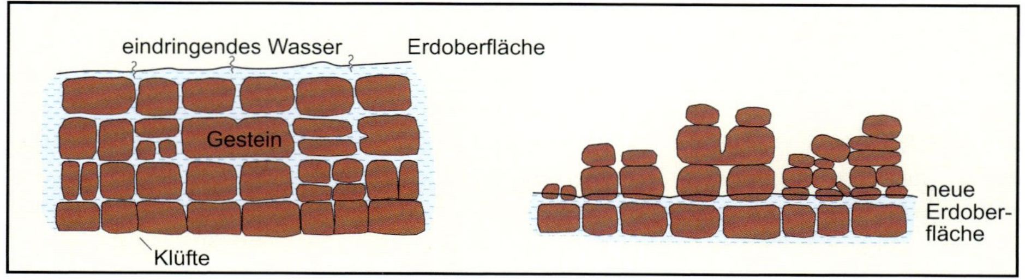

Abb. 6.6: Unterirdische Entstehung von Granit-Blöcken durch Tiefenverwitterung entlang der Kluftsysteme
Grafik: Annett Pätzold

Abb. 6.7: Herabgestürzte „Wollsack"-Granitblöcke (Blockstrom) bei Bull's Party

Als Folge der Tiefenverwitterung wurden die ursprünglich eckigen Felskörper zusätzlich längs ihrer Klüftung mehr und mehr zugerundet, sodass regelrechte Kugeln entstanden. Diese für Granit charakteristischen, abgerundeten Formen werden als **„Wollsackbildungen"** bezeichnet. Dabei dienten die angewitterten Deckschichten über dem Granit als eine Art „Schwamm", der das zur Tiefenverwitterung nötige Wasser speicherte. Erst nach anschließender Abtragung der auflagernden Schichten gestalteten dann herabgestürzte „Wollsäcke", wie hier bei Bull's Party, mit wirr verstreuten, riesigen Felskugeln die Landschaft (Abb. 6.7).

Nachdem im Laufe geologischer Zeiträume der Granitkörper durch Abtragung der Deckschichten an die Erdoberfläche gelangte, unterlagen die längs des Kluftmusters bereits vorpräparierten Granit-Quader von nun an den heißen und relativ trockenen Klimabedingungen, wie sie auch heute noch für Namibia typisch sind. Unter diesen äußeren Einflüssen entwickelt sich in erster Linie ein Verwitterungsprozess, der als **Temperaturverwitterung** bezeichnet wird. Die hohe Sonneneinstrahlung heizt dabei die Oberfläche des Granits tagsüber stark auf. Wenn Sie zur Mittagsstunde einmal den Fels berühren, können Sie sich von dieser enormen Aufheizung selbst überzeugen. Eine Gesteinsoberfläche kann immerhin zwischen 60 und 80°C heiß werden. Dabei absorbieren die dunklen Mineralkomponenten des Granits mehr Wärme und dehnen sich stärker aus als die hellen Bestandteile. Diese Ausdehnung wird aber durch den für aride Gebiete typischen starken Temperatursturz in den Abend- und Nachtstunden ins Gegenteil verkehrt. Die stark aufgeheizte Granitoberfläche kühlt sich also sehr rasch wieder ab, was zu einem Zusammenziehen seines Kornverbandes

Abb. 6.8: Exfoliation an Granitkörpern

führt. Durch diesen fortlaufenden Prozess des Ausdehnens und Zusammenziehens wird der Korn- bzw. Mineralverbund im Granit zunehmend gelockert, wobei die unterschiedlichen Ausdehnungsmaße der hellen bzw. dunklen Mineralkomponenten eine wesentliche Rolle spielen. Als Folge lösen sich einzelne Körner aus dem Gesteinsverband heraus. Der Granit zerfällt oberflächig mehr und mehr in seine mineralischen Bestandteile, den sogenannten **Kristall-Grus**, der sich am Fuß der Granitblöcke ansammelt. Der Grus wird von den Bächen in der Regenzeit und auch vom Wind abtransportiert. Zusätzlich wird dieser Verwitterungsprozess durch die Einwirkung von Wasser, durch Kristallisationsdruck von Salzen und durch biologische Aktivität verstärkt.

Eine weitere Erscheinung, die mit der Temperaturverwitterung in Verbindung steht, sind schalenförmige Abplatzungen an den Oberflächen der Felsen. Es handelt sich dabei um die sogenannte **Exfoliation**, die für Granitgesteine in ariden Klimaten typisch ist (Abb. 6.8). Ähnlich wie bei der Wollsackbildung bzw. bei der Vergrusung lösen sich diese Schalen infolge der großen Temperaturunterschiede zwischen der tagsüber aufgewärmten, äußeren Gesteinshülle und dem stets kühlen Gesteinsinneren vom Gestein ab. Bemerkenswert ist, dass diese Abschalungen stets völlig gleichmäßig zur Rundung der Felsoberfläche verlaufen. Diese interne Struktur der Granitfelsen, die dem Aufbau einer Zwiebel ähnelt, ist zwar mit bloßem Auge nicht erkennbar, ihr Vorhandensein wird aber bei der Exfoliation deutlich. Das Abplatzen von **Oberflächenschalen** infolge von Druckentlastung und Temperatur-

Abb. 6.9: Kernsprung bei Bull's Party

verwitterung verläuft längs dieser erstarrungsbedingten Trennfugen und erklärt damit auch die Tendenz zur Bildung rundlicher Formen.

Neben den Abschalungen, Wollsackbildungen und Vergrusungen können Sie bei Bull's Party auch die extremste Form der Temperaturverwitterung kennenlernen, den sogenannten **Kernsprung**. An einigen Stellen in der nahen und weiteren Umgebung werden Sie nach einigem Suchen auf Granit-Kugeln stoßen, die so aussehen, als seien sie durch einen gigantischen Hammerschlag in zwei Teile gesprungen (Abb. 6.9). Diese erstaunlichen Formen entstehen immer dann, wenn das Gestein nach starker Sonnenaufheizung durch plötzlich einsetzende, starke Regengüsse schlagartig abkühlt. Die resultierende Kontraktion des Kornverbandes kann dann so heftig sein, dass der Fels mit einem explosionsartigen Knall auseinanderplatzt. Jeder, der das Glück hat, ein solches Ereignis zufällig aus der Nähe zu erleben, wird diese Erscheinung sicherlich zu den spektakulärsten Verwitterungsprozessen zählen.

Dem wüstenhaften Klima im westlichen Erongo angepasst, sind die durch Temperaturwechsel entstandenen Verwitterungserscheinungen weitaus deutlicher und markanter ausgeprägt als die durch Wasser bedingten Formen. Dennoch sind solche, auf **Lösungsvorgängen** basierende Erscheinungen auch in der Umgebung von Bull's Party zu entdecken. Vielerorts finden Sie auf den ebenen Granitflächen Vertiefungen, die einen Durchmesser von bis zu mehreren Metern aufweisen können. Diese flachen Schüsseln entwickeln sich aus kleinen, natürlichen Vertiefungen im Granit. Über Jahrtausende hinweg fangen diese Vertiefungen das

Abb. 6.10: „Granitwanne" als Folge von Lösungsvorgängen

Regenwasser auf, welches den Kornverband des Granits jedesmal in geringem Maße angreift und die Minerale Feldspat und Quarz löst, bevor es verdunstet. Über lange Zeiträume hinweg entstehen somit aus den ursprünglich kleinen Vertiefungen regelrechte „Badewannen", die während einer Regenzeit auch als solche benutzt werden können (Abb. 6.10).

Eine sehr ähnliche Granitverwitterungsform, die auf Wassereinwirkung zurückzuführen ist und die ebenfalls mit der Bildung von Vertiefungen einhergeht, ist an die großen Granitkugeln gebunden, die bei Bull's Party die Landschaft beherrschen. Das Regenwasser, das von diesen Felskörpern abtropft, bildet im Laufe langer Zeiträume kleine Vertiefungen rund um die Granitblöcke. Sind diese Vertiefungen einmal vorhanden, vergrößern sie sich durch Lösungstätigkeit des Wassers und anschließender Windausblasung der Verwitterungsrückstände immer weiter und nagen damit am Fuß des Felsblocks. Dies führt soweit, dass der Block nur noch auf einem zunehmend dünner werdenden Sockel ruht (Abb. 6.11 und 6.12). Setzt sich dieser Prozess noch weiter fort, kann der Sockel das Gewicht des Granitkörpers nicht mehr halten, und die mächtige Felskugel rollt entsprechend dem Gefälle regelrecht davon. Zurück bleiben die stetig wachsenden, kreisförmig verlaufenden Vertiefungen.

Weitaus häufiger werden Sie bei Bull's Party aber Granitsockel-Bildungen antreffen, die durch die erosive Wirkung abfließenden Regenwassers entstanden sind. Dies liegt an der ausgeprägten Abflussrinne, die den Blockstrom in ganzer Länge durchquert. Die Bäche der Regenzeit haben in den Jahrtausenden die Fußbereiche der Granitkugeln stark ausgewaschen und extrem schmale Felssockel entstehen lassen, wie in Abbildung 6.13 zu sehen ist.

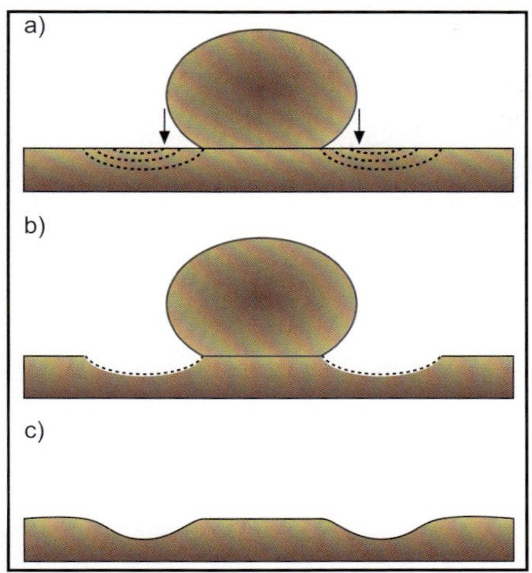

Abb. 6.11: Entstehung von Gesteinssockeln durch die Einwirkung von Wasser Grafik: Kati Goldmann

Abb 6.12: Kleine Vertiefung am Fuß einer Granit-Kugel, hervorgerufen durch abtropfendes Regenwasser

Abb. 6.13: Durch die erosive Wirkung abfließenden Regenwassers entstandener Granitsockel mit Rest-Polygonstruktur

Eine ebenfalls für den ariden Klimaraum typische Verwitterungsform, die auf die Kristallisation von Salzen zurückzuführen ist, wird als **Salzverwitterung** bezeichnet. Durch Regen und Nebel dringt Wasser durch Spaltenrisse in den Porenraum des Gesteins ein. Dort ist es in der Lage, bestimmte Anteile (Ionen) der Minerale zu lösen. Die hohe Sonneneinstrahlung „saugt" dieses Wasser wieder aus dem Fels und bedingt eine Abscheidung von Salzen, die dann in den Kristallzustand übergehen. Das Wachstum dieser Salze übt einen Kristallisationsdruck aus, der zur Gesteinsoberfläche hin am stärksten ist. Die daraus resultierende Lockerung des Kornverbandes im Felsen wird durch nachträgliche Wasseraufnahme (durch Nebel, Regen) und entsprechende Quellung der Salzkristalle zusätzlich verstärkt. Somit kann die Salzverwitterung erheblich am allgemeinen Gesteinszerfall beteiligt sein.

In den bizarren Granitformationen des Erongo ist noch ein weiteres, auf den ersten Blick unscheinbares Verwitterungsphänomen zu finden. Dabei handelt es sich um flache, durch umlaufende Risse isolierte, mehreckige Formen (Polygone) auf der Oberfläche mancher Granitfelsen (Abb. 6.14). Entlang der nur wenige Zentimeter tiefen Risse sind diese **Granitpolygone** schüsselartig nach oben gebogen, sodass sie wie kleine Näpfe auf dem Felsblock aufsitzen. Die Bildung dieser eigentümlichen Strukturen ist noch nicht hinreichend erforscht. Die Wissenschaftler gehen aber davon aus, dass sie durch sogenannte Hartrindenbildungen (siehe Kapitel 5.1.2) entstehen.

Die **Hartrinden** bilden sich, ähnlich dem Wüstenlack (siehe Kapitel 6.1.3), infolge starker Sonneneinstrahlung durch die Verdunstung von Gesteinsporenwasser an der Felsoberfläche. Bei der Verdunstung des Wassers kristallisieren verschiedene Minerale aus, die zuvor in den Poren des Gesteins gelöst wurden. Durch ständige Wiederholung dieses Prozesses bilden die auskristallisierten Minerale eine feste, verwitterungsresistente „Hartrinde" auf der Felsoberfläche. Da einige der wasserhaltigen Minerale im Laufe der Zeit durch Umkristallisation Wasser verlieren, reißen diese Hartrinden oft in ein polyedrisches „Schildkrötenmuster", sehr ähnlich den Trockenrissen im abgelagerten Schlamm von Flüssen, wobei sie sich wie diese randlich nach oben biegen. Dieses Hochbiegen wird durch Kristallwachstumsdruck von eindringenden Salzen in den Trennfugen verstärkt. Die Risse zwischen den einzelnen Polygonen bieten neben der Salzverwitterung auch ideale Angriffspunkte für andere Verwitterungsvorgänge, sodass sich diese Formen mehr und mehr voneinander isolieren, während sich die Verwitte-

Abb. 6.14: Polygonstrukturen auf Granit-Oberflächen längs des Weges nach Bull's Party

rung immer tiefer in den umgebenden, nicht durch Hartrinden geschützten Granit gräbt. Dadurch können solch interessante, isolierte Polygon-„Zapfen" wie in Abbildung 6.15 entstehen. Dieser recht komplizierte Prozess der Granitpolygon-Bildung kann aufgrund der starken Beteiligung der Salze zur Gruppe der **Salzverwitterungsformen** gezählt werden. Zentral-Namibia gilt wegen des ausgeprägten Trockenklimas und der speziellen mineralogischen Zusammensetzung der Granite weltweit zu den besten Studiengebieten für diese interessante Art der Verwitterung. Die Polygon-Formen (Abb. 6.15) können besonders gut längs des Zufahrtsweges kurz vor Bull's Party erkundet werden.

Abschließend sollte auch der Einfluss von Pflanzen auf die Gesteinsverwitterung erwähnt werden. Pflanzen wachsen bevorzugt in Klüften zwischen den einzelnen Granit-Blöcken, da dort einsickerndes Regenwasser länger verweilt. Durch den Wachstumsdruck der Wurzeln und die Bildung von Humin-Säuren tragen sie durch Sprengwirkung und durch chemische Prozesse zur sogenannten biogenen Verwitterung bei.

Abb. 6.15: Diese „Noppen" sind das „letzte", was die Verwitterung von den Polygonen übrig gelassen hat

Zusammenfassend kann gesagt werden, dass die faszinierende Landschaft um Bull's Party dem Besucher in eindrucksvoller Weise demonstriert, wie stark sich Hitze und Kälte, Wind und Wasser auf die so unbezwingbar und „ewig" anmutenden Granitmassive auswirken können.

6.1.1.2 Die Phillips-Höhle (Ameib)

Neben Bull's Party hat die Gästefarm Ameib noch eine weitere Attraktion zu bieten, die Phillips-Höhle. Zu dieser gelangen Sie vom Farmhaus kommend über den Hauptweg, der zu Bull's Party führt. Der Abzweig zum Parkplatz, von wo aus Sie zur Höhle wandern können, ist ausgeschildert.

Die Phillips-Höhle ist vor allem wegen der äußerst interessanten Felszeichnungen bekannt geworden. Unter dem Felsüberhang können Sie sich leicht eine Vorstellung davon machen, weshalb die Ureinwohner von solch schützenden Gebilden angezogen wurden. Hier wird deutlich, wie eng die Entwicklung der Menschheit mit der Geologie einer Region verknüpft sein kann (Abb. 6.16).

Die Entstehung der Phillips-Höhle ist auf eine weitere typische Granit-Verwitterungsform, die sogenannte Tafoni-Bildung, zurückzuführen. Das Wort „Tafoni" (italienisch: Fenster)

Abb. 6.16: Blick aus der Phillips-Höhle, die für ihre Felsmalereien berühmt ist

stammt übrigens aus dem Mittelmeerraum, wo sich die Schafhirten während eines Gewitters gerne in solche Felshöhlungen zurückzogen. Interessant ist, dass sich diese Höhlungen meist an der sonnenabgewandten Seite von Felswänden oder Granitblöcken bilden. Es liegt daher nahe, dass die Bildung der Tafonis mit den feuchteren Bedingungen im Schattenbereich der Gesteine in Verbindung steht, wo die Verdunstungsrate durch die geringere Sonneneinstrahlung herabgesetzt ist. Die höhere Gesteinsdurchfeuchtung führt zu einer Auflösung des Kornverbandes und zu anschließender Vergrusung. In den Bereichen starker Durchfeuchtung entstehen auf diese Weise Höhlungen, die sich stetig vergrößern. Der Prozess wird meist durch Windschliff (Abtragung durch mit Sand beladenem Wind, siehe Kapitel 6.1.2) zusätzlich unterstützt. Unter optimalen Bedingungen, wie sie bei der Phillips-Höhle gegeben waren, entstanden Tafonis, die groß genug sind, um den vorzeitlichen Menschen als Wohnstätten und Kultplätze zu dienen.

6.1.1.3 Halbedelsteinvorkommen rund um das Erongo-Gebirge

Die Region um Karibib und Usakos weist, neben anderen Mineralien, umfangreiche Vorkommen des Halbedelsteins Turmalin auf. Der Mineralienreichtum ist unmittelbar an die Verbreitung der zahlreichen Granit-Körper rund um das **Erongo-Gebirge** geknüpft. Die wertvollen, als Schmuckstein verwendeten Turmaline entstehen jedoch nicht im Granit selber, sondern in einem Ganggestein, das sich von den Granit-Körpern ableitet und als

Pegmatit bezeichnet wird. Vielleicht sind Ihnen diese hellen, sehr grobkörnigen, meist recht schmalen Gänge bei Ihren Erkundungen im Erongo bereits aufgefallen. Die Pegmatite kreuzen scheinbar regellos durch die umgebenden Gesteine und stechen oft durch besonders groß ausgebildete Mineralbestandteile ins Auge.

Pegmatite entstehen während einer späten Abkühlungsphase des Granits (pegmatitisches Stadium) aus eigenartigen, zwischen 400 bis 700 Grad heißen Gas-Flüssigkeits-Blasen, den sogenannten Rest-(Pegmatit-)Schmelzen, die zum Ende der Erstarrung des Magmenkörpers in das umgebende Festgestein gepresst wurden. Aufgrund der hohen Temperaturen und Gasdrucke sind diese Schmelzen sehr mobil und können leicht in Klüfte und Spalten der bereits erstarrten Granitbereiche und in Nachbargesteine eindringen, wo es zur Kristallisation der Pegmatit-Minerale kommt. Da die „normalen" Elemente wie Natrium, Kalium und Aluminium bereits in Form von „Allerwelts-Mineralen" wie Feldspat und Glimmer im Granit erstarrt sind, enthalten die Pegmatite zusätzlich einige seltene Elemente, u. a. Lithium, Cäsium, Beryllium und auch Bor. Bei der Abkühlung der Pegmatit-Schmelzen zum Festkörper verbindet sich dieses Bor mit anderen Elementen und kristallisiert ähnlich wie ein Eiskristall zum wunderschönen **Turmalin** aus (Abb. 6.17). Dieser für die Karibib-Usakos-Region sehr typische Halbedelstein tritt in einem großen Farbspektrum auf. Je nach chemischer Beimengung entstehen u. a. grüne, blaue, rosa und farblose Varianten. Turmalin-Kristalle mit einem roten Kern und grünem Rand werden als „Wassermelonen" bezeichnet und werden, in dünne Scheiben geschnitten, in zahlreichen Souvenir-Geschäften angeboten. Die am häufigsten verbreitete, schwarze Variante des Turmalins, der **Schörl**, hat wirtschaftlich keinen Wert, da er keine Transparenz besitzt und somit nicht zu Schmuckzwecken verwendet werden kann. Als Sammlerstufe ist er bei Mineraliensammlern jedoch sehr beliebt.

Abb. 6.17: Ein farbiger Turmalin-Kristall ist der Stolz eines jeden Mineraliensammlers

Neben Turmalin werden in den Karibib-Usakos-Pegmatite auch andere wertvolle Halbedelsteine gefunden, z. B. Topas, sowie blaue und goldgelbe Berylle, die als **Aquamarin** bzw. **Heliodor** bekannt sind. Sogar eine rosafarbene Beryll-Varietät, der **Morganit**, kommt gelegentlich vor. Es überwiegt jedoch der blassgrüne, nicht transparente Beryll, der zur Gewinnung von Beryllium-Metall verwendet wird. Neben den Kostbarkeiten stellen auch die recht schönen Quarzkristalle und die zum Teil handtellergroßen Glimmer-Pakete der Pegmatite interessante Sammelobjekte dar.

6.1.2 Die Spitzkoppe

Zur Spitzkoppe gelangen Sie über die Teerstraße B 2 auf Ihrem Weg von Usakos nach Swakopmund. Etwa 25 km westlich von Usakos zweigt die Schotterstraße D 1918 von der Teerstraße nach Nordwesten ab. Folgen Sie diesem Weg für etwa 20 km und biegen Sie dann auf die D 3716 ab, die in Richtung Norden direkt zur Großen Spitzkoppe und den rechts davon liegenden Pontok-Bergen führt. Zur Kleinen Spitzkoppe, die weiter westlich liegt, fahren Sie noch etwa 10 km auf der D 1918 und biegen dann auf die D 1925 ab. Längs des Weges zur Großen Spitzkoppe befinden sich einfache Verkaufsstände, wo die lokale Bevölkerung die Mineralien der Region zu günstigen Preisen und oft guter Qualität anbietet.

Die Große Spitzkoppe stellt zusammen mit den Pontok-Bergen und der Kleinen Spitzkoppe eines der Wahrzeichen Namibias dar. Mit einer Gesamthöhe von 1.728 m ragt die Große Spitzkoppe als imposanter Granit-Inselberg ca. 700 m aus der sonst eingeebneten Landschaft der Randstufenlücke (siehe Kapitel 7.1.1) hervor (Abb. 6.18). Wie geochemische Untersuchungen der Granitgesteine gezeigt haben, handelt es sich bei den beiden Spitzkoppen um unterschiedliche Intrusionen, die nicht miteinander verbunden sind.

Abb. 6.18: Der imposante Inselberg der Spitzkoppe stellt ein geologisches Wahrzeichen dar

Wie bereits in Kapitel 6.1 erwähnt, gehört die Spitzkoppe zur Gruppe der magmatischen Post-Karoo-Gesteinskomplexe, deren Entstehung das geologische Geschehen während der **Post-Karoo-Zeit** in diesem Teil Namibias bestimmte. Die weiten Flächen, welche die Landschaft um die Spitzkoppe charakterisieren, stellen die erodierte Rumpffläche des mehr als 500 Mio Jahre alten **Damara-Gebirges** dar. Die granitischen Magmen der Spitzkoppe drangen fast 400 Mio Jahren später in diesen uralten Gebirgsrumpf ein. Die betroffene Landschaft sah damals allerdings noch anders aus. Zwar hatte die Erosion das ehemalige Hochgebirge bereits größtenteils eingeebnet, aber die damalige Landoberfläche lag immer

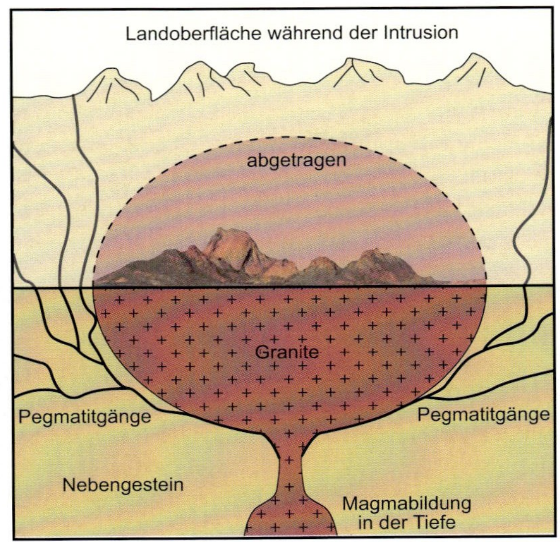

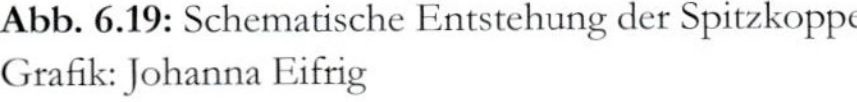
Abb. 6.19: Schematische Entstehung der Spitzkoppe
Grafik: Johanna Eifrig

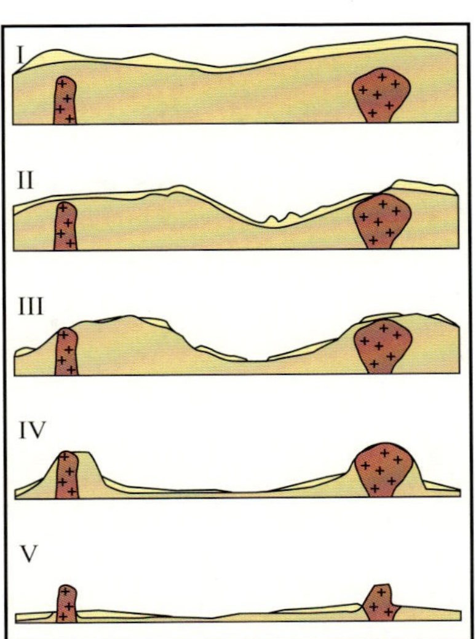

Abb. 6.20: Schematische Entstehung der Spitzkoppe Grafik: Kristin Reinig

noch mindestens 2.000 m höher als heute. Wie es für granitische Magmen-Körper typisch ist, stießen die Granit-Plutone bei ihrem Aufstieg nicht bis zur Erdoberfläche durch, sondern erstarrten mehrere Kilometer tief unterhalb in der Erdkruste (Abb. 6.19). Die Große und Kleine Spitzkoppe sowie die Pontok-Berge kamen also erst in den folgenden Jahrmillionen durch Abtragungsvorgänge nach und nach ans Tageslicht. Es ist eine interessante Vorstellung, wie die heute so mächtige Spitzkoppe aus den umgebenden Ebenen regelrecht aufgetaucht ist und wie sie von einer anfangs nur meterhohen, unscheinbaren Erhebung bis zu ihrer heutigen Ausdehnung „emporwuchs". Dieser Vorgang wird als **Inselberg-Bildung** bezeichnet (Abb. 6.20) und gehört zu den chemischen Verwitterungsformen.

Für einen solchen Prozess ist die Kombination mehrerer Umweltbedingungen erforderlich. Zum einen müssen die Voraussetzungen für eine intensive physikalische oder chemische Verwitterung der oberen Bodenschichten gegeben sein. Diese Verwitterung führt zu einer stark aufgelockerten, oberflächlichen Verwitterungsdecke. Kommt es nun zu kurzfristigen, heftigen Niederschlägen, kann das Regenwasser nicht schnell genug in den Boden eindringen, da die Poren und Hohlräume in der Verwitterungsdecke mit Luft gefüllt sind. Das Wasser fließt oberflächlich rasch ab, wobei es zerkleinertes Verwitterungsmaterial mit sich führt (Denudation). Feinere Verwitterungsrückstände werden nach dem Trocknen der Oberfläche durch den Wind ausgeblasen (Deflation). Durch diese kombinierten Prozesse der **flächenhaften Abtragung** wurden die Deckschichten über dem Granitstock der Spitzkoppe und ihrer Nachbarberge soweit abtransportiert, dass der Granit schließlich die

Deckschichten durchstieß. Da sich der Granit als verwitterungsresistenter als die Gesteine der Rumpffläche erwies, erfasste die Abtragung in erster Linie die umliegenden Flächen, sodass der Granitstock relativ zur Umgebung in die Höhe wuchs (Abb. 6.20). Dieser Vorgang wurde nun zusätzlich dadurch verstärkt, indem die Wassermassen der Regenzeiten an den sich bildenden Inselbergen abflossen und sich die Durchfeuchtung der Ebenen an ihrem Fuß noch weiter verstärkte. Dies führte zu einer Intensivierung der Verwitterung und Abtragung, sodass die Inselberge noch schneller an Höhe gewannen. Somit entstanden die imposanten Inselberge im Bereich der Spitzkoppe, die heute ungefähr aus dem Höhenniveau zu bewundern sind, in denen die Granitmassen einst unterirdisch erstarrten (Abb. 6.20).

Zusätzlich zu dem klassischen Beispiel eines granitischen Inselbergs in Rumpfflächen des ariden bis semi-ariden Klimabereichs können Sie an der Spitzkoppe auch die gleichen Granit-Verwitterungsformen erkunden, die im benachbarten Erongo-Gebirge zu finden sind und die im vorangegangenen Kapitel 6.1.1.1 ausführlich beschrieben wurden. Zusätzlich können Sie bei einer genaueren Erkundung der Felsregionen am Fuß der Spitzkoppe und in den Pontok-Bergen eine weitere Granitverwitterungsform kennenlernen. Vor allem an heißen Tagen wird Ihnen an der Spitzkoppe der recht starke, kühlende Wind angenehm auffallen, der nahezu permanent vom Atlantik kommend ungehindert über die flachen Ebenen der Randstufenlücke bis zur Spitzkoppe weht. Es mag erstaunlich klingen, aber unter den ariden Bedingungen dieser Region ist sogar der Wind in der Lage, die harten Granitfelsen zu formen. Während die reine Luftbewegung allein kaum eine zerstörende Wirkung auf harte Festgesteine ausüben kann, ändert sich dies sehr schnell, wenn der Wind große Mengen feinen Sandes mit sich führt. Die Sandkörnchen wirken dann zusammen mit der Windkraft wie ein Sandstrahlgebläse und sind imstande, einzelne Mineralpartikel aus dem Granit herauszulösen und fortzutragen. Dieser Prozess wird als **Windschliff** bezeichnet. Es ist nicht verwunderlich, dass vor allem die Inselberge mitten in einer flachen Wüste vom Windschliff betroffen werden. Bei genauem Hinsehen werden Sie vielerorts Felsen entdecken, die entsprechend der beiden Hauptwindrichtungen (Südwest und Ost) vom Wind glattpoliert sind. Neben dem Glätten von Felsoberflächen kann der Windschliff aber auch regelrechte Felsformen aus dem Granit modellieren. Ein markantes Beispiel dafür sind die sogenannten **Pilzfelsen** (Abb. 6.21). Diese bizarr geformten

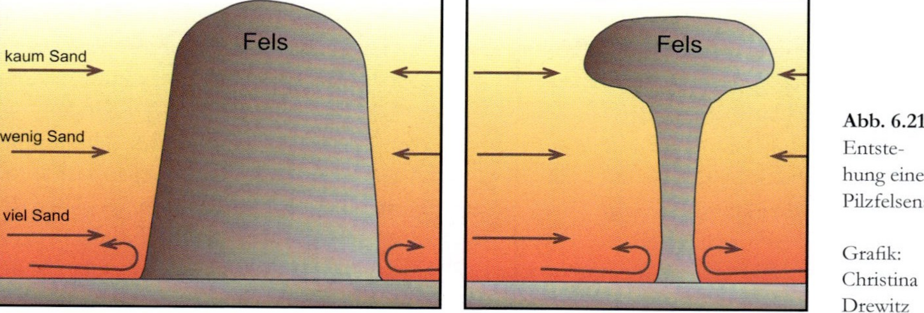

Abb. 6.21: Entstehung eines Pilzfelsens

Grafik: Christina Drewitz

Granitblöcke weisen einen stark ausgedünnten Fußbereich auf. Da heftige Winde in Bodennähe eine höhere Sandfracht mit sich führen, ist es verständlich, dass der Abschliff im unteren Bereich des Felsbrocken stärker angreift als weiter oben. Neben Pilzfelsen zeigt sich die stark abtragende (korrasive) Wirkung des sandhaltigen Windes an Felssäulen, die zu bizarren Skulpturen geformt wurden (Abb. 6.22). Auch windexponierte Felsmauern unterliegen den Kräften des Wüstenwindes, der im Laufe der Jahrtausende in der Lage war, diese Granitmauern regelrecht zu durchlöchern. Die dabei entstehenden, sogenannten **Korrasions-Höhlungen** sind an einigen Stelle im Bereich der Spitzkoppe zu entdecken (Abb. 6.23).

Abb. 6.22: Bizarre, durch Windschliff entstandene Felssäule

Abb. 6.23: Durch Windschliff entstandene Aushöhlung (Korrasions-Höhlung)

Ein Besuch der Spitzkoppe ist ein weiteres Beispiel dafür, dass landschaftliche Höhepunkte stets mit einer Fülle geologischer Attraktionen verknüpft sind.

6.1.2.1 Halbedelsteinvorkommen im Bereich der Spitzkoppe

Die Mineralien der Kleinen und Großen Spitzkoppe sind genau wie die Vorkommen im Bereich des Erongo-Gebirges in erster Linie pegmatitische Bildungen (siehe Kapitel 6.1.1.3). Wegen der engen Verwandtschaft der beiden Bergmassive sind um die Spitzkoppe auch Turmaline und Berylle zu finden. Die Spitzkoppe erlangte jedoch vor allem wegen eines weiteren Pegmatit-Minerals besondere Berühmtheit. Es handelt sich dabei um den klaren, farblosen Topas, der als Silber-Topas bezeichnet wird.

Diese begehrten Kristalle konnten vor einigen Jahrzehnten noch ohne große Mühe vom Erdboden rings um die Spitzkoppe aufgesammelt werden. Diese Zeiten sind leider vorbei. Alle guten Fundorte sind ausgebeutet oder von Einheimischen besetzt, die mit diesen Steinen regen Handel treiben (Abb. 6.24). Für Mineralien-Freunde ist dies eine gute Möglichkeit, um günstig sehr schöne und große Topas-Kristalle zu erwerben. Um sicherzugehen, dass Sie auch einen echten Topas erwerben, sollten Sie folgende Kriterien beachten: Topas ist so hart, dass er sogar Glas ritzen kann, während Fluorit so weich ist, dass man ihm mit einem Stück Metall leicht einen Kratzer beibringen kann. Ein weiteres Merkmal, den Topas z. B. von Bergkristall (klarer Quarz) zu unterscheiden, ist sein hohes spezifisches Gewicht. Er liegt fühlbar schwer in der Hand.

Abb. 6.24: Auf dem Weg zur Spitzkoppe werden Mineralien günstig zum Kauf angeboten

6.1.3 Der Brandberg

Zu dem äußerst eindrucksvollen Brandberg-Massiv gelangen Sie über die Straße D 2359, einer Stichstraße der C 35 zwischen Uis und Khorixas. Nach etwa 21 km auf der D 2359 erreichen Sie einen Parkplatz am Fuße des Brandbergs. Der dort beginnende Weg durch die Tsisab-Schlucht führt Sie unter anderem zu der rätselhaften Felszeichnung der „Weißen Dame".

Mit einer durchschnittlichen Höhe von 1.800 m über der Ebene ist der Brandberg bei guter Sicht schon von der Spitzkoppe aus am nördlichen Horizont zu sehen. Der 2.573 m hohe Königstein des Brandberg-Massivs bildet die höchste Erhebung Namibias. Bei einem mittleren Durchmesser von mehr als 20 km bedeckt der **Brandberg-Intrusiv-Komplex** insgesamt eine Fläche von etwa 450 km^2.

Im Gegensatz zum Erongo-Gebirge, das sowohl aus vulkanischen als auch granitischen Gesteinen aufgebaut wird, besteht der **Post-Karoo-Gesteinskomplex** des Brandbergs im Wesentlichen aus granitischen Gesteinen. Charakteristisch für den Brandberg ist das Auftreten mineralogisch unterschiedlicher Granit-Varianten, die, wie die Abbildung 6.25 zeigt, in einer großräumigen Ringstruktur angeordnet sind.

Die Entstehung des Brandbergs erfolgte vor etwa 130 Mio Jahren während der **Post-Karoo-Zeit**. Als Vorbote der Gondwana-Aufspaltung drangen gewaltige Massen granitischen Magmas aus den Tiefen der Erde in die auflagernden Damara-Metamorphite, Karoo-Sedimente und Vulkanite ein. Wie auch bei den anderen Post-Karoo-Komplexen war der Tristan da Cunha Hot-Spot, eine Wärmeblase aus dem Erdmantel (siehe Kapitel 6.1), für die Bildung der magmatischen Schmelzen in Nordwest-Namibia verantwortlich. Der in die Erdkruste eingedrungene Granit-Pluton erstarrte mindestens 2 Kilometer unter der damaligen Erdoberfläche und wurde erst in den folgenden Jahrmillionen durch die immerwährende Abtragung zu dem freigelegt, was wir heute den Brandberg nennen.

Als die gewaltigen Mengen granitischen Magmas aufstiegen, kam es an deren Kontakt mit den Karoo-Sedimenten zur **Kontaktmetamorphose**. Die Sedimentschichten wurden durch den Aufstieg der Schmelze zerrüttet und gleichzeitig durch Hitzeeinwirkung verändert. Im Falle des Brandbergs wurde die Auswirkung der Kontaktmetamorphose noch ca. 1,3 km vom Rand des Plutons nachgewiesen. Es entstand ein Trümmergestein, eine sogenannte **magmatische Brekzie**, die in der Amis-Schlucht sporadisch abgebaut wird. Dieses recht weiche Gestein, der sogenannte **Pyrophyllit** (Abb. 6.26), wird in vielen Souvenir-Geschäften, u. a. auch in Uis, in Form von Aschenbechern oder Dekorationsgegenständen angeboten.

Während der südlich des Brandbergs gelegene Messum-Krater vulkanische Schmelzen an die Oberfläche beförderte, die noch heute das Etendeka-Plateau (siehe Kapitel 5.3.1) und die Goboboseb-Berge (zwischen Messum-Krater und Brandberg) aufbauen, sind am Brandberg selber so gut wie kaum Vulkanite zu finden. Häufigstes Brandberg-Gestein ist eine rote Granit-Variante, die besonders im Sonnenlicht in den Morgen- und Abendstunden

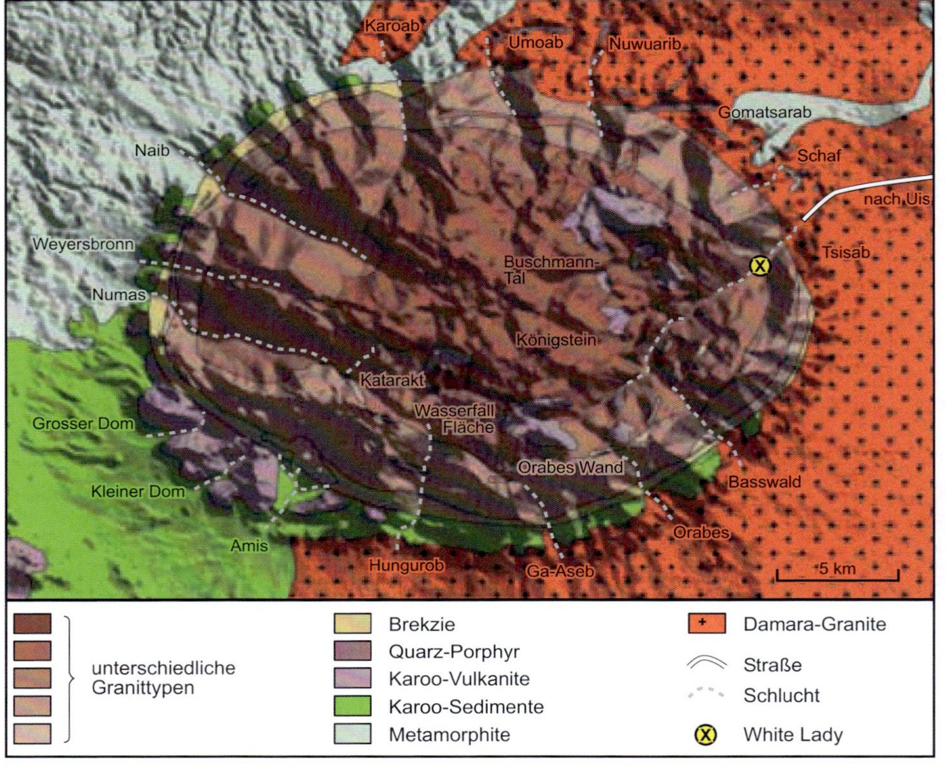

Abb. 6.25: Geologische Karte des Brandbergs (vereinfacht nach Diehl) Grafik: Johanna Eifrig

rötlich leuchtet, wodurch er seinen Namen „Brandberg“ erhalten hat. In der Sprache der Damara heißt der Berg „Daures“.

Heute sind die alten damara- und karoo-zeitlichen Gesteine (Abb. 6.27) rings um den Brandberg weiträumig abgetragen, sodass der Brandberg als mächtiger Klotz aus der Landschaft ragt. Wenn man am Fuße dieses imposanten Berges steht, ist es kaum vorstellbar, dass dieser Granitkörper einst in mehreren Kilometern Tiefe erstarrte, nachdem er aus noch größeren Tiefen aufgestiegen war. Innerhalb von etwa 130 Mio Jahren wurden also mehrere Kilometer auflagernder Deckschichten soweit abgetragen, dass der Brandberg heute fast 2 km aus den umgebenden Flächen aufragt.

Eine völlig andere Erscheinung können Sie direkt am Parkplatz vor der Tsisab-Schlucht entdecken. Der dort vorbeiziehende, mächtige Dolerit-Gang (Abb. 6.28), der ebenfalls während der magmatischen Ereignisse der Post-Karoo-Zeit gebildet wurde, weist vielfach einen schwarz-metallisch glänzenden Belag auf. Dabei handelt es sich um den

Abb. 6.26: Ein Handstück aus Pyrophyllit

Abb. 6.27: Karoo-zeitliche, geschichtete Sedimente und Etendeka-Laven am südlichen Fuß des Brandbergs

sogenannten **Wüstenlack**, eine typische Erscheinung arider Gebiete. Wüstenlack entsteht durch hohe Sonneneinstrahlung und die damit verbundene Verdunstung. Die in die äußeren Bereiche der Felsen eindringende Feuchtigkeit löst Eisen- und Manganverbindungen des Gesteins auf. Durch den Verdunstungssog infolge starker Sonneneinstrahlung steigt diese Feuchtigkeit jedoch wieder zur Gesteinsoberfläche auf, wo sie endgültig verdunstet. Die mitgeführten Eisen- und Manganlösungen fallen dabei aus und verbinden sich mit dem Luftsauerstoff zu Oxiden, die sich als schwarzer „Lack" auf den Felsoberflächen absetzen. Neueste Forschungen amerikanischer Wissenschaftler haben zudem gezeigt, dass die meisten Wüstenlacke durch Bakterien entstanden sind, die in ihrem Stoffwechsel Eisen- und Mangan-Verbindungen mobilisieren können. Allerdings sind diese Bakterien nur während Feuchtphasen aktiv und schlummern während beliebig langer Trockenperioden. Wüstenlack ist übrigens auch an vielen anderen Gesteinen in Namibia zu beobachten (siehe Kapitel 8.1.4).

Abb. 6.28: Ein Dolerit-Gang mit Wüstenlack am Parkplatz der Tsisab-Schlucht

6.1.3.1 Mineralienvorkommen am und um den Brandberg

Durch die magmatischen Aktivitäten entstanden rings um den Brandberg zahlreiche Mineralienlagerstätten, von denen einige für besonders schöne und wertvolle Sammler-Stücke bekannt sind. Wenn Sie an Mineralien interessiert sind und günstige Einkaufsmöglichkeiten suchen, können Sie sich z. B. in Uis an die dortigen einheimischen Händler wenden. Falls Sie kein Mineralienkenner sind, sollten Sie dabei jedoch vorsichtig sein und nur dann etwas kaufen, wenn Sie sich über die Art und den tatsächlichen Wert eines angebotenen Minerals im Klaren sind.

Die Region um den Brandberg ist vor allem für ihre außergewöhnlich schönen Quarzkristalle berühmt. **Quarz** (chemische Formel SiO_2) gehört zu den häufigsten Mineralen der Erdkruste und stellt also an sich nichts Besonderes dar. Meist kommt dieses Mineral als unscheinbares „Korn" im Gestein vor. Viel seltener sind die Bedingungen, unter denen der Quarz zu den typischen, ästhetisch sehr ansprechenden Kristallen auswachsen kann. Je nach Färbung wird das Mineral **Bergkristall** (durchsichtig), **Amethyst** (lila) oder **Citrin** (gelb) genannt, um nur einige Beispiele zu nennen. Die Quarzkristalle der Brandberg-Region weisen zudem einige Besonderheiten auf, die für ihren hohen Sammlerwert verantwortlich sind.

Die Bildung dieser begehrten Kristalle fand innerhalb der Lavaströme der südwestlich des Brandbergs gelegenen Goboboseb-Berge und des ebenfalls nahegelegenen Messum-Vulkans statt. Die in der flüssigen Lava eingeschlossenen Gase bildeten Blasen, die nach der Erstarrung der Lava als Hohlräume im entstandenen Basaltgestein zurückblieben. Diese wurden kurz nach der Abkühlung der Lava mit heißen, kieselsäurehaltigen Lösungen ausgefüllt und als **Drusen** bezeichnet. Mit fortschreitender Abkühlung begann das Wachstum von Quarzkristallen, ähnlich der Bildung von Eiskristallen beim Gefrieren von Wasser. Die Größe der Brandberg-Kristalle variiert dabei von wenigen Millimetern bis zu mehr als 10 Zentimetern und hängt in erster Linie von der Menge der vorhandenen Quarzlösungen und des Rauminhalts der Drusen ab.

Die Vielfalt der Quarzvarietäten dieses Gebiets ist enorm. Sie reicht vom klaren Bergkristall über den bräunlichen Rauchquarz, dessen Färbung durch natürliche, radioaktive Strahlung hervorgerufen wird, bis zu dem violetten Amethyst, dessen Färbung auf kleinste Beimengungen von Eisen zurückzuführen ist. Auch Kristalle, die alle drei Färbungen aufweisen, sind keine Seltenheit. Eine weitere Besonderheit der Brandberg-Quarze sind die sogenannten „**Phantom-Quarze**", die bizarre violette oder bräunliche Farbschlieren aufweisen (Abb. 6.29).

Neben den farblichen Besonderheiten zeichnen sich die Kristalle auch durch besondere Wachstumsformen aus. Sogenannte **Doppelender**, die Kristallspitzen an beiden Enden aufweisen, treten recht häufig auf. Außerdem kommt es zur Bildung von Kristallen, den sogenannten **Zepterquarzen** (Abb. 6.30), bei denen ein dickerer Kristall„kopf" wie ein

Abb. 6.29: Ein Phantom-Quarz aus den Goboboseb-Bergen

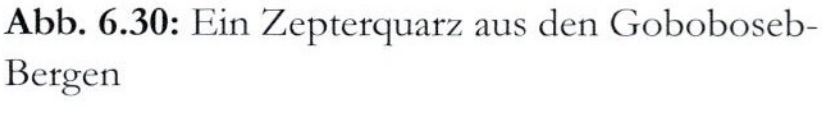

Abb. 6.30: Ein Zepterquarz aus den Goboboseb-Bergen

Zepter auf einer dünnen Säule sitzt. Als **Fensterquarze** werden dagegen Kristalle bezeichnet, deren Flächen und Kanten stufenförmige, fensterartige Vertiefungen aufweisen, was auf sehr schnelles Kristallwachstum innerhalb der Drusen hinweist. Hohlräume innerhalb der Kristalle sind ebenfalls auf ein schnelles Wachstum zurückzuführen.

Die Hohlräume in Brandberg-Quarzkristallen zeigen oft noch ein weiteres äußerst interessantes Phänomen. Wenn Sie einen solchen Quarz hin- und herschütteln, sehen Sie Blasen, die sich frei in den Hohlräumen bewegen. Dabei handelt es sich um Einschlüsse vulkanischer Gase (meist Kohlendioxid oder Methan), die seit mehr als 130 Mio Jahren in den Kristallen konserviert sind. Sie bekommen diese Raritäten als Kristalle mit „Wasserblasen" von den lokalen Händlern angeboten.

Neben den Quarz-Kristallen wird in den Basalten rings um den Brandberg noch ein weiteres bemerkenswertes Mineral gefunden. Dabei handelt es sich um den grünen **Prehnit**. Dieses Mineral ist meist kugelig ausgebildet und füllt zusammen mit hellen Calcit-Kristallen größere Drusen in den Lava-Gesteinen aus (Abb. 6.31). Der Prehnit wird ebenfalls häufig zum Kauf angeboten.

Auch die damara-zeitlichen Pegmatite südlich des Brandbergs sind mineralreich. Neben den Vorkommen seltener Metalle (siehe Kapitel 6.1.3.2) bergen sie oft Halbedelsteine wie Turmalin und Beryll.

Abb. 6.31: Mineraliensammler in den Goboboseb-Bergen, die Drusen in diesem Basalt-Aufschluss werden von Prehnit ausgefüllt

6.1.3.2 Die Uis-Mine

Zu dem alten Bergwerksort Uis, der einen idealen Ausgangspunkt für Touren rings um den Brandberg bietet, gelangen Sie von Omaruru kommend über die C 36 bzw. von Swakopmund oder Khorixas aus über die C 35.

Bei der Ankunft in Uis werden Ihnen zunächst die großen, weißen Bergbauhalden auffallen. Diese Halden (Abb. 6.32) bestehen aus gemahlenem, aufbereitetem Pegmatit-Material der ehemaligen Uis-Zinn-Mine, die während ihres Betriebs bis zum Jahre 1990 etwa 35.000 t hochwertiges Zinn-Konzentrat produziert hat.

Das Zinnvorkommen von Uis wurde im Jahre 1911 entdeckt und die Mine galt bis zu ihrer Stilllegung als die größte Festgesteins-Zinn-Mine der Welt. Obwohl noch heute Erz-Reserven von 72 Mio t vorhanden sind, ist der Abbau momentan wegen der schlechten Weltmarktpreise für diesen Rohstoff und aufgrund der relativ geringen Erzkonzentrationen nicht mehr rentabel. Stattdessen wird heute nach Möglichkeiten gesucht, das Feldspat-Material der Halden für andere industrielle Zwecke zu verwenden.

Das Mineral, welches in Uis gewonnen wurde, ist der diamant-glänzende **Cassiterit** (Zinnstein, chemische Formel SnO_2), der weltweit das wichtigste Zinn-Erz darstellt. Dieses tritt meist in sogenannten Pegmatit-Gesteinen auf. **Pegmatite** (siehe Kapitel 6.1.1.3) sind spezielle Ganggesteine, die am Ende der Erstarrung eines Magmas aus Restschmelzen auskristallisieren und deshalb reich an den erwähnten, seltenen Elementen und Mineralen sind, darunter häufig auch Cassiterit.

Abb. 6.32: Die weißen Halden von Uis sind das Wahrzeichen der Ortschaft

Das Cassiterit-Vorkommen von Uis ist an den sogenannten Cape-Cross-Uis-Pegmatit-Gürtel gebunden. Bei dieser Zone handelt es sich um einen etwa 120 km langen Bereich, der neben Zinnerzen auch reich an seltenen Metallen wie Niob, Tantal und Lithium ist. Die Anreicherungen treten in unterschiedlicher Konzentration innerhalb zahlreicher Pegmatit-Gänge auf, die einen Gesteinsgürtel von damara-zeitlichen Schiefern und Quarziten entlang tektonischer Schwächezonen durchschlagen haben.

Der Cape-Cross-Uis Pegmatit-Schwarm besteht aus mehr als 120 Einzel-Pegmatiten, die bis zu 1 km lang und 50 m breit sind. Die Pegmatite im Zentrum dieses Schwarms weisen eine sehr konstante Anreicherung von Zinnerz auf, was somit die Öffnung einer Zinn-Mine bei Uis erklärt.

6.2 Die Region um Swakopmund und Walvis Bay (Walfischbucht)

Abgesehen vom nahegelegenen Namib-Naukluft-Nationalpark (siehe Kapitel 7) ermöglichen die Küstenorte Swakopmund und Walvis Bay mit einem interessanten Bergbaubetrieb sowie einigen küstengeologischen Besonderheiten auch ein geologisches Besuchsprogramm, das zudem den Vorteil von Ortsnähe und guter Zugänglichkeit hat.

6.2.1 Die Rössing-Mine

Die Rössing-Uranmine liegt etwa 70 km östlich von Swakopmund nahe der Straße B 2 am Khan-Trockenfluss in der Namib.

Das Vorkommen radioaktiver Gesteine im Gebiet der heutigen Rössing-Mine ist schon seit 1910 bekannt. Aber erst seit den 1950er Jahren, nachdem Uran als Rohstoff für die Atomindustrie entdeckt wurde, fanden intensive geologische Untersuchungen statt. Obwohl sich dabei herausstellte, dass die Uran-Gehalte in den Muttergesteinen sehr gering sind, konnte 1976 ein rentabler Minenbetrieb eröffnet werden. Der lohnende Abbau ist auf die oberflächennahe Lagerung der Uranerze zurückzuführen, die einen Tagebaubetrieb ermöglichten. Heute zählt die Rössing-Mine zu den sechs größten Uran-Tagebauen der Welt (Abb. 6.33). Im Jahre 2006 produzierte die Mine fast 8 % des weltweiten Uran-Bedarfs.

Abb. 6.33: Tagebau der Rössing-Mine

Geologisch betrachtet liegt das Uranvorkommen von Rössing im zentralen Teil der präkambrischen Gneis-, Marmor- und Quarzit-Gesteine des alten Damara-Gebirges. Das Auftreten der Erze ist an die Verbreitung besonders natriumhaltiger Granite, die sogenannten Alaskite, geknüpft, die in der Endphase der **Damara-Gebirgsbildung** vor etwa 470 Mio Jahren aus dem Erdinneren aufstiegen. Uran ist in geringen Spuren in allen granitischen Gesteinen enthalten, die Anreicherung in den Alaskiten von Rössing liegt jedoch weit über dem Durchschnitt. Die genaue Ursache für diese Konzentrationen ist noch nicht genau geklärt. Das in der Rössing-Mine geförderte **Uran** kommt meist in Form des Uranminerals Uraninit (UO_2) vor, das aufgrund seiner dunklen Farbe auch als Pechblende bezeichnet wird. Das zweithäufigste Uranmineral der Mine ist das Beta-Uranophan, das durch seine leuchtend gelbe Farbe gut zu erkennen ist. Es stellt ein Sekundär-Mineral dar, welches sich unter dem Einfluss von Wasser und Luftsauerstoff aus dem Uraninit gebildet hat.

Falls Sie sich für den Betrieb der Rössing-Mine, die Erzgewinnung und die Erzaufbereitung interessieren, können Sie sich einer Führung durch die Mine anschließen, die von Swakopmund aus organisiert wird. Informationen sind im Museum in Swakopmund zu erhalten. Sollten Sie für diesen Ausflug keine Zeit mehr in Ihrem Reiseprogramm haben, lohnt sich aber ein Besuch des Museums von Swakopmund, wo eine Ausstellung über den Betrieb der Rössing-Mine beherbergt ist.

6.2.2 Die Küstendünen

Wenn Sie auf der Straße B 2 von Swakopmund nach Walvis Bay unterwegs sind, bewegen Sie sich entlang eines Küstendünengürtels, der unmittelbar bis an die Straße heranreicht.

Das Vorkommen dieser Dünen sollte den Besucher eigentlich verwundern, denn das Große Sandmeer der Namib-Wüste reicht bekanntlich nur von Lüderitzbucht im Süden bis an den Kuiseb-Trockenfluss (siehe Kapitel 7.2.1 und Abb. 7.10). Nördlich dieser Linie breitet sich die sandfreie Fels-Namib aus. Am westlichen Rand der Felswüste hat sich allerdings längs der Küste zwischen Walvis Bay und Swakopmund auf einem etwa 8 km breiten Streifen ein Dünengürtel entwickelt (Abb. 6.34), der sich in nördlicher Richtung bis zum Ufer des Swakop-Trockenflusses hinzieht. Der Swakop stellt letztendlich eine unüberwindliche Grenze für die Sandmassen dar, da er in guten Regenjahren das Meer erreicht. Obwohl dies nur alle paar Jahre geschieht, reichen die sporadischen Fluten aus, um die Dünen vor einer weiteren Ausdehnung nach Norden zu stoppen.

Es stellt sich dennoch die Frage, wie das Vordringen dieses kleinen Ausläufers des Großen Sandmeeres so weit nach Norden zu erklären ist. Der Grund hierfür liegt in der Trockenheit im Unterlauf des Kuiseb-Flusses. Im Gegensatz zu früher versickern seine Fluten während der Regenzeit schon so weit flussaufwärts, dass es einigen sehr mobilen Barchan-Dünen gelang, den Trockenfluss im unmittelbaren Küstenbereich zu überqueren. Diese durch starke Südwestwinde permanent vorangetriebenen Wanderdünen wachsen durch weitere Sandzufuhr längs der Küste zu Querdünen zusammen, die sich entlang der Küstenstraße B 2 bis an das Südufer des Swakop-Flusses erstrecken. Die gebildeten Sandanwehungen im Bett des Kuiseb sind bereits so mächtig, dass selbst die Wassermassen der guten Regenzeit von 1997 diese Barriere nicht mehr durchstoßen konnten. Dies schafften dann allerdings die enormen Flutwellen der Regenzeit des Jahres 2000, als der Kuiseb zum ersten Mal seit etwa 50 Jahren wieder bis zum Atlantik durchbrach. Bis zu diesem Zeitpunkt versickerte der Kuiseb spätestens in einem versandeten Delta einige Kilometer vor der Küste in der Wüste. Die Dünen dagegen wandern unaufhaltsam nordwärts und werden erst am Swakop-Trockenfluss gestoppt. Falls auch dieser episodisch wasserführende Fluss durch zunehmende Trockenheit nicht mehr das Meer erreichen sollte, könnten sich die Dünenfelder in Zukunft bis in den Ort Swakopmund ausdehnen und das Leben dort damit erschweren.

Abb. 6.34: Die Küstendünen bei Swakopmund

Aufgrund der „schützenden" Wirkung des Swakop ist der Untergrund von Swakopmund heute aber immer noch dünensandfrei. Der Küstenort liegt auf einem alten Deltaschwemmfächer des Swakop-Flusses. Zu Zeiten höheren Wasserangebots hatte sich der Swakop in einem weitverzweigten Delta permanent in den Atlantik ergossen. Heute leitet nur noch ein einziger Flussarm die gelegentlichen Fluten ins Meer, wie es in den Regenzeiten 1997, 2000 und auch wieder 2011 geschah.

Nördlich des Swakop-Flusses ist die Namib sandfrei. Erst in Höhe von Torra Bay im Skelettküstenpark (siehe Kapitel 5.2.2) formiert sich ein neuer Dünengürtel, der sich als schmaler Streifen bis nach Angola hinzieht.

6.2.3 Die Bucht und die Lagune von Walvis Bay

Um zu der südlich der Stadt Walvis Bay gelegenen Lagune zu kommen, fahren Sie von dem Kreisverkehr am Ortseingang in Richtung Süden. Die Straße führt direkt bis zur Lagune.

Die Lagune von Walvis Bay (Abb. 6.35) ist nicht nur für Vogelliebhaber ein lohnendes Ausflugsziel (eines der bedeutendsten Feuchtgebiete für Vögel im südlichen Afrika, geschützt unter der Ramsar-Konvention), sondern auch für den geologisch Interessierten einen Besuch wert.

Ein Blick auf die Landkarte Namibias zeigt Ihnen, dass die namibische Küste nur sehr gering gegliedert ist, d. h., die Küstenlinie verläuft meist geradlinig, ohne tiefe Buchten und Einschnitte zu bilden. Die Ursache für dieses küstengeologische Phänomen ist neben den tektonischen Merkmalen des Festlandssockels vor allem in dem nach Norden fließenden **Benguela-Strom** (siehe Kapitel 7) und in den vorherrschenden, starken Südwest-Winden zu suchen. Sowohl der Meeresstrom als auch die Winde treiben den Sand der namibischen Küste schon seit mindestens 35 Mio Jahren konstant in Richtung Norden. Dieser Prozess begünstigte die Bildung eines geradlinigen Küstenverlaufs, indem eine beginnende Zergliederung durch den Antransport von Sand fortwährend behindert wurde. Küsten, welche diese ausgleichenden Prozesse aufweisen, werden deshalb treffend als **Ausgleichsküsten** bezeichnet.

Die Bucht der Hafenstadt Walvis Bay (Abb. 6.36) verdankt ihre Entstehung deshalb nur speziellen geologischen Umständen, die mit dem südlich gelegenen Flusslauf des Kuiseb zusammenhängen. Im Gegensatz zu heute ergoss sich dieser jetzige Trockenfluss in der geologischen Vergangenheit permanent in den Atlantik und bildete mit den antransportierten Sand- und Geröllmassen ein weitverzweigtes Delta. Dieses Delta schirmte den Küstenbereich des heutigen Ortes Walvis Bay vor den nordwärts treibenden Sandmassen ab. Im Wind- und Strömungsschatten des Kuiseb-Deltas konnte sich die „Bucht der Walfische" bilden.

Abb. 6.35: Die Lagune von Walvis Bay

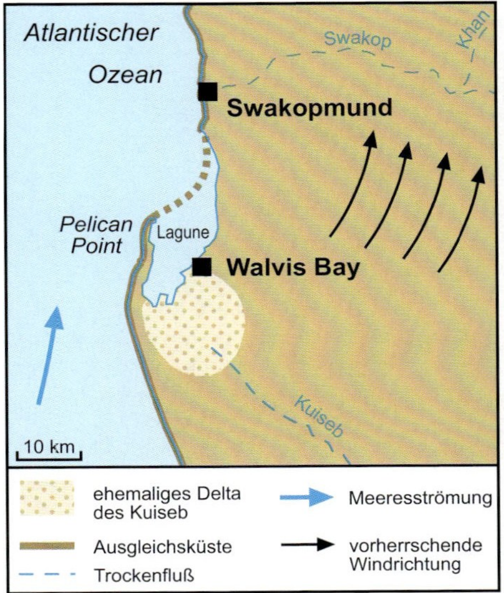

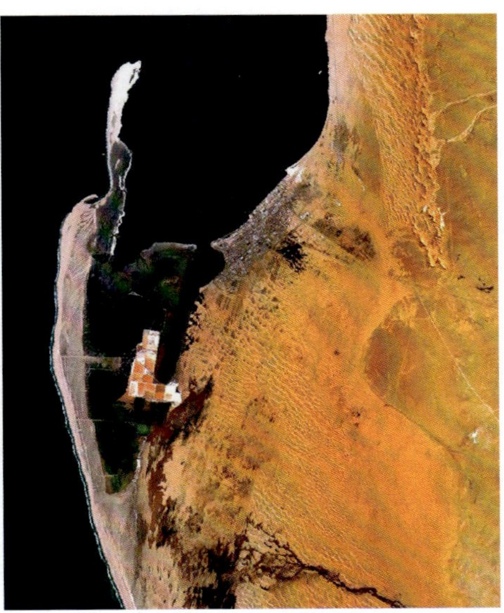

Abb. 6.36 a + b: Karte und Satellitenbild der Küsten-Region um Walvis Bay Grafik (li.): Keßler/Goldmann

Somit verdankt der heute für die Wirtschaft Namibias so wichtige Ort seine Entstehung nur glücklichen geologischen Umständen, denn ohne Bucht gäbe es hier auch keinen Hafen.

Leider kann dieser für den Menschen so vorteilhafte Zustand in geologischen Dimensionen nicht von langer Dauer sein. Ein Blick auf die Karte in Abbildung 6.36 zeigt eine Landzunge, die als sogenannter Strandhaken bereits weit nach Norden reicht. Diese Erscheinung deutet auf den Prozess der **Strandversetzung** (Abb. 6.37) hin. Die von Wind und Meeresströmung entlang der Küste vorangetriebenen Sandmassen schieben sich als **Strandhaken** immer weiter nordwärts, bis sie eines Tages die Walfischbucht vom Atlantik abgeschnitten haben. Die Bucht wird damit mehr und mehr zu einer Lagune. Die bereits existierende Lagune von Walvis Bay macht diesen Prozess anschaulich. Hier haben sich die Sandmassen bereits zu drei Seiten vollständig um die Flachwasserzone geschlossen, die früher einmal offener Teil der Bucht war. Der Leuchtturm von Pelican Point, welcher zu Beginn des letzten Jahrhunderts gebaut wurde, steht heute mehr als 1,8 km vom Ende der Landzunge entfernt. Dies zeigt deutlich den schnellen Fortschritt dieses küstengeologischen Phänomens. Wie Berechnungen gezeigt haben, wächst der Strandhaken bis zu 26 m pro Jahr.

Die zahlreichen Salzpfannen (siehe Kapitel 6.2.4) längs der namibischen Küste weisen darauf hin, was mit der Lagune geschieht, wenn auch der letzte Zugang zum Meer durch den Vormarsch der Küstenlinie abgeschnitten wird: Das Meerwasser verdunstet, und die mit salzigen Ablagerungen gefüllte Senke wird zu einem Teil der Namib-Wüste.

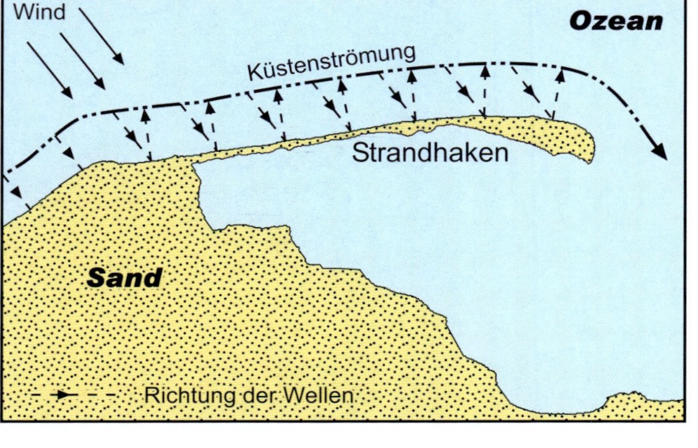

Abb. 6.37:
Vorgang der Ausgleichsküstenbildung durch den Prozess der Strandversetzung

Grafik: Johanna Eifrig

6.2.4 Die Salzwerke bei Walvis Bay

Die Salzwerke sind etwa 6 km südlich der Stadt nahe der Lagune gelegen. Benutzen Sie daher die unter Kapitel 6.2.3 beschriebene Anfahrt zur Lagune und folgen Sie dann der Küstenstraße. Hinweisschilder weisen Ihnen den Weg.

Entlang der namibischen Küste breiten sich zahlreiche **Salzpfannen** aus. Ihre Größe variiert zwischen 10.000 m^2 und mehr als 60 km^2. Die Pfannen liegen oberhalb der Hochwasserline und sind in der Regel durch eine Sand- oder Felsbarriere vom Meer abgetrennt. Oft handelt es sich bei den Pfannen um ehemalige Lagunen, die infolge der permanenten Strandversetzung (Abb. 6.37) komplett vom Meer abgeschnitten wurden und allmählich versandeten.

Im Meerwasser ist nicht nur das als **Kochsalz** oder Steinsalz bekannte Natrium-Chlorid (NaCl) gelöst. Die Fluten der Ozeane enthalten etwa 30 verschiedene Salzarten, unter denen NaCl mengenmäßig am stärksten vertreten ist.

Der durchschnittliche Salzgehalt in den Weltmeeren beträgt etwa 3,5 %. Würde diese Salzmenge zu einem Würfel zusammengepresst, so hätte dieser Körper den ungeheuren Rauminhalt von 22 Mio km^3. Unter der theoretischen Annahme, alle Ozeane würden schlagartig austrocknen, bliebe in den riesigen Meeresbecken eine Salzschicht von mehr als 60 m Mächtigkeit zurück, wovon etwa 48 m aus reinem Kochsalz bestünden.

Die Ausfällung von Salzen aus dem Meerwasser ist ein geologischer Prozess, der festen Gesetzmäßigkeiten unterliegt. In einer zunehmend vom Meer abgeschnittenen Lagune kommt es zu dem Punkt, an dem die Verdunstung (**Evaporation**) höher liegt als die Zufuhr frischen Meerwassers. Dies führt zu einer ständigen Erhöhung der Salzkonzentration im Wasser, bis eine gesättigte Lauge (Sole) entsteht, aus der die gelösten Salze in der Abscheidungsfolge ihrer Wasserlöslichkeit auskristallisieren und sich am Grund des Beckens ablagern (Abb. 6.38). Zuerst scheiden sich die am schlechtesten löslichen Kalke und Dolomite ab, dann Gips, Anhydrit (Calcium-Sulfat), Steinsalz und zuletzt die am längsten löslichen Kali- und Magnesium-Salze.

Natürliches Kochsalz tritt in Namibia nicht nur in Küsten-Salzpfannen auf, sondern auch in Inland-Salzpfannen (z. B. Etoscha) und in sogenannten Sole-Grundwasserleitern, die brackiges Grundwasser führen. Dabei wird oft übersehen, dass dieser wichtige Rohstoff nicht so leicht verfügbar ist, wie es scheint. Von wirtschaftlichem Interesse sind hierzulande lediglich die Küsten-Salzpfannen, denn nur dort lässt sich das Mineral relativ leicht und kostengünstig gewinnen. Die Transportwege sind kurz und gut erschlossen, und durch den natürlichen Kreislauf von Meeresüberflutung, Verdunstung der Sole und Ausscheidung der Salzkristalle sind die Vorräte ständig erneuerbar. Hier zeigt sich einmal der wirtschaftliche Vorteil der namibischen Sonne und vor allem der starken Küstenwinde, die dafür sorgen, dass die Verdunstung der Sole und damit die Salzbildung rasch voranschreitet.

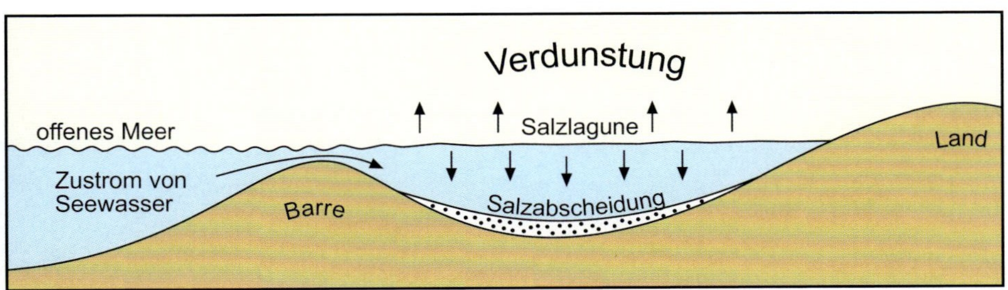

Abb. 6.38: Verdunstung von Meerwasser in einer vom Meer fast abgeschlossenen Lagune Grafik: Peggy Reindel

Die Geschichte der Salzgewinnung entlang der Küste reicht bis in die Anfänge der Kolonialzeit zurück. Bis 1914 wurde das Meeresmineral nördlich von Swakopmund in kleinem Maßstab abgebaut. In der Folge wurden kontinuierlich weitere Salzpfannen erschlossen und die Produktion vergrößert. Mit dem Aufbau der chemischen Industrie in Südafrika entstand ab 1951 ein Export-Markt für diesen Rohstoff. Viele Unternehmer stürzten sich in das Salzgeschäft. Die Folge waren Überproduktion und sinkende Preise, die rasch zu einem wirtschaftlichen Kollaps führten. Erst durch die Gründung einer Genossenschaft, unter der alle großen Salzproduzenten zusammengeschlossen wurden, konnte der Vertrieb so weit geregelt werden, dass diese Industrie heute noch besteht.

Seit 1970 hat sich Walvis Bay zu einem Produktionszentrum für Meeressalz in Namibia entwickelt. Die Salzgewinnungsanlage erstreckt sich über eine Fläche von 35 km^2 (Abb. 6.39). Mit einer Rate von 235 m^3/min wird Meerwasser in die Verdunstungspfannen gepumpt. Dort bleibt es, bis sich durch Sonneneinstrahlung und die starken Winde eine hochkonzentrierte Sole entwickelt hat. Die Sole wird dann in insgesamt 16 Kristallisationsbecken geleitet, wo es zur Ausfällung des Salzes aus der Lauge kommt (Abb. 6.40).

Abb. 6.39: Die Salzwerke von Walvis Bay aus der Luft gesehen mit den großen Salzlagunen vorn und den weißen Bergen produzierten Salzes

Die gesamte **Salzproduktion** bei Walvis Bay betrug ca. 665.000 t im Jahr 2007. Zum größten Teil wird das zu 99,2 % reine Natriumchlorid auf dem Seeweg nach Südafrika transportiert, wo es in der chemischen Industrie Verwendung findet.

Falls Sie sich über weitere Details der Salzproduktion bei Walvis Bay informieren wollen, können Sie sich einer Führung durch die Salzwerke anschließen. Salzkristalle können günstig auf dem Weg nach Cape Cross (auch dort gibt es ein Salzwerk) erstanden werden.

Abb. 6.40: Salzkristalle scheiden sich aus der Lauge ab

7. Im und um den Namib-Naukluft-Park

Der Namib-Naukluft-Nationalpark ist mit fast 50.000 km^2 das viertgrößte Naturschutzgebiet der Welt. Die Hauptattraktion des Parks ist ohne Frage die Namib-Wüste, die sich von Nord nach Süd durch das gesamte Schutzgebiet ausdehnt. Diese eindrucksvolle Wüste, die dem jungen Staat Namibia seinen Namen gab, hat schon den frühen Einwohnern Ehrfurcht eingeflößt: In der Sprache des Nama-Volkes bedeutet „Namib" soviel wie „riesige, öde Fläche".

Die Namib ist eine **Küstenwüste**, die ihren Anfang in der nördlichen Kap-Provinz (Südafrika) nimmt und sich von dort nach Norden längs der gesamten Atlantikküste Namibias bis nach Süd-Angola hinein erstreckt. Ihre Längsausdehnung umfasst damit eindrucksvolle 2.000 km. Im Gegensatz dazu ist die Namib recht schmal. In Namibia reicht sie vom Atlantik bis ca. 150 km ins Land hinein, wobei die Große Randstufe, ein markanter geologischer Geländeabbruch, ihre Ostgrenze darstellt.

Der namibische Teil der Wüste wird von Norden nach Süden in vier morphologische Zonen gegliedert:

- die Skelettküste, die nördlich des Ugab-Flusses beginnt und sich bis zur Kunene-Mündung an der angolanischen Grenze erstreckt,
- die Felsen- oder Flächen-Namib, die sich zwischen dem Huab- und dem Kuiseb-Fluss ausdehnt,
- das Große Sandmeer, das nördlich von Lüderitzbucht beginnt und bis zum Kuiseb-Fluss reicht, wobei sich ein schmaler Dünengürtel entlang der Küste nördlich bis zum Swakop-Fluss hinzieht,
- sowie die südliche Namib mit Dünen und Geröllfeldern, die sich vom Oranje-Fluss bis nach Lüderitzbucht erstreckt.

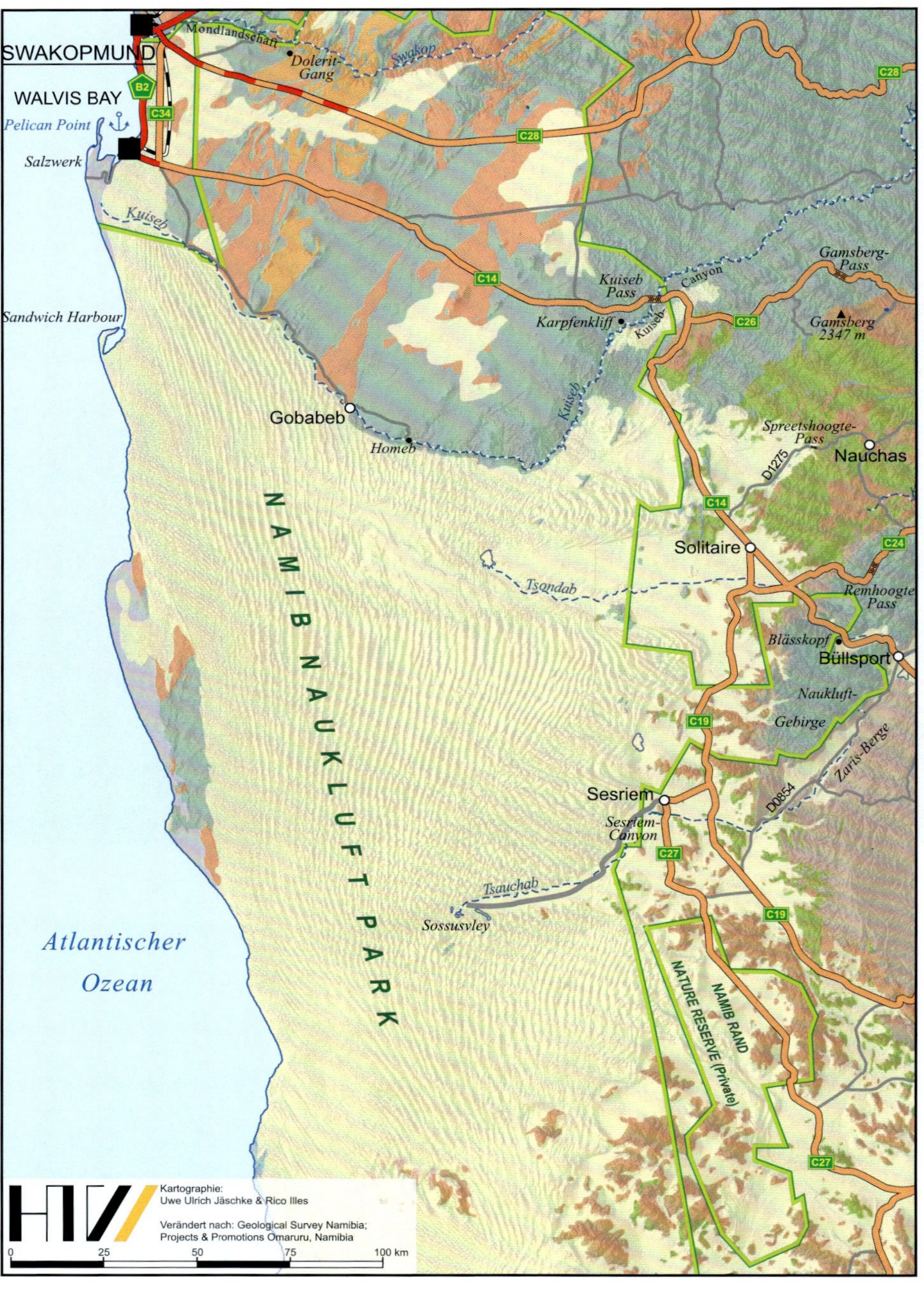

Abb. 7.1: Geologische Sehenswürdigkeiten im und um den Namib-Naukluft-Park (Farb-Legende s. Vorderklappe)

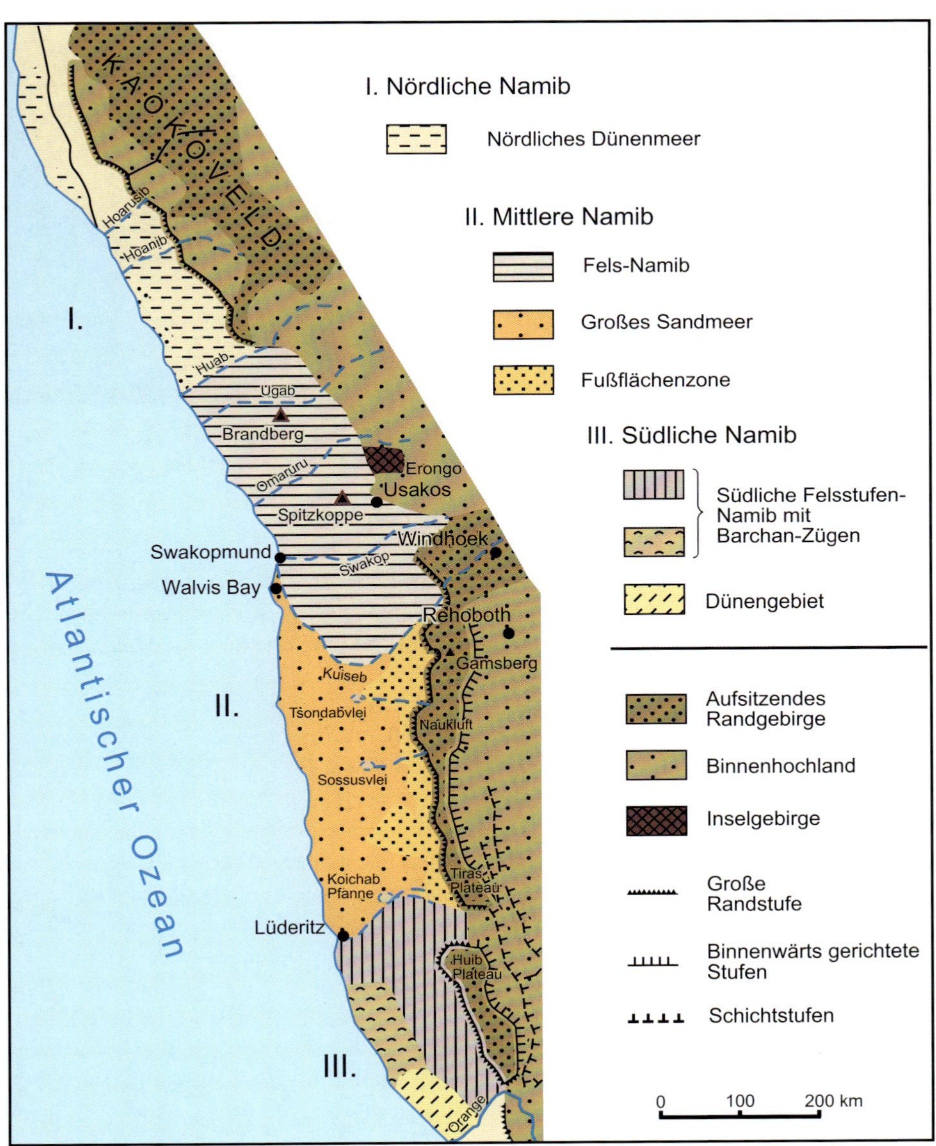

Abb. 7.2: Landschaftsgliederung der Namib-Wüste (nach Kaiser) Grafik: Dana Büchner

Abb. 7.3: Die versteinerten Dünensande der Tsondab-Formation unter der jetzigen Wüste Namib (Namib Desert Lodge, Farm Dieprivier)

Die Namib gilt als die älteste Wüste der Welt. Dieser Anspruch ist aufgrund geologischer Erkenntnisse zu rechtfertigen. Seit dem Auseinanderbrechen des Gondwana-Kontinents und nach Heraushebung der Kontinentalränder kam es im Bereich der Namib zu keinen weiteren großen tektonischen Ereignissen mehr, sodass die Gestaltung der Landschaft im Wesentlichen durch klimatische Faktoren geprägt war.

Trotz erheblicher Meinungsverschiedenheiten zwischen Wüstenforschern kann das geologisch gesicherte **Mindestalter der Namib-Wüste** mit dem Ereignis gleichgesetzt werden, welches den heutigen Wüstencharakter immer noch nachhaltig bestimmt: Seit ca. 35 Mio Jahren lag der antarktische Kontinent in seiner heutigen Lage am Südpol. Die Maximalvereisung der Antarktis war vor etwa 5 Mio Jahren erreicht, und seit dieser Zeit konnte sich der kalte **Benguela-Meeresstrom** im Südatlantik voll entwickeln. Spätestens seit diesem Zeitpunkt herrscht in der Namib voll-arides Klima, das während des Quartärs durch kurze semi-aride Perioden unterbrochen wurde. Diese klimatischen Bedingungen wirkten jedoch schon vor ca. 20 Mio Jahren, als sich ein Vorläufer der heutigen Wüste Namib bildete. Die sogenannte **Tsondab-Wüste** wurde nicht nur durch ähnliche Klimafaktoren hervorgerufen, sondern nahm auch fast die gleiche Fläche auf der Küstenplattform ein, wo sich heute das Große Dünenmeer ausbreitet. Die gleichnamigen **Tsondab-Sandsteine** sind noch heute unter vielen rezenten Dünensanden der jetzigen Namib zu finden (Abb. 7.3). Insofern haben die namibischen Küstenwüsten, deren Entstehung mit dem Benguela-Strom in Verbindung steht, ein gesichertes Mindestalter von etwa 20 Mio Jahren.

Welchen Einfluss hat der kalte Benguela-Strom auf das namibische Küstenklima und somit auf die Entstehung der Namib-Wüste? Durch den fast das ganze Jahr über wehenden Südwest-Wind wird die durch den Benguela-Strom abgekühlte Meeresluft unter die warme Landluft geschoben. Dadurch entsteht eine sogenannte **Luftinversionslage**, welche verhindert, dass

Turbulenzen entstehen können, die zur Regenwolkenbildung notwendig sind. Daher fallen an der namibischen Küste durchschnittlich nur 15 mm Niederschlag pro Jahr, während der östliche Randbereich der Wüste, der nicht so stark im Einfluss der Inversionszone liegt, schon bis zu 100 mm Regen erhält. Es gibt aber auch Bereiche in der Namib, die seit ca. 20 Jahren nachweislich keinen Regen mehr erhalten haben. Dort ist der sich längs der Namib-Küste bildende **Nebel** die einzige verbliebene Niederschlagsquelle. Dessen Entstehung wird, im Gegensatz zur Regenwolkenbildung, durch die Luftinversionslage begünstigt, da die Luftfeuchtigkeit der kalten Meeresluft an der Grenzschicht zur warmen Landluft kondensiert und Nebelschwaden aufbaut. Der Südwestwind treibt den Nebel frühmorgens bis zu 30 Kilometer und mehr ins Landesinnere, wo er die dort existierenden Pflanzen und Tiere mit dem lebensnotwendigen Nass versorgt. Dies ist jedoch nur von kurzer Dauer, da die höheren Tagestemperaturen im Landesinneren den Nebel meist bis zur Mittagszeit wieder aufgelöst haben.

Nutzen Sie die Zeit während einer Fahrt quer durch die Namib, um den Einfluss des Niederschlagsgefälles vom Inland zur Küste anhand der Wachstumshöhe und Art der Pflanzen (Bäume > Büsche > Gräser > Flechten) nachzuvollziehen. Sie werden erstaunt sein, wie gut sich dieser Wechsel beobachten lässt.

Typisch für die gesamte Namib-Küste sind die sogenannten Gipskrusten. **Gipskrusten** sind parallel zur Atlantikküste bis ca. 50 Kilometer landeinwärts zu finden. Jenseits davon sind nur noch Kalkkrusten vorhanden. Dies deutet darauf hin, dass die Bildung des Gipses etwas mit der Nähe zum Meer zu tun haben muss. Tatsächlich stammt das Sulfat-Ion (SO_4^{--}), das zur chemischen Entstehung von Gips (Formel: $CaSO_4 * 2H_2O$) notwendig ist, aus dem Meer. Bei der Zersetzung des abgestorbenen Meeres-Planktons auf dem Ozeanboden bildet sich unter anderem Schwefelwasserstoff (H_2S). Dieses Gas entweicht oft in Form von regelrechten Schwefel-Eruptionen aus dem Meer, was an der Küste manchmal durch den typischen Gestank nach faulen Eiern wahrzunehmen ist. Der Schwefel reagiert dabei mit dem Luftsauerstoff zu Sulfat (SO_4^{--}), welches dann über die Gischt und noch viel weitreichender durch die starken Küstenwinde auf das Festland getragen wird. Dort setzt es sich auf bereits kalkigen Böden bzw. ältere Kalkkrusten ab und reagiert mit dem darin enthaltenen Calcium (Ca) unter Einlagerung von Wasser (H_2O) zu Gips ($CaSO_4 * 2H_2O$). Zusätzlich trägt der natürliche Sulfatgehalt im Meereswasser (durch die gelösten Sulfat-Salze) wesentlich zur Gipskrustenbildung bei. Außerdem spielt auch der Küstennebel eine wesentliche Rolle bei der Durchfeuchtung der Gesteinsoberflächen, auf denen die chemischen Reaktionen ablaufen. Insofern ist es nicht verwunderlich, dass die Inlandverbreitung der Gipskrusten in etwa mit der Reichweite des Küstennebels einhergeht. Da dieser interessante chemische Vorgang schon seit Jahrmillionen anhält, können die Krusten in unmittelbarer Meeresnähe Mächtigkeiten von bis zu 5 Metern erreichen. Nicht nur ihren Mächtigkeiten, sondern auch ihrer weiten flächenhaften Ausdehnung ist es zu verdanken, dass die namibischen Gipskrusten die größten in Afrika sind.

Während die innere Struktur der Krusten gerade noch stark genug ist, dem Gewicht eines Menschen standzuhalten, reicht dies nicht mehr aus, wenn sich ein Fahrzeug auf diesem porösen Untergrund bewegt und tiefe, irreversible Spuren hinterlässt. Insofern ist dem Aufruf, die Fahrwege innerhalb der Namib nicht zu verlassen, unbedingt Folge zu leisten. Dass dies nicht von jedem Besucher dieses äußerst empfindlichen Ökosystems befolgt wird, ist an den zahllosen „Narben“ im Sediment zu erkennen.

Wie schon erwähnt, sind die **Kalkkrusten** dagegen unabhängig von der Nähe zum Meer, da sie nicht nur auf die weiten Flächen der küstennahen Namib beschränkt sind, sondern auch in vielen anderen Landesteilen auftreten, z. B. im Etoscha-Park und in der Kalahari (siehe Kapitel 4.2.4 und 8.1.2). Der Prozess der Kalkkrusten-Bildung ist weitaus komplexer als das Aussehen dieses unscheinbaren Gesteins vermuten lässt. Kalkkrusten sind typische Sedimentgesteine der warm-ariden und semi-ariden Klimazonen der Erde. Sie entstehen in der belebten Bodenzone oberhalb des Grundwasserspiegels durch Zementation oder durch das Eindringen von kalkhaltigem Wasser in die oberen Bodenschichten. Der Kalk ($CaCO_3$) ist entweder bereits in den Böden bzw. im Grundwasser vorhanden oder gelangt durch die Verwitterung von Karbonat-Gesteinen als Kalk-Staub in die Luft, wo er durch Regen oder Nebel aufgenommen wird und schließlich mit dem Niederschlag in den Boden gelangt. Durch die starke Strahlung der namibischen Sonne verdunstet das Bodenwasser rasch wieder, wobei der Kalk ausfällt, sich um lockere Sediment- und Bodenpartikel legt und diese dadurch verkittet. Zudem findet die Kalkkrusten-Bildung durch Stoffwechselvorgänge von Pflanzen und Entgasungsprozesse in turbulent fließenden Gewässern, wie z. B. in der Naukluft (siehe Kapitel 7.3.2), an Quellen oder während der Regenzeit statt.

Im Laufe geologischer Zeiträume konnten sich auf diese Weise mächtige Kalkanreicherungshorizonte bilden, die besonders gut am Fuße des Gamsberg-Passes im Kuiseb-Gebiet (Abb. 7.4) in unterschiedlichen Kalkkrusten-Terrassen studiert werden können. Ihre Bildung geht bis in die Zeit vor etwa 10 Mio Jahren zurück, ist aber bis heute noch nicht abgeschlossen. Durch ihr unscheinbares Aussehen und die geringe Mächtigkeit von durchschnittlich 5 m wird oft nicht wahrgenommen, dass ca. 1/3 der Landesfläche durch eine, wenn auch oft verwitterte, dünne Kalkkrustenschicht bedeckt ist.

Abb. 7.4: Die Terrassenflächen am Fuße des Gamsberg-Passes werden von Kalkkrusten aufgebaut

Auch wirtschaftlich ist die Bedeutung von Kalkkrusten nicht zu unterschätzen, denn sie dienen als Straßenbaumaterial, zur Zement- und Kalkherstellung und nicht zuletzt auch als Speichergestein für sekundäre Uranlagerstätten, wie sie besonders auf den weiten Flächen der Namib weitverbreitet sind.

7.1 Die Namib bei Swakopmund längs der Welwitschia-Route

Die Umgebung von Swakopmund ist für Besucher der zugänglichste Bereich der Namib. Die auch für normale Pkw gut zu befahrene Welwitschia-Route führt Sie durch einen geologisch sehr interessanten Teil des Namib-Parks. Um dorthin zu gelangen, biegen Sie ca. 2,5 km außerhalb von Swakopmund von der B 2 nach rechts in die C 28 ein. Nach etwa 15 km erreichen Sie die beschilderte Abzweigung zur Welwitschia-Route. Für die Fahrt in den Park ist eine Genehmigung (Permit) erforderlich, die Sie im Büro der Naturschutzbehörde in Swakopmund oder bei Namibia Wildlife Resorts (NWR) in Windhoek erhalten.

7.1.1 Die Mondlandschaft

Mehrere Aussichtspunkte entlang der Welwitschia-Route eröffnen Ihnen faszinierende Ausblicke auf die im Swakop-Tal gelegene Mondlandschaft.

Dieses eindrucksvolle Gebiet besteht im Wesentlichen aus Graniten, Marmoren und Glimmerschiefern der Damara-Sequenz, in die sich der Swakop-Fluss eingeschnitten hat. Diese **Damara-Granite**, die vor ca. 500 bis 460 Mio Jahren aus dem Erdinneren aufgestiegen sind, markieren die Endphase einer Gebirgsbildung, die sich in den verschiedenen Landesteilen Namibias insgesamt über einen Zeitraum von etwa 250 Mio Jahren hingezogen hat und zur Auffaltung des Damara-Gebirges führte. Heute ist dieser ehemals mächtige Hochgebirgszug durch Jahrmillionen andauernde Abtragungsprozesse bis hinab auf den mit Graniten durchsetzten Gebirgsrumpf eingeebnet worden. Im Bereich der Mondlandschaft wurde dieser Gebirgszug zusätzlich durch die seit mindestens 3 Mio Jahren anhaltende Erosionswirkung des Swakop-Flusses in eine sogenannte **Badland-Landschaft** umgewandelt, die durch ein Gewirr von karg bewachsenen, tief eingeschnittenen kleinen Tälern, scharfen Rinnen und niedrigen Höhenrücken charakterisiert ist (Abb. 7.5).

Badlands entstehen meist in „weichen", d. h. wenig verwitterungsresistenten und bereits tiefgründig verwitterten Gesteinen, und so erstaunlich es klingt: Unter ariden und semiariden Bedingungen stellt der Granit, der in der Mondlandschaft auftritt, ein „weiches" Gestein dar. Während Granit sehr resistent gegen chemische Lösungsverwitterung unter feuchten Klimabedingungen ist, löst er sich durch den in der Namib häufigen, ständigen Wechsel von großer Hitze am Tag und starker Abkühlung in der Nacht sowie Durchfeuchtung der Gesteinsoberflächen mit Nebel relativ rasch in seine Mineralbestandteile, den sogenannten „Kristallgrus" auf (siehe Kapitel 6.1.1.1). Auch dem selten fließenden

Abb. 7.5: Die Badlands der Mondlandschaft

Swakop-Rivier und sogar kleinen Zuläufen gelingt es dann, das lose oder gelockerte Korngefüge der Gesteine abzutragen und sich damit immer tiefer in den Untergrund einzuschneiden. Nicht zuletzt sorgt der fast permanent wehende Wind für eine intensive Gestaltung der Landschaft und den Abtransport des feinen Verwitterungsmaterials. Es entstehen die beschriebenen Badlands.

Die Entstehungsbedingungen der Mondlandschaft erklären auch ein anderes, flächenmäßig übergeordnetes geologisches Phänomen. Jeder Besucher, der zum Beispiel die weiter südlich gelegene Namib bereist hat, kennt die Große Randstufe (siehe Kapitel 7.3), welche die Namib nach Osten hin durch eine teilweise mehr als 1.000 m aufragende Steilkante begrenzt. Diese markante Stufe verläuft als mehr oder weniger einheitliche Front in einer Entfernung von durchschnittlich 120 km parallel zur namibischen Atlantikküste. Nur im ferneren Hinterland von Swakopmund bis in Höhe des Huab-Trockenflusses sind Relikte der Randstufe und auch nur teilweise in Form von einzelnen Bergzügen und isolierten Inselbergen anzutreffen, z. B. dem Erongo, den Spitzkoppen oder dem Brandberg. Dieser Bereich wird deshalb als **Randstufenlücke** bezeichnet. Wie am Beispiel der Mondlandschaft gesehen, steht dieses „Loch“ in der gewaltigen Randstufen-Formation mit dem Vorkommen der wenig verwitterungsresistenten Gesteine des Damara-Zeitalters in Verbindung. Im Verbreitungsgebiet dieser Gesteine konnte sich die Randstufe nicht erhalten. Sie wurde abgetragen, und es entstanden völlig gegensätzliche Landschaftstypen, wie zum Beispiel die Badlands der Mondlandschaft. Damit ist die Mondlandschaft ein sehr gutes Beispiel für den großen Einfluss der vorherrschenden Gesteinsart auf die Entstehung und Formung von Landschaften.

7.1.2 Dolerit-Gänge

Während Ihrer Tour durch die Namib treffen Sie entlang der Welwitschia-Route an zwei Stellen (Bake 8 und Bake 9) auf sogenannte Dolerit-Gänge, die eine genauere Betrachtung wert sind.

Dolerit ist ein schwarz-graues Ganggestein, das in seiner chemischen Zusammensetzung dem Basalt entspricht. Im Gegensatz zum Basalt, der als Lava aus Vulkanschloten oder aus Spaltensystemen an der Oberfläche austritt, ist das Vorkommen von Dolerit an magmatische Gänge gebunden, in denen die Schmelze unterirdisch erstarrt. Erst durch die Abtragung, welche die Deckschichten ausräumt, treten die Dolerit-Gänge an die Erdoberfläche (Abb. 7.6). Die Gänge können eine Längsausdehnung von vielen Zehner-Kilometern erreichen, während die Breite nur zwischen einigen Zentimetern bis zu mehreren Metern schwankt.

Aufgrund seiner hohen Verwitterungsresistenz hebt sich Dolerit landschaftlich oft als lang gestreckter Kamm aus dem durchdrungenen Nebengestein heraus, wie Sie es deutlich an der 8. Bake der Welwitschia-Route sehen können (Abb. 7.7). An der 9. Bake fahren Sie durch einen mächtigen Dolerit-Zug hindurch. Hier wird klar ersichtlich, wie die Verwitterung den dunklen Dolerit aus dem weniger verwitterungsresistenten hellen Granit „herauspräpariert“ hat.

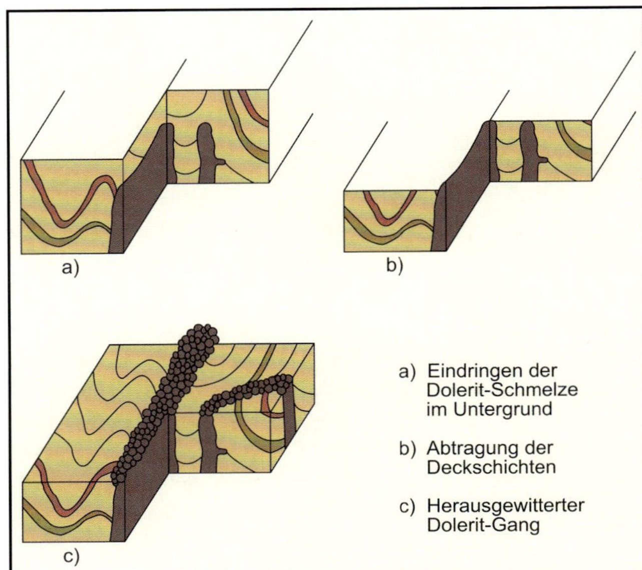

Abb. 7.6:
Schematische Entstehung von Dolerit-Gängen

Grafik:
Johanna Eifrig

Abb. 7.7: Durch die Verwitterung herauspräparierter Dolerit-Gang

Die Entstehung der Dolerit-Gänge begann vor etwa 130 Mio Jahren, als Vorbote des Auseinanderbrechens des Gondwana-Kontinents. Diese für das Gesicht der Erde so dramatische Epoche war in vielen Landesteilen Namibias durch eine stark gesteigerte magmatische Aktivität (**Post-Karoo-Vulkanismus**, siehe Kapitel 5.3 und 6.1) gekennzeichnet. Zu dieser Zeit kam es neben der Entstehung der Spitzkoppen, des Brandbergs und des Etendeka-Plateaus auch zur Bildung der weniger auffälligen Dolerit-Gänge, deren Entstehung aber auf die gleichen Ursachen zurückzuführen ist.

Die Verbreitung der Dolerit-Gänge ist nicht nur auf den Namib-Park beschränkt. Vor allem im Bereich der Spitzkoppen, des Brandbergs und entlang der Straße B 2 von Usakos nach Swakopmund können Sie noch zahlreiche Dolerit-Gänge entdecken, die alle aufgrund der erwähnten Prozesse entstanden sind und die als markante, schwarze Linien in Berghängen oder als dunkle Felskämme im Flachland zu erkennen sind.

7.2 Die Region um den Kuiseb

Die landschaftlich extreme und sehr lebensfeindlich anmutende Region um den Kuiseb-Fluss bildet den Übergang zwischen dem tiefen Steilabfall der Großen Randstufe im Osten und den weiten Flächen der Namib-Wüste im Westen. Wenn Sie auf der Straße C 14 von Walvis Bay nach Osten unterwegs sind, durchqueren Sie die endlos scheinenden Geröllfelder der Namib mit ihren vereinzelt aufragenden Inselbergen, die als 500 Mio Jahre alte Relikte des ehemaligen Damara-Hochgebirges übriggeblieben sind. Schließlich bietet sich Ihnen der atemberaubenden Blick auf die mehr als 1.000 m hohe Große Randstufe mit dem alles überragenden Gamsberg-Plateau (siehe Kapitel 7.3.1). Bevor Sie am Fuße dieses unüberwindlich scheinenden Geländehindernisses ankommen, führt Sie die Straße durch eine aus glitzernden Glimmerschiefern aufgebaute Badland-Landschaft (siehe Kapitel 7.1.1) und über den Kuiseb-Pass hinunter in das tief eingefurchte Tal des Kuiseb-Trockenflusses (Abb. 7.8).

Dieses Gebiet war während des Zweiten Weltkriegs für mehr als zwei Jahre der Zufluchtsort der beiden deutschen Geologen Hermann Korn und Henno Martin, die sich, um der drohenden südafrikanischen Internierung zu entgehen, in diese abgelegene Gegend zurückgezogen hatten. In dem Buch „Wenn es Krieg gibt, gehen wir in die Wüste" schilderte Henno Martin eindrucksvoll den Überlebenskampf in dieser Extremlandschaft; das Buch „Hermann Korn – Zwiegespräch in der Wüste" beschreibt das Leben des Freundes mit interessanten Briefen auch aus der Wüstenzeit und enthält Landschaftsaquarelle, die Korn damals malte.

Abb. 7.8: Die Badlands im Kuiseb-Tal

7.2.1 Der Kuiseb als Grenze des großen Sandmeeres

Der Kuiseb entspringt im Khomas-Hochland bei Windhoek und legt auf seinem Weg quer durch das Khomas-Hochland und die Namib-Wüste eine Strecke von insgesamt 300 km zurück, bevor er südlich von Walvis Bay in den Atlantik mündet.

Geomorphologisch wird der Kuiseb als **Fremdlingsfluss** bezeichnet, da er im Wesentlichen von Niederschlagswasser aus seinem Ursprungsgebiet gespeist wird und auf der langen Strecke durch die Wüste außer vom Gaub-Trockenfluss keine nennenswerten Zuflüsse erhält. Im Gegensatz zu anderen Fremdlingsflüssen, wie zum Beispiel dem Nil in Ägypten, fließt der Kuiseb allerdings nur episodisch während der Regenzeit.

Zudem ist der Kuiseb allein schon deshalb interessant, weil er die Nord-Grenze des großen Dünenmeeres der Namib darstellt. Während der Regenzeit verwandelt sich das trockene Bett des Kuiseb in seinen oberen und mittleren Abschnitten im Bereich der Wüste recht häufig in ein tosendes Wildwasser. Dadurch wird hier jegliche Sandanwehung fortgerissen und die nordwärts gerichtete Wanderung der Dünen damit immer wieder vereitelt. Nördlich des Kuiseb sind folglich keine größeren Dünenansammlungen mehr vorzufinden. Die Abbildung 7.9 zeigt diese erstaunliche Tatsache und verdeutlicht darüber hinaus, warum die westwärts, durch die Wüste fließenden Flüsse Namibias auch häufig als lineare Oasen bezeichnet werden.

Offensichtlich erfüllt der Kuiseb diese „Sperrfunktion" schon seit Urzeiten. Trotz der mehr als 3 Mio Jahre, in denen sich die Dünen der Namib bereits ausgebreitet haben, sind nördlich des Kuiseb keinerlei Spuren und Reste von ausgedehnten Sandansammlungen zu finden, ein Indiz dafür, dass der Kuiseb selber über 3 Mio Jahre alt sein muss. Lediglich an der Küste bei Walvis Bay konnte ein Gürtel von Barchandünen den Flusslauf überschreiten. Die Ausdehnung der Wüste hatte nicht nur zur Folge, dass sich die Dünen heute bis Swakopmund ausdehnen (siehe Kapitel 6.2.2). Vielmehr drängte der nordwärts schreitende Dünengürtel den Unterlauf des Kuisebs immer weiter nach Norden. Während der Fluss ursprünglich

Abb. 7.9: Wie ein grünes Band verläuft der Kuiseb-Trockenfluss an der Grenze zwischen dem Großen Dünenmeer der Namib und der nördlich liegenden Felswüste

bei Sandwich Harbour den Atlantik erreichte (wovon dort noch heute Frischwasseraustritte zeugen), wurde die Flussmündung heute bis kurz vor die Tore Walvis Bays verlagert.

Auf dem Satellitenbild (Abb. 7.10) können Sie das erwähnte Große Sandmeer der Namib und den Übergang zwischen diesen Dünenfeldern und den Geröllflächen der Fels-Namib nördlich des Kuiseb deutlich erkennen. Es zeigt:

- **Querdünen** im unmittelbaren Küstenbereich, die bis ca. 30 km ins Landesinnere reichen und sich in ihrer Längsausdehnung quer zur Hauptwindrichtung ausgebreitet haben;
- **Längsdünen** im zentralen Bereich der Wüste bis etwa 90 km von der Küste entfernt, die parallel zu den vorherrschenden Winden aus südlicher Richtung verlaufen;
- **Sterndünen** am Ostrand der Wüste bis ca. 120 km von der Küste entfernt, die von Winden aus verschiedenen Richtungen geformt werden.

Erwähnenswert in diesem Bild sind außerdem die deutlich hervortretenden Strandhaken der Lagunen von Walvis Bay (siehe Kapitel 6.2.3) und des südlich gelegenen Sandwich Harbour. Die wichtigsten Dünentypen zeigt Abbildung 7.11.

Abb. 7.10: Satellitenbild der zentralen Namib. Deutlich ist die scharfe Grenze zwischen dem Großen Sandmeer und der Fels-Namib zu erkennen

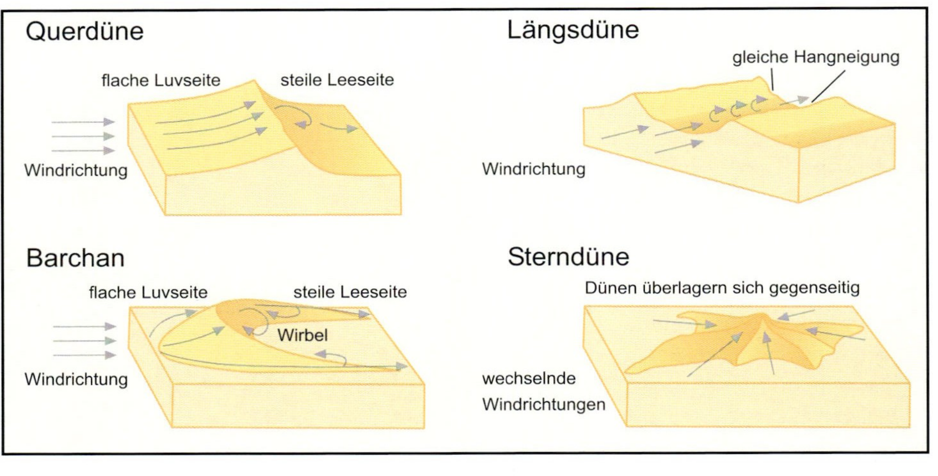

Abb. 7.11: Die wichtigsten Dünentypen in der Namib — Grafik: Johanna Eifrig

7.2.2 Der Kuiseb-Canyon

Den Kuiseb-Canyon erreichen Sie über die Straße C 14, die quer durch die Wüste von Walvis Bay nach Solitaire führt. Über den Kuiseb-Pass gelangen Sie in das Flusstal zur „Kuiseb-Brücke“. Von dort können Sie einen Spaziergang in den Canyon unternehmen und den geologischen Formenreichtum dieses kargen Gebietes bewundern. Einige Kilometer westlich der Kuiseb-Brücke führt Sie ein beschilderter Abzweig zum Karpfenkliff- und Kuiseb-Canyon-Aussichtspunkt, der Ihnen ebenfalls gute Einblicke in die geologische Entstehungsgeschichte dieses Gebiets gibt. Um diese Strecke zu befahren, benötigen Sie allerdings eine Genehmigung (Permit) vom Büro des Naturschutz-Ministeriums in Swakopmund.

Das ursprüngliche, bis zu 20 km breite Kuiseb-Tal (Proto-Kuiseb) wurde wahrscheinlich schon vor etwa 30 Mio Jahren in einer tektonischen Schwächezone des alten präkambrischen Grundgebirges angelegt. Das schon mehrfach erwähnte Damara-Gebirge und noch ältere Gesteine der Rehoboth-Sequenz waren zu dieser Zeit schon lange zu einer weiten Rumpffläche abgetragen. Auch die Große Randstufe lag durch rückschreitende Erosion bereits weit im Osten. Auf dieser uralten Landoberfläche bildeten sich weiträumig die ca. 20 Mio Jahre alten Sedimente der **Tsondab-Sandstein-Formation** (siehe Kapitel 7 und 7.4.1), die von einer noch älteren, fossilen Wüste im Bereich der heutigen Namib zeugen.

Der erste deutliche Hinweis auf fließendes Wasser im Proto-Kuiseb wird durch die ca. 14 Mio Jahre alte **Karpfenkliff-Konglomerat-Formation** belegt (Abb. 7.12), lange bevor der eigentliche Canyon durch Tiefenerosion entstand. Diese Sedimente sind Teile eines

Abb. 7.12: Die mächtigen Konglomerate der Karpfenkliff-Formation

ehemaligen Schuttfächers, der am Fuß der Großen Randstufe zur Ablagerung kam. Sie setzen sich aus Quarzitgeröllen des alten Damara-Gebirges und anderen abgerundeten Bruchstücken verschiedener Formationen, wie z. B. roten Sandsteinen, zusammen. Die Gesteinszusammensetzung deutet darauf hin, dass das Ursprungs- bzw. Liefergebiet des Karpfenkliff-Gerölls im Bereich des Gamsbergs (siehe Kapitel 7.3.1) lag, dessen Plateau noch heute aus diesen roten Sandsteinen aufgebaut wird.

Die eigentliche Entstehung des Kuiseb-Canyons wurde gegen Ende des Tertiärs durch ein erneutes Anheben der Küsten- und Randstufenregion Namibias hervorgerufen und durch regenreichere Klimaabschnitte verstärkt. Die größeren Wassermengen hatten eine intensivierte Tiefenerosion zur Folge. Erstaunlich ist, dass diese **Tiefenerosion** des Kuiseb zusätzlich im Quartär durch Ereignisse unterstützt wurde, die mehr als 10.000 km entfernt auf der Nordhalbkugel stattfanden. Durch die hier einsetzenden **Eiszeiten** wurden große Mengen Meerwasser als Eis gebunden, was weltweit ein Absinken des Meereswasserspiegels von bis zu 120 m zur Folge hatte. Dies bewirkte eine Erhöhung des Gefälles vom Land zum Meer, was auf der gesamten Erde die Erosionswirkung der Flüsse verstärkte und somit auch maßgeblich zur Entstehung des Kuiseb-Canyons beitrug.

Seit dieser Zeit schneidet sich der Kuiseb (Abb. 7.13) durch seine zuvor aufgeschotterten Terrassen aus Karpfenkliff-Konglomerat und durch die Wüstenablagerungen des

Abb. 7.13: Das Kuiseb-Flusstal

Tsondab-Sandsteins bis in das alte Grundgebirge hinein und formt damit bis zur Gegenwart den Kuiseb-Canyon. In relativ junger geologischer Vergangenheit vor etwa 20.000 Jahren bildeten sich vor allem bei Homeb im Namib-Naukluft-Park die sogenannten **Homeb-Silts**. Diese feinen Sedimentablagerungen deuten auf langsames Fließen des Kuiseb-Flusses mit relativ großer Wassermenge, denn sie liegen terrassenförmig oberhalb des heutigen Flussbetts

Abb. 7.14: Die feinen Ablagerungen der Homeb-Silts

(Abb. 7.14). Dies weist darauf hin, dass der Fluss zu dieser Zeit breiter war als heute und wesentlich mehr Wasser führte, was wiederum auf einen regenreicheren Zeitabschnitt schließen lässt. Diese Flussablagerungen können Sie heute bei Homeb, kurz bevor Sie in das eigentliche Flusstal einfahren, auf der linken Seite erkunden.

Ein Abstecher nach Homeb ist aber nicht nur wegen dieser Sedimente interessant. Hier sehen Sie in eindrucksvoller Weise, wie der Kuiseb die Grenze des Großen Sandmeeres der Namib-Wüste bildet. Während Sie auf dem nördlichen Flussufer noch auf den Schuttflächen der Namib stehen, sehen Sie im Süden erst das Flusstal, das mit großen grünen Bäumen bewachsen ist und sich wie ein Band durch die karge Landschaft zieht. Unmittelbar dahinter auf dem südlichen Ufer erheben sich die hohen Längsdünen der Namib. Die äußerst wirksame Sperrwirkung des Kuisebs ist hier besonders anschaulich. (siehe Abb. 7.9 auf Seite 176).

Eine weitere faszinierende Entdeckung können Sie auf dem Weg nach Homeb machen. Während Sie von der C 14 abbiegen und in Richtung Zebra Pan und Homeb fahren, sehen Sie nach etwa 40 km schwarze Gesteine wie Rippen aus den öden Flächen aufragen. Hier sehen Sie eine der interessantesten geologischen Erscheinungen Namibias, denn die schwarzen Gesteine sind nichts anderes als ein Überrest der basaltischen ozeanischen Kruste des ehemaligen Damara-Meeres (siehe Kapitel 2). Bei diesem Vorgang wurde die ozeanischen Kruste unter die kollidierenden Festlandssockel des Kongo- bzw. des Kalahari-Kraton geschoben (subduziert). Genau dort, wo die Kontinente „zusammenprallten", wurde jedoch ein Teil der Meereskruste von dem tiefer liegenden Ozeanboden abgeschert, anstatt unter den Kratonen in den Tiefen der Erde zu verschwinden. Durch den enormen Druck am Kollisionspunkt wurde der Basalt zu einem metamorphen Gestein umgewandelt, dem sogenannten Amphibolith, und in die übrigen Gesteine des Damara-Gebirges mit eingefaltet. Was Sie hier sehen, ist also nicht nur der letzte Überrest der Ozeankruste des Damara-Meeres. Dieser als **Matchless-Amphibolith-Belt** bezeichnete Gesteinszug markiert darüber hinaus in etwa die Grenze zwischen Kalahari- und Kongo-Kraton und den Kollisionspunkt dieser Ur-Kontinente! Es ist deshalb kaum verwunderlich, dass es entlang dieser Naht in der Erdkruste, die als schmaler, schwarzer Gesteinszugs mehrere 100 km in nordöstlicher Richtung durch die Glimmerschiefer des Damara-Gebirges verläuft, auch heute noch zu zahlreichen leichten Erdstößen kommt. Im ansonsten tektonisch so ruhigen Namibia deuten diese Naturerscheinungen nochmals auf die besondere Bedeutung des Matchless-Amphibolith-Belts hin, dessen Erkundung deshalb den Höhepunkt einer geologischen Tour durch West-Namibia darstellt.

Entlang dieses auch sehr erzreichen Horizonts liegen mehrere Minen und Prospektionsschächte, die vor allem zu Beginn des 20. Jahrhunderts betrieben wurden. Bei Hope und Gorob sind diese Spuren alter Prospektionsaktivitäten in Form von kleinen Halden noch zu erkennen. Der Rohstoffboom der letzten Jahre hat auch hier zu erneuten geologischen Untersuchungen geführt. Die grünen Minerale auf den Halden weisen darauf hin, dass in erster Linie Kupfer abgebaut wurde. Auch die Matchless- und Otjihase-Minen bei Windhoek verdanken ihre Existenz dem Amphibolith-Gesteinszug. Aufgrund des Erzgehaltes wurde der Matchless-Amphibolith-Zug von lokalen Farmern schon sehr früh als das „Kupferriff" (Abb.7.15) bezeichnet.

Abb. 7.15: Das „Kupferriff", die Naht zwischen zwei Ur-Kontinenten, zieht sich als schmales, schwarzes Band durch die Gästefarm Niedersachsen

7.3 Die Große Randstufe zwischen Gamsberg und Naukluft

Die Große Randstufe stellt eine der markantesten Landschaftsformen Namibias dar und ist direkt auf die plattentektonische Auflösung des Gondwana-Kontinents zurückzuführen. Seit rund 120 Mio Jahren hoben sich die Kontinentalränder rings um das gesamte südliche Afrika schüsselartig in die Höhe. Dieses gigantische geologische Ereignis wurde durch Ausgleichsbewegungen der Erdkruste im Anschluss an das Aufbrechen von Gondwana hervorgerufen.

Im Bereich Namibias wurde dadurch eine Geländestufe geschaffen, die heute in einem Abstand von 80 bis 130 km parallel zur namibischen Küste verläuft. Sie bildet eine fast lückenlose und bis über 1.000 m hohe, steile Kante, die über weite Teile Namibias zu verfolgen ist und welche die Namib-Wüste von den Binnenhochländern Zentral-Namibias trennt. Durch **rückschreitende Erosion**, die vor allem durch die Flusssysteme, welche die Randstufe durchbrechen, vorangetrieben wird, wird diese Kante immer weiter ins Inland zurückversetzt. Vor allem in Zeiten mit feuchterem Klima während des Tertiärs wurden große Mengen Erosionsmaterial in weitläufigen Schuttfächern am Fuße der Randstufe abgelagert oder durch Flüsse bis in den Atlantik transportiert. Mächtige Konglomeratlagen, wie z. B. im Kuiseb-Canyon (siehe Kapitel 7.2.2) oder im Sesriem-Canyon (siehe Kapitel 7.4.1), belegen diese Vorgänge. Zur Großen Randstufe gehören so eindrucksvolle Formationen wie der Gamsberg und das Naukluft-Gebirge.

Die wohl schönsten Aussichtspunkte auf der Großen Randstufe erreichen Sie über die Straße D 1275 längs des Spreetshoogte-Pass. Von hier haben Sie einen herrlichen Blick auf die weiten Ebenen der Namib-Wüste, die fast bis unmittelbar an den Fuß der Spreetshoogte heranreichen. Bei guter Sicht sehen Sie einzelne Inselberge aus dem bis zum Horizont reichenden Sandmeer aufragen. Die für diesen Teil der Namib typischen Inselberge stellen Erosionsrelikte eines ehemals mächtigen Gebirges dar, das in mehreren hundert Millionen von Jahren bis auf seinen tiefsten Sockel abgetragen wurde. Die entstandene Rumpffläche wird nun langsam unter den Sandmassen der Namib-Wüste begraben.

7.3.1 Der Gamsberg

Zum Gamsberg bzw. zum Gamsberg-Pass gelangen Sie von Windhoek kommend über die Straße C 26 oder von Walvis Bay und Solitaire aus über die Straße C 14.

Der schon von Weitem sichtbare Große Gamsberg ist mit 2.347 m der dritthöchste Berg Namibias. Er überragt das umliegende Hochplateau um ca. 450 m. Im Bereich der Großen Randstufe gelegen, fällt das Bergmassiv etwa 1.100 m tief zur Namib hin ab (Abb. 7.16). In der Sprache der Nama bedeutet Gams (ursprünglich Gans) „flacher Stein".

Abb. 7.16: Der Gamsberg als Teil der Großen Randstufe

Abb. 7.17: Damara-zeitliche Gesteine bauen die Bergregion nördlich des Gamsberg-Passes auf

Mit dem Fahrzeug können Sie diesen markanten Steilabbruch längs des Gamsberg-Passes überwinden, der Ihnen landschaftlich höchst eindrucksvolle Ausblicke eröffnet.

Die ältesten, unmittelbar am Aufbau des Gamsbergs beteiligten Schichten entstammen einer Zeit vor 1,1 Mrd Jahren (**Sinclair-Sequenz**). Während dieser Zeit wurden weite Teile Süd-west-Namibias von magmatischen Ereignissen erschüttert. Es kam zu Vulkanausbrüchen und nachfolgend zum Aufstieg von Magmen-Körpern (Plutonen), die meist aus granitischer Schmelze bestanden. Diese Plutone drangen in die umliegenden, älteren Gesteine ein und erstarrten zu den roten Graniten, welche den Gamsberg heute zu großen Teilen aufbauen.

Auch die **Damara-Gebirgsbildung**, die weite Teile Namibias prägte, hat ihre Spuren am Gamsberg hinterlassen. Zeugnisse dieses Ereignisses vor etwa 650 Mio Jahren sehen Sie nordwestlich des Gamsbergs, wenn Sie den Pass hinunter fahren. Dabei durchqueren Sie Glimmerschiefer und Quarzit-Gesteine, die hier das Damara-Zeitalter repräsentieren (Abb. 7.17). Der aufmerksame Beobachter wird außerdem an verschiedenen Stellen deutlich sichtbare Lagen schwarzer Gesteine entdecken. Dabei handelt es sich um sogenannte **Amphibolite**, die aus metamorph veränderten Dolerit-Gängen hervorgegangen sind. Während der Damara-Gebirgsbildung wurden diese magmatischen Lagen in große Erdtiefen versenkt, wo sie durch die dort herrschenden, extrem hohen Drücke und Temperaturen in die erwähnten Amphibolite umgewandelt wurden. Die Subduktion des Ozeanbodens unter die kollidierenden Festländer des Kalahari- und Kongo-Kratons und die anschließende Auffaltung der ehemaligen Meeressedimente fand nur wenige zehn Kilometer weiter nördlich des Gamsberg-Passes statt. Wenn Sie von hier auf den Gamsberg blicken, sehen Sie den Kontakt zwischen dem uralten Gamsberg-Granit des Kalahari-Kratons und den jüngeren Gesteinslagen aus der Damara-Zeit, die erst durch die Auffaltung des Damara-Gebirges in den heutigen namibischen Teil des afrikanischen Kontinents eingefügt wurden. Die Verbreitung der **Gamsberg-Granite** stellt also nichts anderes als die Nordgrenze des alten Kalahari-Kratons dar. Nach Abschluss der Damara-Gebirgsbildung folgten in diesem Teil Namibias, bis auf wenige Ausnahmen, Jahrmillionen der Verwitterung und Abtragung.

Jüngere Ablagerungen sind am Gamsberg nur auf dem Plateau selbst zu finden. Dabei handelt es sich um Überreste versteinerter Wüstensande, die vor ca. 130 Mio Jahren diesen Teil Namibias bedeckten. Damit sind diese harten Quarzitlagen vermutlich genauso alt wie die roten Sandsteine von Twyfelfontein (siehe Kapitel 5.1.2), auf denen die Ureinwohner Namibias ihre Kunstwerke hinterlassen haben. Diesen verwitterungsresistenten, aus versteinerten Dünen hervorgegangenen Quarzit-Gesteinen hat der Gamsberg seinen Tafel- und Inselberg-Charakter zu verdanken. Die Quarzit-Platte, welche das Plateau des Großen Gamsbergs bildet, hat eine Ausdehnung von ca. 3 km^2. Direkt auf dem Gamsberg-Granit aufliegend und durch eine deutlich sichtbare Diskordanz (neu einsetzende Sedimentation nach langer Erosionsphase, siehe Kapitel 2) von dieser getrennt, erreicht diese Platte, die immerhin seit 120 Mio Jahren der Abtragung unterlag, immer noch eine Mächtigkeit von 20–30 Metern (Abb. 7.18).

Auf der Quarzit-Platte sind sehr gut gerundete Quarzgerölle zu finden. Diese Gerölle stellen Ablagerungen von Flüssen dar, die einst über das Gamsberg-Plateau geflossen

Abb. 7.18: Die Quarzit-Platte auf dem Gamsberg wird von versteinerten Dünensanden gebildet

Abb. 7.19: Mit Sand verfüllte Erdbebenspalten zeugen von den gigantischen tektonischen Vorgängen, als sich der Atlantik öffnete

sind. Damit wird noch einmal deutlich, dass das Gamsberg-Plateau nur den Rest einer ehemals riesigen **Landoberfläche** aus der frühen Tertiärzeit vor ca. 65 Mio Jahren bildet. Noch faszinierender ist aber eine Entdeckung, die Sie während einer Tour auf das Plateau machen können und die aus der tektonisch so aktiven Zeit vor etwa 120 Mio Jahren stammt, als sich der Atlantische Ozean öffnete. Dieses, von Erdbeben und Vulkanausbrüchen begleitete gigantische Ereignis hat am Gamsberg seine Spuren in Form von fossilen **Erdbebenspalten** hinterlassen, die mit Quarzit wiederverfüllt sind (Abb. 7.19).

Geführte Safaris auf das Plateau werden von nahegelegenen Gästefarmen durchgeführt und sind nicht nur wegen des atemberaubenden Blickes, sondern auch wegen der faszinierenden Geologie lohnenswert. Eine Voranmeldung ist erforderlich.

Die Abtragungsvorgänge am Gamsberg-Plateau gehen ununterbrochen weiter, und in vielen Jahrmillionen wird auch dieser Berg trotz seiner jetzt noch schützenden Quarzit-Kappe durch seitlich ansetzende Erosion vollständig eingeebnet sein – eine kaum nachvollziehbare Vorstellung beim Anblick eines so beeindruckenden Massivs.

7.3.2 Die Naukluft

Das Büro des Ministeriums für Umwelt und Tourismus, bei dem Sie sich für Wanderungen im Naukluft-Gebirge anmelden müssen, erreichen Sie über die Straße D 854, die bei Büllsport von der C 14 nach Westen abzweigt. Nach wenigen Kilometern sehen Sie auf der rechten Seite den Park-Eingang. Bis zum Büro sind es noch 10 km. Innerhalb des Naukluft-Parks können Sie sich fast nur zu Fuß fortbewegen. Es gibt zwei Tageswanderrouten, die eine gute Kondition voraussetzen, aber ohne Voranmeldung begangen werden dürfen. Eine 4- bzw. 8-tägige Route, die nur für erfahrene Wanderer geeignet ist, sowie eine Geländewa-

Abb. 7.20: Blick auf das Naukluft-Gebirge

genroute erfordern Voranmeldung beim Reservierungsbüro von Namibia Wildlife Resorts (NWR) in Windhoek.

Das Naukluft-Gebirge ist in seiner Entstehung eines der kompliziertesten geologischen Gebilde Namibias. Seinen Namen verdankt die Naukluft den engen (afrikaans: nau) Schluchten (afrikaans: kloof), die Sie vor allem an der Ostseite des Gebirges antreffen. Auf einem Sockel aus Grundgebirge und flachliegenden jungpräkambrischen Nama-Schichten liegend, stellt die Naukluft ein aus mehreren tektonischen Einheiten bestehendes sogenanntes Deckengebirge im Bereich der Großen Randstufe dar.

Das Grundgebirge, welches vorwiegend im Westen und Norden der Naukluft aufgeschlossen ist, besteht aus etwa 1,5 Mrd Jahre alten Gneisen, Graniten und Vulkaniten der **Rehoboth- bzw. Sinclair-Sequenzen**, die weite Teile Südwest-Namibias aufbauen. Auf diesem Komplex, der nichts anderes ist als der eingeebnete Überrest (Rumpffläche) eines uralten Gebirges, lagern die Schichten der ca. 540 Mio Jahre alten **Nama-Gruppe** auf. Diese Schichten werden hier hauptsächlich aus Schwarzkalk-Schichten der Kuibis-Untergruppe (siehe Kapitel 8.1) gebildet, die sich in einem Flachmeer ablagerten, welches einst die Rumpffläche auf dem Kalahari-Kraton überflutete.

Das eigentliche Naukluft-Deckengebirge (Abb. 7.20), das sich auf diesem Untergrund erhebt, setzt sich aus sechs Einzeldecken zusammen, die großteils aus Dolomit und Kalk

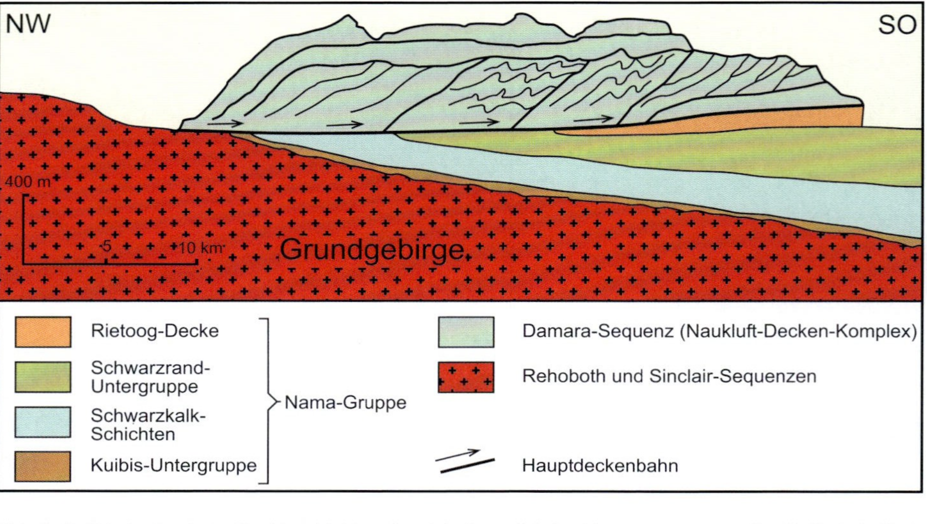

Abb. 7.21: Schnitt durch das Naukluft-Gebirge (vereinfacht nach Münch) Grafik: Kathrin Beck

bestehen und dem Damara-Zeitalter zugerechnet werden (Abb. 7.21). Eine weitere Decke, die aus nama-zeitlichem Schwarzkalk gebildet wird, wurde durch den Deckentransport vom Untergrund abgehobelt und vor dem Deckenstapel hergeschoben. Sie liegt nun also sogenannte Rietoog-Decke am Südostrand des Gebirges.

Die Entstehung von **Deckengebirgen**, wie sie auch in den europäischen Alpen zu finden sind, steht immer im Zusammenhang mit der Kollision von Platten der Erdkruste und einer damit verbundenen Gebirgsbildung. Bei diesen gewaltigen, durch die inneren Kräfte der Erde gesteuerten Vorgängen werden riesige Gesteinspakete (Decken) übereinander geschoben und auf diese Weise zu hohen Gebirgen aufgetürmt. Für diese Prozesse muss jedoch in der Regel eine Voraussetzung erfüllt sein: Die Gesteinsdecken müssen auf einer Art „Schmiermittel" gleiten können, welches die Reibung zwischen den Gesteinen herabsetzt und somit den Transport von Decken erst ermöglicht. Häufig erfüllen stark salzhaltige Sedimente diese Funktion. Bei der Plattenkollision werden diese Salze durch hohe Drücke und Temperaturen in einen plastischen, gelartigen Zustand versetzt. Damit wird eine mobile Unterlage geschaffen, durch die das gesamte darüberliegende Gesteinspaket durch Einfluss tektonischer Schubkräfte in Bewegung gerät. Begleitet von Erdbeben können diese Decken auf der plastischen „Schmiermasse" bis zu einigen 100 km weit transportiert werden.

Genau diese Vorgänge haben sich auch bei der Bildung des Naukluft-Gebirges abgespielt. Berechnungen haben ergeben, dass die Gesteine des Naukluft-Deckengebirges mindestens 78 km weit transportiert wurden.

Der Deckentransport und somit die Entstehung der Naukluft steht in ursächlichem Zusammenhang mit der **Damara-Gebirgsbildung** vor ca. 550–530 Mio Jahren, welche durch den Zusammenstoß von Kongo- und Kalahari-Kraton hervorgerufen wurde. An der Südflanke des Damara-Gebirges gelegen, gerieten die Gesteine der heutigen Naukluft-Berge auf dem Höhepunkt der Gebirgsbildung durch druckbedingte „Verflüssigung“ von darunterliegenden, stark salzhaltigen Sedimenten ehemaliger Salzseen in Bewegung. Auf diesem Gleitmittel wurde das riesige Naukluft-Massiv mit Ausmaßen von 68 km Länge und 25 km Breite durch die bei der Plattenkollision freigesetzten tektonischen Kräfte in einem Stück aus dem Gebiet des heutigen Gamsbergs in südöstliche Richtung bis in seine heutige Position geschoben, wo es seit ca. 495 Mio Jahren auf den jüngeren Nama-Schichten aufliegt.

Abb. 7.22: Dieses bräunliche Gestein diente als Gleitmittel beim Deckentransport

Das faszinierende Gleitmittel der Deckengleitbahn ist für den aufmerksamen Beobachter an verschiedenen Stellen als Gestein im Gelände zu entdecken. Wenn Sie den Trockenfluss vom Zeltplatz des Parkes für ca. 20 Minuten flussabwärts laufen, finden Sie das Gleitmittel an der linken Flussseite gelegen (Abb. 7.22).

Wenn Sie die Straße D 854 südlich der Naukluft entlang fahren, können Sie einen Beweis für diese Vorgänge begutachten. An den Berghängen sehen Sie den Kontakt zwischen den helleren Naukluft-Gesteinen und den darunterliegenden Nama-Schichten. Dies ist nichts anderes als die ehemalige **Deckengleitbahn** des Naukluft-Massivs, die sich aus dem beschriebenen salzhaltigen „Schmiermittel“ aufbaut und die wie eine flache Schüssel das

Abb. 7.23: Der Kalktuff-Wasserfall „Blässkopf" entlang der Straße C 14

gesamte Naukluft-Gebirge unterlagert. Der aufmerksame Beobachter kann diese Gleitbahn noch an anderen Stellen im Gelände erkennen.

Mit dem Ende des Deckentransports kam das Naukluft-Massiv jedoch noch lange nicht zur Ruhe. Jahrmillionen andauernde **Verkarstungsvorgänge** (siehe Kapitel 4.1.1) haben vor allem in feuchteren Zeiten ein gewaltiges unterirdisches Entwässerungs- und Hohlraumsystem in die Dolomite der Naukluft-Decken gefressen. Auf diesen unterirdischen Regenwasserreservoirs beruhen die zahlreichen Quellen und Wasserfälle in der Naukluft. Die für das Gebirge typischen **Kalktuff-Ablagerungen** sind ebenfalls auf die immerwährende Lösungstätigkeit des Wassers zurückzuführen. Sie sind ein Hinweis auf feuchtere Zeitabschnitte innerhalb der Erdgeschichte, wie sie z. B. während des Tertiärs in Namibia geherrscht haben. Wenn Regen- oder auch Grundwasser durch das karbonathaltige Gestein der Naukluft fließt, löst das Wasser dieses teilweise auf und führt das gelöste Karbonat mit sich (siehe Kapitel 4.1.1). Tritt dieses Wasser dann an einer Quelle aus, scheidet sich das Karbonat durch Verdunstung und Druckentlastung wieder ab. Auf diese Weise bildeten sich die zum Teil recht hohen Kalktuff- oder Travertinwände, die Sie vor allem auf dem Waterkloof-Tageswanderweg oder längs der C 14 (Abb. 7.23) sehen können.

Schon für den prähistorischen Menschen stellte die Naukluft einen wichtigen **Wasserspeicher** mit nie versiegenden Quellen und Wasserläufen dar (Abb. 7.24). Mit seinem System

Abb. 7.24: Mitten im Naukluft-Gebirge überraschen klare, kühle Wasserpools den Wanderer

von Hohlräumen wirkt das Gebirge wie ein Schwamm, der die Niederschlagswässer aufsaugt und diese für lange Zeit, geschützt vor der brennenden Sonne, zum Wohle von Mensch und Tier speichert.

7.3.3 Die Remhoogte

Über den Remhoogte-Pass, der entlang der Straße C 24 verläuft, haben Sie eine weitere Möglichkeit die Große Randstufe zu überqueren.

Der Steilabfall der Großen Randstufe im Bereich der Remhoogte beeindruckt nicht so sehr durch einen spektakulären Ausblick wie z. B. an der Spreetshoogte, sondern vielmehr durch seine interessanten geologischen Formationen und Faltenstrukturen.

Während das Gebiet nördlich des Passes dem etwa 1,5 Mrd Jahre alten präkambrischen Grundgebirge (**Rehoboth-Sequenz**) zuzuordnen ist, werden die südlichen Berghänge von wesentlich jüngeren Sedimenten aufgebaut. Die dunklen Schichten an der Basis des Geländeeinschnitts bestehen aus den ca. 540 Mio Jahre alten Sedimenten der Nama-Gruppe, die auch die Zaris-Berge (siehe Kapitel 7.3.4) aufbauen, während der obere Teil der Bergflanken aus hellen Dolomit-Gesteinen des **Naukluft-Decken-Komplexes** gebildet wird.

Die beeindruckenden **Faltenstrukturen** (Abb. 7.25), die Sie an den südlichen Berghängen im unteren Bereich des Passes sehen können, stehen mit der Bildung des Naukluft-Gebirges in Zusammenhang (siehe Kapitel 7.3.2). Immer wenn die Verschiebung der Naukluft-Decken über die darunterliegende, aus Nama-Sedimenten bestehende, Landoberfläche gestört wurde, z. B. wenn das unentbehrliche „Gleitmittel" in Form der plastischen Salzlagen ausfiel und die Überschiebung deshalb „hakte", erhöhte sich die Reibung mit dem Untergrund. Dadurch kam es stellenweise, wie hier an der Remhoogte, zur Bildung von Faltenstrukturen im Deckgestein. Die schön ausgebildeten Falten in den Naukluft-Decken weisen damit auf die Dynamik geologischer Vorgänge hin, auch wenn sich diese enorm langsam über Jahrmillionen hinziehen.

Abb. 7.25: Faltenstrukturen in einer Felswand am Remhoogte-Pass

Der Remhoogte-Pass selber weist auf ein weiteres geologisches Phänomen hin. Der Pass verläuft durch einen tiefen Taleinschnitt in der Randstufe, der wiederum auf eine tektonische Bruchzone zurückzuführen ist. Sie können den Verlauf dieser **Störung** anhand des Fließwegs des Noab-Trockenflusses, einem Seitenarm des Tsondabs, nachvollziehen. Wie viele andere Flüsse nutzte auch der Noab den einfachsten Weg zur Anlage seines Betts. Längs geologischer Störungszonen können Fließgewässer meist wesentlich einfacher vorwärtskommen und sich dabei ein Bett graben, als zum Beispiel im rechten Winkel zu diesen Strukturen. Auf diese Weise hat der Noab unter Zuhilfenahme uralter geologischer Bedingungen eine mächtige Kerbe in die Große Randstufe geschnitten, die Sie nun zur Überquerung der Großen Randstufe längs des Remhoogte-Passes nutzen können.

7.3.4 Die Zaris-Berge

Die Zaris-Berge liegen südlich der Naukluft. Einen guten Blick auf das Gebirge haben Sie von der Straße D 854, der Verbindung zwischen der Farm Büllsport und der Straße C 19, dem Zufahrtsweg zum Sossusvley.

Die Zaris-Berge, die ebenfalls der Großen Randstufe zugeordnet werden, beeindrucken nicht nur wegen ihrer geologischen Entstehungsgeschichte als Teil der Nama-Plattform, sondern wegen ihrer auffallenden Landschaftsformen und vor allem wegen ihrer Fossilvorkommen.

Abb. 7.26: Die Flachmeer-Ablagerungen der Nama-Gruppe im Bereich der Zaris-Berge vom Fuß der Randstufe gesehen

Die Zaris-Berge bestehen aus den ca. 540 Mio Jahre alten Kuibis- und Schwarzrand-Schichten der **Nama-Gruppe**, die auf dem etwa 1,2 Mrd Jahre alten Grundgebirge der **Sinclair-Sequenz** aufgelagert sind. Trotz ihrer geografischen Nähe zum Naukluft-Gebirge ist die geologische Entstehungsgeschichte der Zaris-Berge eine andere. Der morphologische Unterschied zwischen dem massigen Naukluft-Deckengebirge und den deutlich geschichteten Zaris-Bergen ist schon im Vorbeifahren klar zu erkennen.

Die Gesteine der Zaris-Berge wurden in einem Flachmeer abgelagert, das sich nach einer Transgression (Meeresüberflutung) auf der **Nama-Plattform** (siehe Kapitel 8.1), einem schon zu dieser Zeit längst abgetragenen Gebirgsrumpf des Grundgebirges, ausgebreitet hatte. Diese Sedimentation führte zu der deutlich sichtbaren, fast horizontalen Schichtung, die darauf hinweist, dass die natürliche Lagerung nicht nachträglich durch tektonische Kräfte gestört wurde (Abb. 7.26). Dies ist erstaunlich, da es ja zur etwa gleichen Zeit nördlich

Abb. 7.27: Stromatolithen-Riff auf der Zebra River Lodge, der Lebensraum von *Namacalathus hermanastes*

des Flachmeers zur Auffaltung des mächtigen **Damara-Gebirges** kam. Die Ursache für die ungestörte Schichtung hängt mit dem tektonisch stabilen Untergrund des Kalahari-Kratons zusammen, auf dem sich das Nama-Meer ausbreitete. Der alte Kalahari-Kraton, als Grundbaustein des südlichen Afrikas, war durch die bereits früher durchlaufene Gebirgsbildung derartig verfestigt und versteift, dass er durch keine weitere Gebirgsbildung erfasst und beeinflusst werden konnte. Lediglich der Nordrand der Nama-Plattform wurde durch den Deckentransport der Naukluft-Schichten tektonisch geprägt.

Die Nama-Gruppe ist wegen ihres Fossilinhalts von besonderer Wichtigkeit und ein weltweit begehrtes Forschungsobjekt. Hier wurde nicht nur zum ersten Mal (1908) die weltberühmte **Ediacara-Fauna** (Abdrücke von präkambrischen Weichkörper-Fossilien) beschrieben, sondern hier wurde während der 1990er Jahre auch das älteste hartschalige Fossil der Welt mit Namen *Namacalathus hermanastes* gefunden, das bisher nur an ganz wenigen Plätzen auf der Erde nachgewiesen wurde (Abb. 7.27). Diese Entdeckung war deshalb so aufsehenerregend, weil durch eine darüberliegende Ascheschicht, die vor genau 548,68 Mio Jahren gebildet wurde, eine genaue Altersgrenzziehung zwischen dem Präkambrium und dem Kambrium (etwa um 542 Mio Jahren vor heute) möglich wurde. Mit Beginn des Kambriums kam es zu der sogenannten **Kambrischen Faunen-Explosion**, d. h. zur plötzlichen Bildung und Vermehrung einer Vielzahl höherer, mehrzelliger Organismen, auf die alle unsere heutigen Lebensformen (inklusive des Menschen) durch Evolution zurückzuführen sind.

Abb. 7.28: Die abwechslungsreiche Landschaft der Zaris-Berge lädt zu ausgedehnten Wanderungen ein

Die Schichten der Zaris-Berge weisen unterschiedliche Farbtöne auf. Die häufig dunkle Färbung der Kalksteine ist ein Hinweis auf sogenannte **anaerobe Bedingungen** während der Ablagerung. Das an Lebewesen so reiche Flachmeer produzierte eine enorme Menge an abgestorbenem organischen Material, das am Meeresboden rasch mit kalkigen Sedimenten überlagert wurde. Durch diese schnelle Abdeckung wurde die Sauerstoffzufuhr abgeschnitten, sodass die Zersetzung der organischen Sedimentanteile unter Sauerstoffabschluss (anaerob) erfolgte. Somit konnte das Material nicht vollständig von Mikroorganismen beseitigt werden. Es „vermoderte" und rief damit eine schwarze Färbung des Kalkschlamms hervor, der nach anschließender Verfestigung die heutigen Schwarzkalk-Gesteine bildete.

Die hellen Gesteinsschichten in den Zaris-Bergen, die aus Quarziten bestehen, weisen dagegen auf sandigere Ablagerungsphasen mit besserer Sauerstoffdurchmischung hin. Somit sind die Zaris-Berge ein Beispiel dafür, wie in der Geologie anhand von Gesteinsablagerungen die Lebens- und Umweltbedingungen vor vielen Jahrmillionen rekonstruiert werden können.

Die Bildung der markanten Täler und Canyons der Zaris-Berge (Abb. 7.28) wurde im Wesentlichen nach Heraushebung der Kontinentalränder und während der feuchteren Phasen des Tertiärs durch die Erosionskraft des Tsauchab-Flusses und seiner Nebenflüsse eingeleitet. Das dabei abgetragene Gesteinsmaterial spielte dann während der jüngeren geologischen Geschichte der Umgebung eine wesentliche Rolle bei der Entstehung des Sesriem-Canyons (siehe Kapitel 7.4.1).

7.4 Der Sesriem-Canyon und das Sossusvley

Der Sesriem-Canyon und die Landschaft um das Sossusvley gehören zu den meistbesuchten geologischen Sehenswürdigkeiten Namibias. Westlich der Großen Randstufe gelegen, bilden sie attraktive Anziehungspunkte in den weiten Flächen der Namib-Wüste.

7.4.1 Der Sesriem-Canyon

Nach Sesriem gelangen Sie über die Route C 19, eine Verbindungsstraße zwischen Solitaire und Maltahöhe. Von Solitaire sind es ca. 70 km und von Maltahöhe ca. 150 km bis nach Sesriem. Besucher des Sesriem-Canyons und des Sossusvleys müssen sich am Eingang des Parks im Naturschutz-Büro anmelden. Der Sesriem-Canyon selber liegt ca. 5 km südlich des Büros.

Die geologische Vergangenheit des Sesriem-Canyons, der seinen Namen von den ersten Siedlern erhielt, die sechs Riemen (afrikaans: ses rieme) aneinander binden mussten, um aus dem Canyon Wasser schöpfen zu können, begann im mittleren Tertiär vor ca. 20 Mio Jahren. Zu dieser Zeit herrschte wie in der heutigen Namib ein echtes Wüstenklima. Weite Teile des Landes waren mit bis zu 200 m mächtigen Wüstensanden bedeckt, die sich später zur **Tsondab-Sandstein-Formation** verfestigten. Wie so oft in der Erdgeschichte kam es aber zu einem Klimawechsel, und es stellten sich feuchtere (semi-aride) Bedingungen ein. Es bildeten sich zahlreiche Flüsse, die im Bereich der Großen Randstufe im Osten entsprangen und (im Gegensatz zu heute) sogar den Atlantik erreichten. Dazu gehörte auch der Tsauchab-Fluss, der große Mengen Abtragungsschutt und gelöste Karbonate aus dem nahegelegenen Naukluft- und Zaris-Gebirge mit sich riss und dieses Material in bis zu 50 m mächtigen Schotterfächern am Fuß der Großen Randstufe auf die Wüstensande der Tsondab-Formation aufschüttete. Das im Flusswasser mitgeführte Karbonat wurde dabei ausgeschieden und führte zu einer **Zementation** (Verkittung) der abgelagerten Sande und Gerölle. Dadurch bildeten sich die Konglomerate der **Karpfenkliff-Formation** (siehe Kapitel 7.2.2). Die Abbildung 7.29 zeigt die Entstehung des Sesriem-Canyons am Fuß der Großen Randstufe.

Die eigentliche Bildung des Canyons wurde durch erneute Erdkrustenanhebungen am Ende des Tertiärs ausgelöst, die durch eine **Meeresspiegelabsenkung** im Quartär weiter intensiviert wurden. Diese Absenkung stand mit den auf der Nordhalbkugel einsetzenden Eiszeiten in Verbindung. In den dortigen Gletschern wurden so große Mengen Meerwasser als Eis gebunden, dass der Meeresspiegel weltweit bis zu 120 m absank. Dies führte zu einer Erhöhung des Gefälles zum Meer und somit zu einer Verstärkung der Erosionskraft der Fließgewässer. Dies hatte zur Folge, dass sich der Tsauchab-Fluss in seine eigenen, zuvor abgelagerten konglomeratischen Sedimente einschneiden konnte, ein Vorgang der z. B. auch bei der Bildung des Kuiseb-Canyons (siehe Kapitel 7.2.2) eine wesentliche Rolle spielte. Die Erosionsvorgänge, welche den kleinen, ca. 30 m tiefen und etwa 3 km langen Canyon

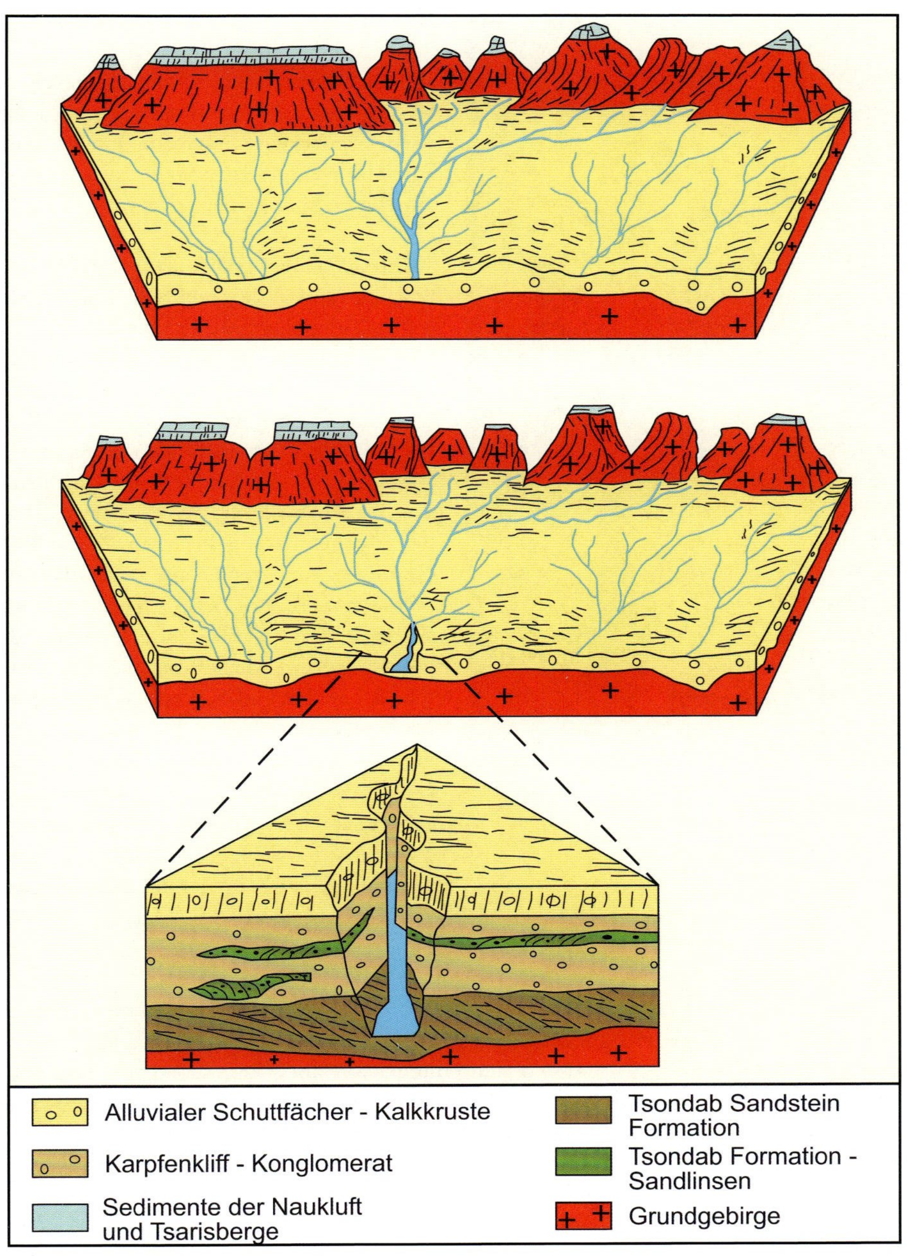

Abb. 7.29: Schematische Entstehung des Sesriem-Canyons Grafik: Johanna Eifrig

Abb. 7.30: Die Wände des Sesriem-Canyons sind ein „geologisches Lesebuch“

entstehen ließen, zeigen immer noch Wirkung, wenn in guten Regenjahren das Wasser mit hoher Geschwindigkeit durch die Schlucht schießt. Allerdings sorgen die nun wieder vollariden Klimabedingungen dafür, dass die weitere Ausprägung des Canyons zunehmend langsamer verläuft.

Während eines Spaziergangs durch den Sesriem-Canyon können Sie dessen geologische Entstehungsgeschichte an den steilen Felswänden ablesen. Deutlich sehen Sie eine Wechsellagerung von feinsandigen Lagen und mächtigen Geröllschichten (Abb. 7.30). Diese Abfolge der Sedimente spiegelt die unterschiedliche Wasserführung des Tsauchab-Flusses während der einzelnen Sedimentationsphasen wider. Grobe Geröllschichten deuten auf stark fließendes Wasser mit großer Transportkraft und somit auf hohe Niederschläge hin, während feinkörnigere Sand-Ablagerungen ein Indiz für schwächer fließendes Wasser aufgrund geringerer Regenfälle sind. Die mehrere Meter dicken, heute zementierten Sandablagerungen im unteren Bereich der Canyon-Wände gehören zu den bereits mehrfach erwähnten Tsondab-Sandsteinen, die unter Wüstenbedingungen wie in der heutigen Namib-Wüste abgelagert wurden, bevor die eigentliche Flussentwicklung des Tsauchabs begann. Anhand solcher Aufschlüsse können Geologen die Klimageschichte der gesamten Region rekonstruieren.

Nach guten Regenzeiten steht auch heute noch mehrere Monate lang Wasser in der Schlucht. Zahlreiche Bäume, in deren Ästen sich Schwemmgut verfangen hat, zeigen sehr eindrucksvoll, wie stark die Fluten im Canyon anschwellen können. Dennoch fließt der Tsauchab, der sich vor Hunderttausenden von Jahren noch bei Meob Bay in den Atlantik ergoss, heute nur noch sporadisch für weitere 65 km in die Wüste hinein, bevor er im Sossusvley endgültig versickert.

7.4.2 Das Sossusvley

Um zum Sossusvley zu gelangen, benutzen Sie die gleiche Anfahrtsroute wie nach Sesriem. Allerdings sind es vom Eingang des Namib-Naukluft-Parks bis zu den Dünen am Sossusvley noch ca. 65 km. Nach 60 km erreichen Sie den Parkplatz für nicht allradgetriebene Fahrzeuge. Von dort aus geht es nur noch zu Fuß oder per Geländewagen weiter. Mit einem Allradfahrzeug können Sie die letzten 5 km durch tiefen Sand bis zum Sossusvley fahren. Ein Shuttle-Dienst für die letzten 5 km ist vorhanden.

Die roten Dünen am Sossusvley zählen zu den beeindruckendsten Naturschätzen Namibias. Mit einer relativen Höhe von ca. 375 m über dem Tsauchab-Trockenfluss und einem Höhenunterschied von ca. 225 m zu den benachbarten Tälern zählen diese Dünen zu den höchsten der Welt.

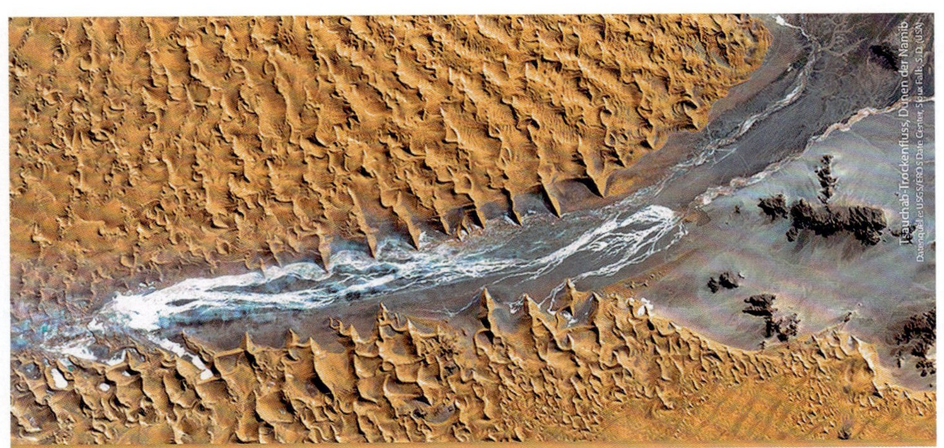

Abb. 7.31: Satellitenbild des Tsauchab-Trockenflusses und der Sterndünen am Sossusvley

Wie für den östlichen Bereich der Namib-Wüste typisch, gehören die Dünen am Sossusvley dem Typus der **Sterndünen** (siehe Abb. 7.11 auf Seite 178) an. Diese entstehen durch etwa gleichstarke Winde aus unterschiedlichen Himmelsrichtungen. Das Satellitenbild in Abb. 7.31 zeigt die Sternform dieser Dünen sehr anschaulich.

Das Fundament der Dünen besteht aus den etwa 20 Mio Jahre alten **Tsondab-Sandsteinen**, die – wie schon beim Sesriem-Canyon erwähnt – die versteinerten Dünensande einer „Ur-Namib“ darstellen. Somit ergibt sich am Sossusvley das faszinierende Bild einer Wüste, die auf den versteinerten Zeugnissen einer noch älteren Wüste auflagert. Beide Wüsten sind jedoch zeitlich durch eine Periode feuchteren Klimas getrennt worden. Zeugnisse der

Abb. 7.32: Hinweise auf alte Dünenablagerungen liegen unter den jetzigen Namib-Dünen verborgen

„Ur-Namib" können Sie direkt hinter der Landebahn von Sesriem finden. Dort liegen an ihrer rot-violetten Färbung erkennbare, versteinerte Dünen unter den jetzigen Dünensanden (Abb. 7.32).

Vereinzelte Inselberge, die in der Nähe des Sossusvleys aus dem Dünenfeld herausragen, weisen darauf hin, dass unter den Dünen des Sossusvley und unter der Tsondab-Sandstein-Formation das präkambrisches Grundgebirge der **Sinclair-Sequenz** als tiefster Sockel Südwest-Namibias verborgen liegt.

Die Rotfärbung der Dünensande ist typisch für diesen östlichen Teil der Namib. Im Allgemeinen wechselt die Färbung innerhalb der Namib von gelb-grau im Westen zu rot im Osten. Die Rotfärbung der Sossusvley-Dünen wird durch **Eisenoxid** hervorgerufen, das die Sandkörner als dünnen Film überzieht. Das „Rosten" von Eisen setzt voraus, dass die entsprechenden Sandkörner seit ihrer Entstehung für lange Zeit unter atmosphärischen Bedingungen (Luftzufuhr) gestanden haben. Der Sand wurde also nicht durch Flüsse ins Meer transportiert, sondern vor allem durch Windkraft fortbewegt. Solche Bedingungen sind meist nur in zentralen Festlandsgebieten und durch Abtragung von ursprünglich schon roten (weil oxidierten) Sandsteinen gegeben. Ein Teil der Sande stammt auch aus dem Verwitterungsmaterial des unterlagernden roten Tsondab-Sandsteins (siehe Kapitel 7). Dagegen sind die am Sossusvley auftretenden, gelb-grauen und kalkhaltigen Sande an Ort und Stelle durch die permanente Verwitterung der lokalen Kalkkrusten und der Karbonat-Gerölle

Abb. 7.33: Vereinzelte Inselberge ragen unter den Sandmassen am Sossusvley hervor

entstanden, die der Tsauchab-Fluss aus den Naukluft- und Zaris-Bergen herantransportiert hat. Diese Sande bauen jedoch nur den Fuß der Sossusvley-Dünen auf, während die roten Sande stark überwiegen.

Auf dem etwa 65 km langen Weg zum Sossusvley werden Ihnen sicherlich auch schwarze Ablagerungen auf den Dünensanden (Abb. 7.34) auffallen. Diese „Schlieren" werden aus sogenannten **Schwermineralen** aufgebaut. Während an der Skelettküste sehr häufig der

Abb. 7.34: Magnetit-Ablagerungen auf den Dünen im Tsauchab-Tal

Abb. 7.35: Die stabilen Sterndünen bewegen sich nur im Kammbereich

rötliche Granatsand anzutreffen ist (siehe Kapitel 5.2.2), findet man hier vorwiegend Sande aus dem schwarzen **Magnetit** (Fe_3O_4), einem magnetischen Eisenmineral.

Im Gegensatz zu den sehr mobilen Dünenfeldern der westlichen Namib, z. B. südlich von Lüderitz, bewegen sich die Dünen am Sossusvley nur noch in ihren Kammbereichen (Abb. 7.35). Es ist also wahrscheinlich, dass diese eindrucksvollen Naturerscheinungen auch noch in Tausenden von Jahren die Ebene des Sossusvley überragen werden.

Das Sossusvley selbst ist ein „**End-See**" des Tsauchab-Flusses, der in guten Regenjahren den Sandgürtel durchbricht, sich in die Mulden des Vleys ergießt und dort versickert (Abb. 7.36). Das Vley ist ein Komplex aus mehreren, unterschiedlich großen, von tonigen Sedimenten überzogenen Pfannen mit verschiedenen Höhenniveaus und Alterstufen (z.B. Narra-Vley, Dead-Vley, Hidden-Vley). Diese sind durch kleine Dünenzüge voneinander getrennt. Die Aufgliederung des Sossusvleys zeugt davon, dass der Tsauchab es immer seltener schafft, die in der Trockenzeit aufgetürmten Dünenhindernisse einheitlich zu durchbrechen: Er spaltet sich auf. Einige Vleys sind bereits so von Sandmassen blockiert (z.B. Dead-Vley), dass sie keinen Zufluss mehr erhalten und zunehmend versanden. Die Wüste gewinnt mehr und mehr an Boden. Es ist also anzunehmen, dass westlich des Sossusvleys noch weitere, ältere Vleys unter den Wüstenablagerungen verborgen liegen, die den Kampf gegen die Wüste bereits verloren haben.

Fälschlicherweise wird das Sossusvley oft als Salzpfanne bezeichnet. Wer aber die Etoscha-Salzpfanne gesehen hat, wird am Sossusvley (Abb. 7.37) sofort erkennen, dass hier eine andere geologische Situation vorliegt, eine **Ton-Pfanne**. Das Wasser des Tsauchab

Abb. 7.36: Das Sossusvley im Februar 1997: Nach heftigen Regenfällen im Inland bildet sich mitten im Dünenmeer der Namib ein See

Abb. 7.37: Blick auf die Ton-Pfannen am Sossusvley

Abb. 7.38: Verdorrte Kameldornbäume zieren den Weg zum Sossusvley

versickert nach guten Regenzeiten sehr schnell und tief in den Sanden, wobei die mitgeführten Tonminerale als lehmartige Schicht am Pfannenboden zurückbleiben. Nach kompletter Austrocknung der Pfanne bleibt eine harte, in Trockenrisse zergliederte Oberflächenkruste zurück. Wenn dann Tiere, wie z. B. Oryx-Antilopen, durch das noch leicht feuchte Sediment laufen, sind ideale Voraussetzungen zur Erhaltung ihrer Spuren gegeben. Dazu müssen genau die gleichen Vorgänge ablaufen, die vor mehr als 270 Mio Jahren zur Entstehung der Dinosaurierspuren in Namibia geführt haben (siehe Kapitel 3.2.2). Vielleicht werden sich in vielen Millionen von Jahren geologisch interessierte Erdbewohner fragen, was für seltsame Lebewesen vor lange zurückliegenden Zeiten hier gelebt haben müssen.

Das versickerte Wasser des Tsauchabs sammelt sich in Porenhohlräumen der unterlagernden Tsondab-Sandsteine und wird auf alten Fließwegen – die aus der Zeit stammen, als der Tsauchab seine Fluten noch in den Atlantik ergoss – unterhalb der Dünen bis zur Küste geleitet. Diese nun unterirdischen „Flüsse“ sind die Erklärung für die Süßwasseraustritte entlang der namibischen Küste, z. B. bei Meob Bay (Tsauchab-Fluss), Conception Bay (Tsondab-Fluss) oder südlich von Walvis Bay in der Lagune von Sandwich (Kuiseb-Fluss).

Auch die Reihen von Kameldornbäumen, die Sie auf Ihrem Weg zum Sossusvley entlang des breiten Tals des Tsauchab-Flusses sehen, sind ein Hinweis auf die unterirdisch fließenden Wasserströme des Tsauchab. Die vielen toten Bäume (Abb. 7.38) beweisen jedoch, dass inzwischen viele „Wasseradern" im Untergrund versiegt sind. Als Ursache für diese Veränderung sind nicht nur schlechte Regenjahre, sondern ist auch der Mensch verantwortlich zu machen, der durch ständig steigende Grundwasserentnahme ein generelles Absinken des Grundwasserspiegels im Bereich der gesamten Namib-Wüste verursacht hat. Daran können leider auch gute Regenzeiten wie etwa 1997 und 2000, die das Sossusvley mit ihren Wassermassen füllten, langfristig nichts ändern.

8. Süd-Namibia

8.1 Sehenswürdigkeiten auf dem Weg zum Fisch-Fluss-Canyon

Der Fisch-Fluss-Canyon stellt eines der weltweit eindrucksvollsten geologischen Wunder dar. Auch auf dem Weg dorthin bieten sich Ihnen eine Vielzahl von staunenswerten Fels- und Landschaftsformationen, insbesondere die Kalahari, der Spielplatz der Giganten und der Brukkaros-Krater. Aus diesem Grund lohnt es, wenn Sie sich auf dem Weg zum Canyon (oder auf dem Rückweg) genug Zeit lassen.

Weite Teile Süd-Namibias, die Sie dabei durchqueren, werden im Wesentlichen von flachlagernden Schichten der Nama-Gruppe eingenommen. Diese Gesteine haben sich auf der sogenannten **Nama-Plattform** gegen Ende des Präkambriums zwischen ca. 600 bis 530

Mio Jahren in einem Flachmeer, dem Nama-Meer gebildet. Die Nama-Plattform ist eine tektonisch stabile, erodierte Landoberfläche (**Rumpffläche**), die aus tiefgründig verwitterten Gesteinen der Sinclair-Sequenz sowie des Namaqua-Metamorphit-Komplexes besteht. Sie nimmt einen Teil des Kalahari-Kratons ein, der als einer der Ur-Kerne des heutigen afrikanischen Kontinents schon mehrfach erwähnt wurde (siehe Kapitel 2 und geologische Karte im vorderen Umschlag).

Die Gesteine der **Nama-Gruppe** (Abb. 8.2) werden in drei große stratigrafische Einheiten unterteilt: Die Kuibis-Untergruppe, die hauptsächlich aus hellen Quarziten und schwarzen Kalken besteht, die Schwarzrand-Untergruppe, die vor allem aus roten Sandsteinen und schwarz-grünen Tonsteinen aufgebaut wird, und die Fisch-Fluss-Untergruppe, die von roten Sandsteinen dominiert wird.

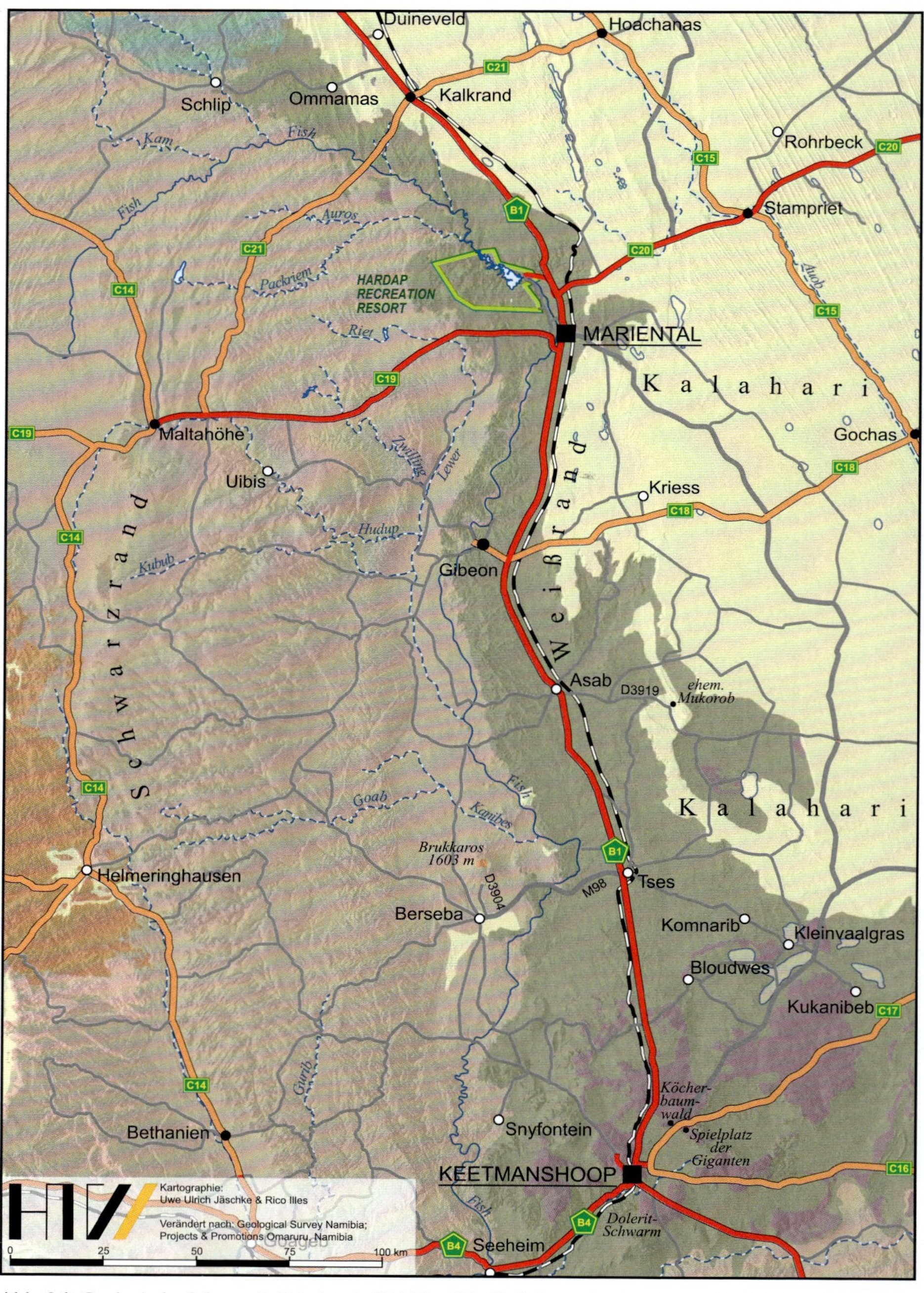

Abb. 8.1: Geologische Sehenswürdigkeiten in Süd-Namibia (Farb-Legende siehe Karte Vorderklappe)

Abb. 8.2: Verbreitung der Nama-Gesteine (vereinfacht nach Germs, 1983) Grafik: Johanna Eifrig

Die Landschaften, die aus **Kuibis-Gesteinen** bestehen, sehen Sie bei Ihrer Reise durch das südliche Namibia z. B. in den Zaris-Bergen (siehe Kapitel 7.3.4), am Fisch-Fluss-Canyon (siehe Kapitel 8.2.1) und westlich des Schwarzrands. Die **Schwarzrand-Untergruppe** ist ebenfalls in den Zaris-Bergen und namensgebend in der Schwarzrand-Gegend südöstlich von Maltahöhe anzutreffen (siehe Kapitel 8.1.1.1). Der jüngste Abschnitt des Nama-Zeitalters, die **Fisch-Fluss-Schichten,** bauen vor allem weite Gebiete rund um den Brukkaros-Krater (siehe Kapitel 8.1.3) auf.

Die ältesten Schichten (Kuibis- und Schwarzrand-Untergruppe) wurden durch eine großräumige Meeresüberflutung (Transgression) der damaligen Landoberfläche im **Nama-Meer** abgelagert. Da die Bildung der Nama-Gesteine aber gegen Ende der **Damara-Gebirgsbildung** stattfand, ist es nicht verwunderlich, dass die jüngeren Nama-Sedimente (Fisch-Fluss-Untergruppe) vor allem aus Abtragungsmaterial (Molasse) des damals im Norden aufragenden Damara-Gebirges bestehen, welches durch Flusssysteme in das südlich gelegene Flachmeer auf der Nama-Plattform gelangte.

8.1.1 Das südnamibische Schichtstufenland

Das südnamibische Schichtstufenland nimmt einen wesentlichen Teil der vorhergehend beschriebenen Ablagerungen auf der Nama-Plattform ein. Zunächst aber einige allgemeine Informationen zur Bildung von Schichtstufen. Schichtstufenlandschaften entstehen grundsätzlich nur bei einer Wechsellagerung von verwitterungsresistenten („harten") und verwitterungsanfälligen („weichen") Gesteinen, die zusätzlich leicht geneigt sein müssen. Während die weichen Gesteine (z. B. Tone und Schiefer) die weiten Ebenen und sanften Anstiege im Vorfeld der Stufen bilden, ragen die harten Schichten (z. B. Kalke und Sandsteine) als morphologische Steilkante hervor (Abb. 8.3).

Im Gegensatz zu ähnlich aussehenden Flusssteilufern entstehen Schichtstufenlandschaften nicht durch die lineare Erosion eines Fließgewässers, sondern durch **flächenhafte Abtragung**, die durch ein Zusammenwirken von Wasser und Wind voranschreitet.

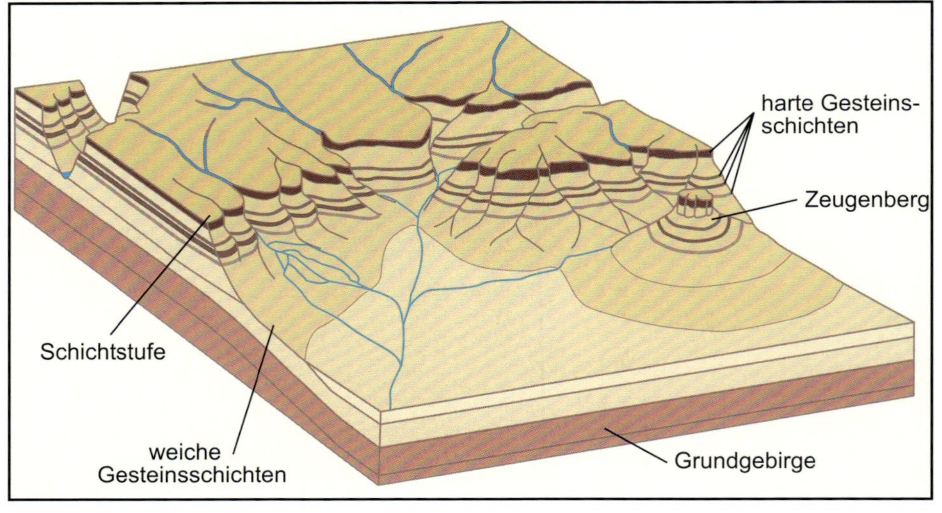

Abb. 8.3: Schema einer Schichtstufenlandschaft mit Zeugenberg — Grafik: Johanna Eifrig

Voraussetzung für diesen Prozess im semi-ariden und ariden Klimabereich (wie hier in Namibia) ist die Bildung wasserundurchlässiger Oberflächenkrusten sowie eine lückenhafte oder gar fehlende Vegetationsdecke. Bei den für Namibia typischen, episodisch auftretenden, meist sehr starken Regenfällen kann das Wasser aufgrund von kalkigen Oberflächenkrusten (siehe Kapitel 7) oft nicht in den Untergrund einsickern und fließt weitflächig ab (**Denudation** = Flächenspülung), wobei es Teile der Oberflächenkrusten und andere Bodenpartikel abträgt. Die feinen Verwitterungsrückstände, die nach dem Ablaufen der Wassermassen zurückbleiben, werden durch den Wind ausgeblasen (**Deflation**). Die dünne Vegetationsdecke begünstigt diesen Prozess, da kaum Pflanzen existieren, welche die Wirkung von Wind und Wasser bremsen oder den Boden festhalten könnten. So kommt es zu einer großräumigen Abtragung des Landes, wobei harte, schrägstehende Gesteinsschichten infolge ihrer Verwitterungsresistenz Steilstufen bilden, während weiche Gesteine stärker abgetragen werden und deshalb tiefer liegende Flächen und sanfte Geländeanstiege formen.

Im südlichen Namibia hat sich eine Schichtstufenlandschaft ausgebildet, die sich von Westen (Schwarzrand) nach Osten (Weißrand) über mehr als 100 km erstreckt und dem Besucher dabei einen Querschnitt durch die Nama-Plattform des Präkambriums und Kambriums und der aufliegenden Karoo-Gesteine erschließt.

Die Voraussetzung zur Bildung der südnamibischen Schichtstufenlandschaft wurde durch das Auseinanderbrechen Gondwanas und der damit verbundenen **Heraushebung der Kontinentalränder** eingeleitet, welche zu einer leichten **Schrägstellung** der ehemals horizontal im Flachmeer der Nama-Plattform abgelagerten Sedimentschichten führte. Die schon zu dieser Zeit existierenden Flüsse, wie der Konkiep im Vorland des Schwarzrands und der Fisch-Fluss am Fuße des Weißrands, spielten eine entscheidende Rolle bei der Gestaltung dieser Landschaftsformen. Durch die Anhebung der Landoberfläche wurde das morphologische Gefälle der gesamten Region erhöht und somit die Erosionskraft der Fließgewässer verstärkt. Daher konnten die Flüsse während der folgenden Jahrmillionen ihre Betten immer tiefer in die Schichten eingraben und so eine Kerbe in die alten Sedimentstapel schneiden. Damit wurde ein Ansatzpunkt für die oben beschriebene **flächenhafte Abtragung** (Denudation und Deflation) geschaffen, die vor allem während der letzten 15 Mio Jahre die Schichtstufenlandschaft durch Rückverlegung der ehemaligen Flusssteilufer entstehen ließ. Der Abtransport der gewaltigen Mengen an Abtragungsmaterial wurde durch die vorgelagerten Flüsse ermöglicht, die damit zweifach zur Entstehung des Schichtstufenlandes beitrugen.

Das Ergebnis dieses noch bis heute andauernden Prozesses der Landschaftsgestaltung können Sie bei Ihrer Reise durch Süd-Namibia an den Schichtstufen des Schwarzrands und des Weißrands erkunden.

8.1.1.1 Der Schwarzrand

Die Schichtstufe des Schwarzrands verläuft östlich der Straße auf Ihrem Weg entlang der C 14 zwischen Maltahöhe und Helmeringhausen mit einer Längserstreckung von insgesamt mehr als 250 km.

Der Schwarzrand stellt als Teil der Nama-Plattform eine auch auf weite Entfernungen deutliche, teilweise bis zu 100 Meter aufragende Schichtstufe dar. Seinen Namen verdankt diese Geländeform den ca. 540 Mio Jahre alten grau-grünen Sandsteinen und Tonsteinen der **Schwarzrand-Untergruppe**, die aufgrund der dunklen Färbung schon von Weitem sichtbar den geologischen Aufbau des Schwarzrands dominieren. Diese Gesteine wurden wie bereits erwähnt in dem Flachmeer abgelagert, das sich nach Einbruch des Meeres auf der ehemaligen Landoberfläche der Nama-Plattform ausbreitete. Die dunkle Färbung weist dabei auf einen hohen Anteil organischen Materials in den Sedimenten und damit auf die große Lebensfülle in diesem Flachmeer hin.

Die weite Ebene vor der Schichtstufe und der Hanganstieg werden von relativ weichen, schlecht wasserdurchlässigen Tonsteinen aufgebaut, während die obere Steilkante von einer harten Sandsteinbank gebildet wird, die aber schon der jüngsten Einheit der Nama-Gruppe, der sogenannten **Fisch-Fluss-Untergruppe** angehört. Diese Schichten entstammen größtenteils dem Abtragungsschutt des sich damals nördlich erhebenden Damara-Gebirges, dessen Flüsse enorme Mengen Geröll und Sand in das vorgelagerte Meer transportierten. – In ähnlicher Weise sorgt heute der parallel zur Schichtstufe fließende Konkiep-Trockenfluss für den Abtransport des angefallenen Abtragungsmaterials des Schwarzrands. Westlich des Konkiep breiten sich die quarzitischen und kalkigen Sedimente der **Kuibis-Untergruppe** aus, die der untersten Nama-Gliederung angehören. Diese Gesteine sind damit die ersten Sedimente, die nach der Meeresüberflutung auf der ehemaligen Landoberfläche der Nama-Plattform zur Ablagerung kamen.

Ca. 26 km nördlich von Helmeringhausen sehen Sie einzeln stehende Bergkuppen, die ebenfalls aus Gesteinen der Schwarzrand-Schichten aufgebaut sind. Dabei handelt es sich um Zeugenberge, die bei der rückschreitenden Abtragung der Schichtstufe als deren Reste stehen geblieben sind. Weitere Zeugenberge des Schwarzrands sind in Abb. 8.4 aus der Luft deutlich zu erkennen.

Zeugenberge werden gebildet, wenn sich in einer ursprünglich als einheitliche Front ausgeprägten Steilkante kleine Rinnen einfurchen. Diese Rinnen schneiden sich mit fortschreitender Erosion immer tiefer ein und isolieren im Laufe der Jahrtausende einzelne Schichtstufenbereiche (Abb. 8.3). Die resultierenden Zeugenberge unterliegen nicht mehr in so starkem Maße der Abtragung wie die eigentliche Schichtstufe. Daher bleiben sie über längere Zeit erhalten und können so von der ehemaligen Position der Schichtstufe „zeugen", während die Schichtstufenfront durch Denudation und Deflation (flächenhafte Abtragung) immer weiter zurückversetzt wird.

Abb. 8.4: Zeugenberglandschaft des Schwarzrands – die horizontale Fortsetzung der Schichten ist gut zu erkennen

8.1.1.2 Der Mukorob und der Weißrand

Östlich der Straße B 1 auf Ihrem Weg von Mariental bis in Höhe der Ortschaft Tses können Sie einen lang gestreckten Höhenzug erkennen. Dabei handelt es sich um die Schichtstufe des Weißrands. Der Weißrand erlangte vor allem wegen einer aus ihm hervorgegangenen, skurrilen Felsformation Berühmtheit: Der Mukorob, auch „Finger Gottes" genannt, der früher eine der besonderen touristischen Attraktionen Süd-Namibias war. Diese nahe des Ortes Asab gelegene Felssäule ist in der Nacht zum 8.12.1988 eingestürzt. Falls Sie dennoch die Trümmer besichtigen wollen, biegen Sie in Höhe Asab nach Osten auf die Straße D 3919 ab und folgen diese für etwa 30 km.

Die Entwicklungsgeschichte des Mukorob und der Gesteine des Weißrands wurde mit dem Ausklingen der **Gondwana-Eiszeit** vor 280 Mio Jahren eingeleitet. Mit dem Abschmelzen der Gletscher bildeten sich im heutigen Weißrandgebiet flache Seen und Sümpfe, in denen sich Gletscherschutt (Moränen) und tonig-sandiges Sedimentationsmaterial der karoozeitlichen sogenannten **Ecca-Gruppe** aus dem weiteren Umland sammelte. An den Ufern entstand, begünstigt durch das nun vorherrschende feucht-kalte Klima, dichter Pflanzenbewuchs. Die Gewässer und ihre Ufersäume waren der Lebensraum einer Vielzahl von Muscheln, Fischen, Würmern und anderer Organismen, ähnlich wie wir es von heutigen Seen kennen. Im Laufe der Zeit trockneten diese Seen jedoch wieder aus, und die abgelagerten

Abb. 8.5: Wurmgrabspuren in Tonsteinen am Mukorob

Moränen, Tone und Sande wurden verfestigt. Die dabei entstandenen grauen Tonsteine bauen heute den unteren, flachen Bereich des Weißrands auf, während die verwitterungsresistenteren Sandsteine die eigentliche Steilstufe bilden. Die versteinerten Moränen (Tillite) der Gondwana-Eiszeit sind durch Bohrungen im tieferen Untergrund nachgewiesen. Auch die erwähnten Lebewesen der ehemaligen Seen haben als **Fossilien** bis heute ihre Spuren in den Ablagerungen hinterlassen. Wenn Sie die Gesteine des Weißrands genauer betrachten, sehen Sie vereinzelt dünne, schwarze Kohle-Lagen, die aus dem abgestorbenen Pflanzenmaterial in den Sümpfen gebildet wurden. An vielen Stellen sind sogar Muschelfossilien, versteinertes Holz und Grabspuren von Würmern zu finden, wie z. B. in den Tonsteinen am Mukorob (Abb. 8.5).

Lange Zeit bildeten die Gesteine des Weißrands eine mehr oder weniger ebene Landoberfläche. Mit dem Auseinanderbrechen von Gondwana vor ca. 120 Mio Jahren und der damit verbundenen **Heraushebung der Kontinentalränder** wurden die Schichten leicht nach Osten hin schräg gestellt. Die **Schichtstufe des Weißrands** entstand jedoch erst vor etwa 15 Mio Jahren. Damals verstärkte der Fisch-Fluss im Zuge feuchteren Klimas seine Erosionswirkung. Durch dieses verstärkte Einschneiden präparierte sich ein Steilufer heraus, das durch flächenhafte Abtragung immer weiter zurückverlagert wurde. In den Jahrmillionen hat sich dabei die Kante des Weißrands um ca. 40 km nach Osten verschoben. Im Zuge dieser rückschreitenden Abtragung ist auch der Mukorob entstanden, der als Zeugenberg der zurückweichenden Schichtstufe stehen blieb. Mit einer Entfernung von ca. 200 m von der jetzigen Weißrandstufe (Abb. 8.6 a) stellte der Mukorob bis vor wenigen Jahren ein imposantes Erosionsrelikt dar, bevor er selbst ein Opfer der andauernden Abtragung wurde (Abb. 8.6 b).

Der Einsturz des Mukorob war ein natürliches Phänomen. Mit einer Höhe von 12 m, einem Umfang von ca. 4,5 m und einem Gewicht von etwa 450 t stand diese mächtige Felssäule lediglich auf einem Tonstein-Fuß von 3 m Länge und 1,5 m Breite. Es ist daher leicht nachvollziehbar, dass der Mukorob unter seinem eigenen Gewicht zusammengebrochen ist. Unter hohem, senkrechtem Druck, wie ihn der Mukorob auf seine Basis ausübte, kam es zu **Gesteinsabscherungen** entlang sich bildender Trennflächen im Sockel, sodass die gesamte Felsnadel in einem Stück von ihrem Sockel abglitt (Abb. 8.7 a und b). Diese

a

b

Abb. 8.6 a + b: Die Weißrandstufe und die Ruine des Mukorob, im Hintergrund sind Kalahari-Dünen zu erkennen

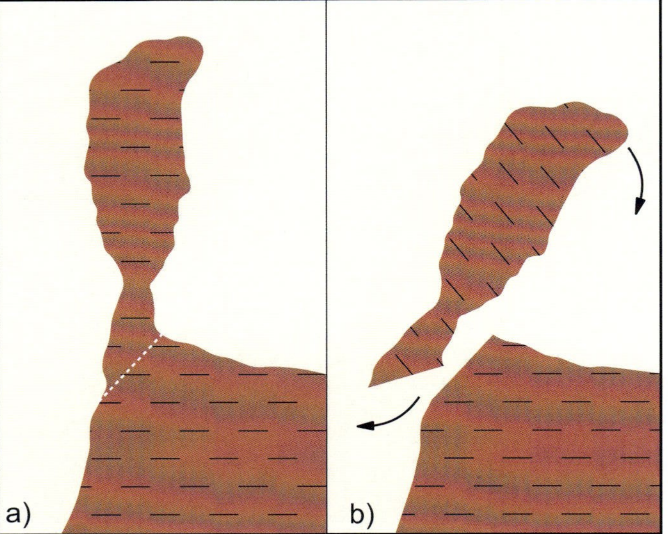

Abb. 8.7:
Mukorob in seiner ursprünglichen Position (a) und während der Abscherung (b) (vereinfacht nach Miller)

Grafik: Mirko Höpfner

Trennflächenbildung wurde durch Aufweicherscheinungen in dem verwitterungsanfälligen Tonstein-Fuß begünstigt, denn in den Tagen vor dem Einsturz gingen bis zu 20 mm Niederschlag auf den Mukorob nieder.

Über die Einsturzursache des Mukorob wurde nicht zuletzt in Reiseführern viel spekuliert. Die Vermutung, dass der Mukorob durch eine starke Windböe zum Umstürzen gebracht wurde, ist durch die Lage der Trümmer und durch die im Gelände noch erkennbare Abscherungskante widerlegt. Eine Beeinflussung des Einsturzes durch das Erdbeben vom 6.12.1988 in Armenien ist durchaus möglich, da Erdbeben auch auf solch große Entfernungen geologisch wirksam sein können. Die in Windhoek gemessenen Erdbebenwellen können jedoch in Anbetracht ihrer geringen Stärke lediglich den letzten Anstoß zum Einsturz des Mukorob gegeben haben.

Die Weißrand-Fläche ist auch aus hydrogeologischer Sicht von besonderem Interesse. Die oberen 5 m dieser Steinkante werden von einer mächtigen Kalkkruste gebildet, die wie alle Karbonat-Gesteine der Kohlensäure-Verwitterung und somit der Verkarstung unterliegen. Dadurch ist die Landoberfläche mit zahlreichen **Dolinen** (Einsturzkratern, siehe Kapitel 4.1.1.2) übersät. Durch diese kann nun das Regenwasser schnell im Untergrund einsickern und dem artesischen Becken von Stampriet zufließen, wo es vor Verdunstung geschützt ein großes **Grundwasserreservoir** unterhalb der Kalahari bildet. Die Dolinen, welche die Versickerung des Niederschlags erst ermöglichen, sind auf dem Satellitenbild in Abbildung 8.8 gut zu erkennen.

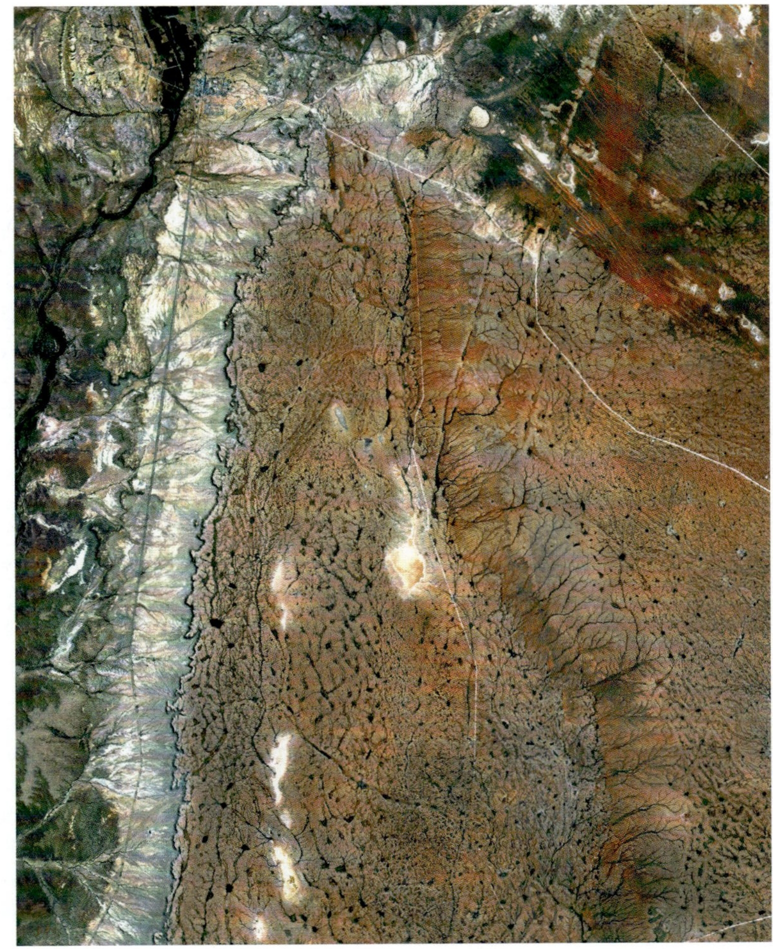

Abb. 8.8: Satellitenbild des Weißrands mit zahlreichen verkarsteten Dolinenstrukturen

© NamibGeoVista GeoConsult & Imaging [enquiry@namibgeovista.com]

8.1.2 Die Kalahari

Auch wenn Sie auf Ihrer Reise durch Süd-Namibia keinen Abstecher in die zentralen Bereiche der namibischen Kalahari planen, haben Sie längs der B 1 die Möglichkeit, die typische Geologie und vor allem die roten Dünen der Kalahari zu sehen. Insbesondere nördlich der Ortschaft Mariental reichen die Dünen bis an die Teerstraße heran.

Die Sedimentation der Gesteine der sogenannten Kalahari-Sequenz setzte mit dem Auseinanderbrechen des Gondwana-Kontinents und der damit verbundenen Heraushebung der Kontinentalränder vor etwa 120 Mio Jahren ein. Durch die randlichen Anhebungen rings um das gesamte südliche Afrika bildete sich in der Mitte des Sub-Kontinents eine riesige Beckenstruktur aus, das sogenannte **Kalahari-Becken.** Die tiefsten Bereiche dieses Beckens sind in den zentralen Teilen des heutigen Botswanas anzutreffen, weshalb die Kalahari mit Recht namensgebend für diese Beckenstruktur wurde. In Namibia war die Abflussrichtung der Flüsse östlich der Kontinental-Randstufe entsprechend des Geländeabfalls nach Osten auf das Becken hin gerichtet. Damit wurden enorme Massen Abtragungsmaterial aus den Hochgebieten in diese Gelände-Depression transportiert.

Die Kalahari Namibias wird in zwei unabhängige Becken gegliedert, das Owambo-Becken, welches die Etoscha-Pfanne beinhaltet (siehe Kapitel 4.2), und das Haupt-Kalaharibecken, welches sich östlich von Mariental erstreckt und den meisten Besuchern als „die Kalahari" bekannt ist. Getrennt werden diese beiden Becken von einer Schwelle, dem sogenannten **Ghanzi-Ridge**, welche schon zu Damara-Zeiten geologisch angelegt wurde. Dieser Höhenzug ist auf einer Fahrt über die B 6 hinter Gobabis kurz vor der Grenze zu Botswana als weiträumige Erhebung in der sonst flachen Landschaft gut zu erkennen.

Die Kalahari ist einer der weltgrößten zusammenhängenden Sandkörper. So bedeckten die Sandmassen nicht nur weite Bereiche Namibias, Botswanas und Südafrikas, sondern erstreckten sich von der nördlichen Kap-Provinz Südafrikas bis zum Kongo-Fluss in Zentral-Afrika, eine Gegend, in der sich heute tropischer Regenwald ausbreitet! In W-O Richtung dehnte sich diese **Binnenwüste** von Namibia bis Zimbabwe aus (siehe Abb. 8.9). Geologisch gesehen gehören also auch die Kavango- und Caprivi-Regionen zur Kalahari, obwohl diese Gebiete heute mit hohen Bäumen bewachsen sind und von einigen Flüssen durchzogen werden.

Die Kalahari sollte im eigentlichen Sinne heute nicht mehr als Wüste, sondern als Savanne bezeichnet werden. Und das aus folgenden Gründen: Die Dünen der Kalahari sind heute meist bewachsen. Dies liegt an den für echte Wüstengebiete zu hohen Jahresniederschlägen von 200 mm (im Südosten) bis 650 mm (im Nordosten). Der Name Wüste hat sich allerdings eingebürgert, da dieses riesige Gebiet kaum Oberflächen-Gewässer aufweist. Insofern ist es nicht verwunderlich, dass das wasserreiche Okavango-Delta in Botswana so großen Wildmengen anzieht.

Die Sedimente, die heute die sogenannte **Kalahari-Sequenz** aufbauen, bestehen unter anderem aus den charakteristischen roten Sanden, welche die weiten Dünen dieser Landschaft aufbauen. Hinzu kommt ein Gesteinsspektrum, das von Konglomeraten, Sandsteinen und Tonsedimenten bis zu den weitverbreiteten Kalkkrusten reicht, die immerhin ein Drittel der Landesoberfläche Namibias bedecken.

Die Dünen der Kalahari zählen vorwiegend zum Typ der Längsdünen (siehe Kapitel 7.2.1 und Abb. 7.11), die sich vor allem im Satellitenbild (siehe Abb. 8.8) über mehrere 100 km weit verfolgen lassen. Sie wurden zu einer Zeit gebildet, als die Eiszeiten auf der Nordhalbkugel ihren Höhepunkt erreichten. Zu dieser Zeit vor etwa 20.000 bis 17.000 Jahren war das Weltklima ca. 5 °C kühler als heute, und es konnte weniger Wasserdampf in der Atmosphäre akkumulieren,

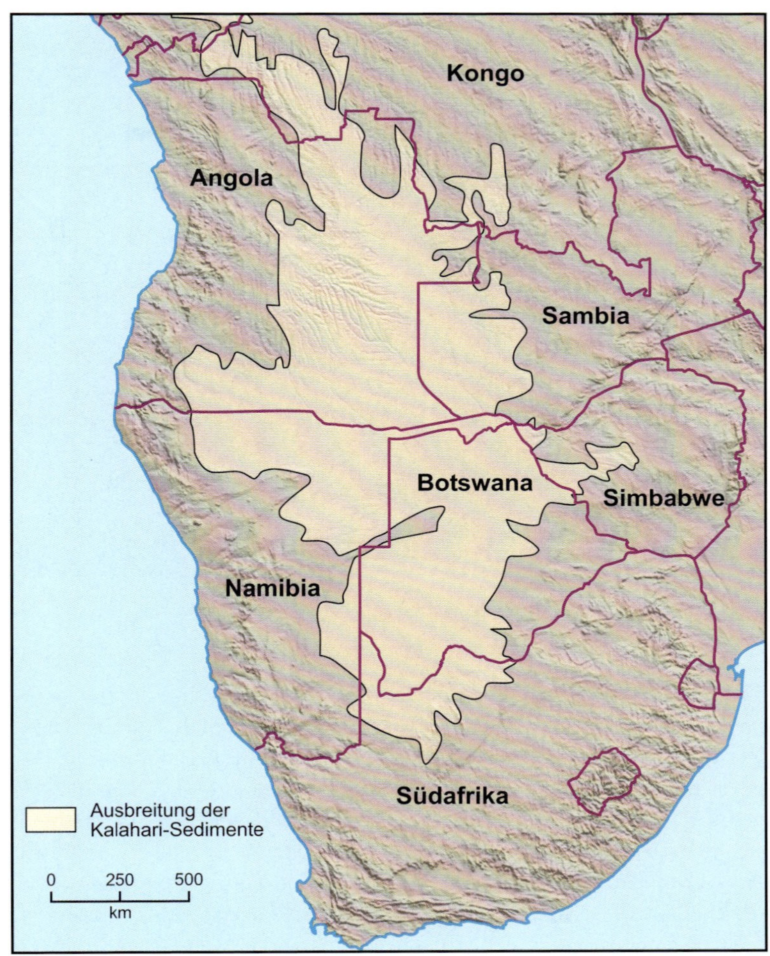

Abb. 8.9: Die Kalahari in ihrer ursprünglichen Ausdehnung erstreckte sich vom Kongo bis nach Südafrika (nach Schneider, 2004)

Grafik: Johanna Eifrig

was weltweit geringere Niederschläge zur Folge hatte. Dadurch kam es in diesem Zeitraum zu einem Wachstum aller damaligen Wüsten der Erde. Bis vor ca. 5.000 Jahren herrschte dagegen ein feuchteres Klima. Die Wüsten bzw. deren Dünen erhielten zu dieser Zeit einen anhaltenden Bewuchs und wurden dadurch stabil. Die typischen **Savannenlandschaften Afrikas** bildeten sich, und die eigentlichen Wüstengebiete, so auch die Kalahari und die Namib, schrumpften. Seit etwa dieser Zeit ist das Klima Namibias mit dem jetzigen vergleichbar. Die heutige Ausdehnung der Wüsten der Erde ist weit weniger auf klimatische Gegebenheiten zurückzuführen, sondern zunehmend vom Menschen verursacht, der durch Überweidung und starke Grundwasserentnahme zur Verödung von ursprünglichen Savannengebieten beiträgt.

Abb. 8.10: Trockenrisse in einem Pfannenboden

Ein weiteres typisches Erscheinungsbild der Kalahari sind die sogenannten Pfannen. Ein gutes Beispiel dafür ist bei der Ortschaft Koës im Südosten des Landes zu finden. Als **Pfanne** wird eine flache, abflusslose, meist rundliche, vegetationsfreie Depression (Becken) bezeichnet, die nur episodischen Zufluss von Wasser erhält. Die in diesen Zuflüssen mitgeführten Fein-Sedimente oder gelösten Salze setzen sich am Pfannenboden ab, sodass sich je nach vorherrschendem Material entweder Ton- oder Salzpfannen bilden. In diesen Ablagerungen kommt es nach Verdunstung und Versickerung des Wassers zur Entstehung der charakteristischen, polygonförmigen **Trockenrisse** (Abb. 8.10).

Die Pfannen werden neben der Wassereinwirkung auch wesentlich durch den unablässig arbeitenden Wind beeinflusst. Durch den Vorgang der **Deflation** (Abtragung durch Wind) werden die feinen Rückstände, die das Wasser antransportiert, wieder ausgeblasen. Aus diesem Grund werden Pfannen oft auch als **Deflationswannen** (siehe Kapitel 4.2.1) bezeichnet. Die Dünen, die solche Wannen randlich umgeben, bestehen zum Teil aus dem ausgeblasenen Material.

Heutzutage sieht die Kalahari nicht mehr wie eine typische Wüste aus, denn die Dünen sind mit Gras bewachsen und hohe Akazien spenden Schatten in der von vielen Wildtieren bewohnten Landschaft. Besonders die hohen Bäume gedeihen in dieser Gegend überraschend gut. Dies liegt an den weitverbreiteten, mächtigen roten Kalahari-Sanden, die das Regenwasser sehr rasch versickern lassen, wobei es sich dann in tieferen Bodenbereichen über relativ undurchlässigen Kalkkrusten-Horizonten staut. Somit steht die lebensnotwendige Feuchtigkeit eher den tief wurzelnden Bäumen zur Verfügung, wogegen das fehlende Oberflächenwasser das Wachstum von Büschen und Sträuchern hemmt.

Generell sind unterhalb der Kalahari-Sedimente große **Grundwasservorräte** und auch fossile Grundwässer vorhanden. Leider sind diese so notwendigen Reserven oft versalzen, was sowohl durch Übernutzung durch den Menschen als auch durch Verdunstung aus oberflächennahen Grundwasserleitern zurückzuführen ist.

8.1.3 Der Brukkaros

Der geologisch äußerst interessante Brukkaros-Krater liegt in einer selten von Touristen besuchten Gegend. Um dorthin zu gelangen, biegen Sie in Höhe der Ortschaft Tses von der B 1 nach Westen ab und folgen der Straße M 98 für etwa 39 km. Kurz vor dem Ort Berseba fahren Sie am Wegweiser „Brukkaros“ auf der D 3904 nach Norden. Am Eingangstor müssen Sie der lokalen Nama-Bevölkerung ein geringes Eintrittsgeld bezahlen. Pkw müssen am Parkplatz abgestellt werden. Falls Sie mit einem Allradfahrzeug unterwegs sind, können Sie noch einige 100 m den Anstieg zum Brukkaros bis zu einem einfachen Campingplatz hinauffahren. Von dort aus geht es nur noch zu Fuß weiter. Auf einem gut sichtbaren Weg können Sie durch einen Taleinschnitt bis in das Kraterinnere vordringen. Für diese Wanderung sollten Sie jedoch einen halben Tag einplanen.

Die **Entstehung des Brukkaros** war für die Geologen lange Zeit ein Rätsel. Zu Beginn dieses Jahrhunderts wurde das ca. 600 m aus der Ebene herausragende Massiv als Vulkantrichter gedeutet. Dies scheint auf den ersten Blick auch naheliegend. Mit seiner vulkantypischen Hangform, einem Gesamtdurchmesser von etwa 10 km und einem Krater von ca. 3 km Durchmesser im Inneren weist der 1.603 m hohe Brukkaros rein äußerlich viele charakteristische Merkmale eines Vulkans auf. Allerdings konnten am Berg selbst und in seinem Umfeld lange Zeit keine vulkanischen Gesteine nachgewiesen werden. Der Brukkaros blieb also ein Rätsel, bis neuere Untersuchungen sein Geheimnis lüften konnten.

Die Forschung ergab, dass die Entstehung dieses eindrucksvollen Berges bis in die späte Kreide-Zeit vor ca. 75 Mio Jahren zurückreicht. Ausgelöst durch **Hot-Spot-Aktivität** durchstießen nicht nur in Zentral-Namibia magmatische Schmelzen die Erdkruste. Auch das Land um den Brukkaros wurde von ähnlichen Ereignissen erschüttert. Allerdings war nicht der bereits in Kapitel 6.1 erwähnte Tristan da Cunha Hot-Spot für diese vulkanische Aktivität verantwortlich, sondern ein weiterer Vertreter dieser stationären Hitzequellen des Erdmantels mit Namen Discovery Hot-Spot. Die großen Mengen des von Discovery produzierten Magmas drangen jedoch nicht bis zur Erdoberfläche vor, sondern trafen in relativ geringer Tiefe auf das dort zirkulierende Grundwasser. Der schlagartige Kontakt mit der glutflüssigen Gesteinsschmelze versetzte das Wasser so rasch in den Dampfzustand, dass sich der Überdruck in einer gigantischen Explosion entlud und ein großer Krater aufgerissen wurde – der Brukkaros war geboren (Abb. 8.11).

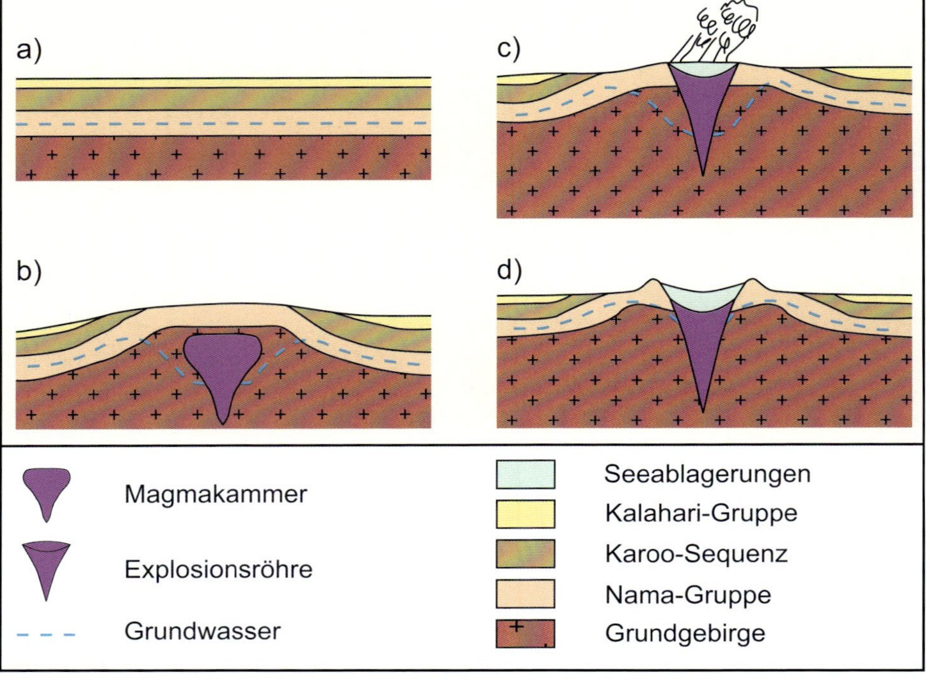

Abb. 8.11: Schematische Bildung des Brukkaros durch eine phreatomagmatische Explosion
Grafik: Johanna Eifrig

Ein solches vulkanisches Ereignis wird in der Geologie als **phreatomagmatische Explosion** bezeichnet, ein Vorgang der z. B. auch für die Entstehung der Maare in der Eifel verantwortlich war.

Auch die umliegende Gegend überstand solch ein gewaltiges Ereignis natürlich nicht unbeschadet, denn die Explosion riss viele Spalten in der Erdkruste auf. Diese Spalten dienten als Aufstiegsbahnen für ein spezielles, karbonatreiches Magma, welches zu einem **Karbonatit** genannten, ockerfarbenen Gestein auskristallisierte. Auf einer Kraterwanderung können Sie diese bemerkenswerten steinernen Zeugnisse der Geschehnisse am Brukkaros sehen. Mehrere, durch ihre helle Farbe erkennbare Karbonatit-Gänge kreuzen Ihren Weg in das Kraterinnere (Abb. 8.12).

Im weiteren Umfeld des Brukkaros wurden außerdem durch die gewaltigen Überdrücke die auflagernden Nama- und Karoo-Gesteine in die Höhe gestemmt. Die resultierende **Aufdomung** (Aufwölbung) der Erdoberfläche ließ einen Berg entstehen. Auf dem Weg ins Kraterinnere (Abb. 8.13) können Sie noch heute an den Felswänden deutlich erkennen,

Abb. 8.12: Karbonatit-Gang auf dem Weg in den Brukkaros-Krater

Abb. 8.13: Blick in den Brukkaros-Krater

wie die ungeheuren Kräfte des Erdinneren die Gesteinsschichten beim Aufwölben der Erdoberfläche nach oben bogen.

Nachdem die Erde zur Ruhe gekommen war, setzten Erosionsprozesse ein. Im Laufe der Zeit wurde der **Explosions-Krater** mit Sedimenten und von der Explosion zerfetzten Gesteinsbruchstücken gefüllt, die von den Kraterhängen eingespült wurden. Der Krater füllte sich zudem mit Wasser. In diesem See traten, aufgeheizt von der magmatischen Restwärme im Untergrund, zahlreiche heiße Quellen aus. Diese **Quellen** brachten quarzhaltige Lösungen an die Oberfläche. Der ausgefällte Quarz verkittete die Schuttablagerungen des Kraterinneren zu einem äußerst harten, als **Brekzie** bezeichneten Gestein, das heute den Boden des Brukkaros bedeckt.

Den einzigen Zugang zum Krater bildet heute ein nach Süden gerichteter Bachlauf, der die Senke nach außen hin entwässert (Abb. 8.14).

Nördlich des Brukkaros, in der Gibeon-Kimberlit-Provinz, sind noch andere Zeugen der explosiven magmatischen Tätigkeiten vorhanden, die auch zur Bildung des Brukkaros führten.

Abb. 8.14: Deutlich sichtbar ist der Einschnitt in den Wänden des Brukkaros, durch die der Besucher ins Kraterinnere gelangen kann

Zahlreiche Explosionsröhren aus **Kimberlit-Gestein** durchstießen hier die Erdkruste. Da Kimberlit das Muttergestein der Diamanten (siehe Kapitel 8.3.2.1) darstellt, wurden diese Röhren intensiv untersucht. Allerdings wurden weder dort noch am Brukkaros jemals Diamanten gefunden.

8.1.4 Der Spielplatz der Giganten (Giants Playground)

Zum Spielplatz der Giganten gelangen Sie über die Straße C 17, die wenige Kilometer nördlich von Keetmanshoop von der B 1 nach Osten abzweigt. Nach etwa 13 km erreichen Sie den Köcherbaumwald, von dort sind es noch ca. 5 km bis zum Spielplatz der Giganten. Der Weg dorthin ist ausgeschildert. Eine Anmeldung am Farmhaus beim Köcherbaumwald ist erforderlich.

Der Spielplatz der Giganten (Abb. 8.15) besteht aus zahlreichen, eindrucksvoll verwitterten Dolerit-Gängen, die dem sogenannten **Keetmanshoop-Dolerit-Komplex** angehören. Dolerit ist ein schwarz-graues Ganggestein, das in seiner chemischen Zusammensetzung dem Basalt entspricht (siehe Kapitel 7.1.2). Im Gegensatz zum Basalt, der als Lava an der Erdoberfläche austritt, ist das Vorkommen von Dolerit an magmatische Gänge gebunden, in denen die Schmelze unterirdisch erstarrt und erst durch Verwitterungsprozesse freigelegt

Abb. 8.15: Verwitterte Dolerit-Türme bedecken weite Landstriche am Spielplatz der Giganten

wird. Dolerite treten meist als einzelne Gänge auf. Wenn sie jedoch in großer Anzahl das Nebengestein durchdringen, wie hier in der Umgebung von Keetmanshoop, spricht man von einem Dolerit-Schwarm.

Der **Dolerit-Schwarm** bei Keetmanshoop (Abb. 8.16), der oberflächlich heute noch eine Fläche von 18.000 km^2 bedeckt, drang vor etwa 180 Mio Jahren in die höheren

Abb. 8.16: Ein Dolerit-Schwarm durchschlägt einen gesamten Berg südlich von Keetmanshoop

Erdkrustenbereiche ein. Wie die chemische Verwandtschaft der Gesteine mit den Basalten der Drakensberge in Südafrika und Lesotho zeigt, steht ihre Entstehung in Verbindung mit vulkanischen Ereignissen im Vorfeld des **Auseinanderbrechens des östlichen Gondwana-Kontinents**, die zu dieser Zeit vor allem das heutige Südafrika betrafen und schon 50 Mio Jahre vor den magmatischen Ereignissen in Nordwest-Namibia (siehe Kapitel 5.3) einsetzten.

Neben den magmatischen Ereignissen sind hier vor allem auch die Verwitterungsbildungen im Dolerit einen genaueren Blick wert. Interessant ist, dass Sie hier die gleichen Verwitterungsformen bewundern können, die Ihnen sonst vielleicht schon bei granitischen Gesteinen aufgefallen sind (siehe Kapitel 6.1.1.1). Die ehemals massiv zusammenhängenden Dolerit-Gänge sind durch Verwitterungsprozesse in einzelne, zugerundete Formen, die sogenannte „Wollsäcke“ zerlegt worden. Der Beginn dieses Prozesses wurde schon durch die **Tiefenverwitterung** eingeleitet. Bereits tief im Untergrund wurde der Dolerit durch infiltrierendes Grundwasser längs seines erstarrungsbedingten Kluftsystems in vorpräparierte Blöcke zerlegt (siehe Abb. 6.6 auf Seite 132).

Nachdem die Dolerit-Blöcke durch Abtragung der Deckschichten an die Erdoberfläche gelangten, unterlagen sie dem Prozess der **Temperaturverwitterung**. Dabei heizte die hohe Sonneneinstrahlung die Gesteinsoberfläche tagsüber stark auf und die einzelnen Mineralkörner im Dolerit dehnten sich aus. Diese Aufheizung wird durch die dunkle Färbung des Dolerits außerordentlich erhöht. Während der zum Teil extremen Abkühlung während der Nachtstunden kühlte auch die Gesteinsoberfläche rasch wieder ab und die Mineralkörner zogen sich ebenso rasch wieder zusammen. Im Laufe der Zeit wurde der Mineralverband durch diesen Prozess so weit gelockert, dass das Gestein oberflächlich in seine Mineralbestandteile, den sogenannten **Grus** zerfiel, wobei Ecken und Kanten der einzelnen Blöcke mehr und mehr schrumpften und vor allem zu den erwähnten „Wollsäcken“ zugerundet wurden.

Bei genauem Betrachten der Dolerit-Türme (Abb. 8.17) sehen Sie außerdem ein zwiebelschalenartiges Abplatzen der äußeren Gesteinsschichten (**Exfoliation**), welches ebenfalls auf die Temperaturverwitterung zurückzuführen ist. Da die äußeren Gesteinsschichten im Gegensatz zum Gesteinsinneren weit stärker aufgeheizt werden, entstehen temperaturbedingte Spannungen im Gestein, welche das Abplatzen von Oberflächenschalen zur Folge haben. Der Grund, weshalb die Abschalungen rundlich zur Gesteinsoberfläche verlaufen, ist auf das Abkühlen der heißen Gesteinsschmelze von außen nach innen zurückzuführen. Durch die Volumenverminderung war eine zwiebelschalenartige innere Struktur bereits in gewissem Maße vorgegeben, entlang der die Exfoliation nun wirksam werden kann.

Vielfach werden Ihnen auf den Doleriten vermutlich auch die schwarz-glänzenden, dünnen Oberflächenkrusten, der sogenannte Wüstenlack (siehe Kapitel 6.1.3), auffallen. **Wüstenlack** entsteht durch die Kombination von Gesteinsdurchfeuchtung und anschließender

Abb. 8.17: Aufgetürmte Dolerit-Blöcke am Spielplatz der Giganten

Verdunstung dieser Feuchtigkeit. Die in die äußeren Gesteinsbereiche eindringende Nässe löst Eisen- und Mangan-Verbindungen im Gesteinsinneren auf. Durch die hohe Sonneneinstrahlung wird diese angereicherte Gesteinsfeuchte jedoch wieder aus dem Gestein gesogen, und die gelösten chemischen Verbindungen fallen an der sonnenzugewandten Gesteinsoberfläche wieder aus. Dort reagieren sie mit Luftsauerstoff zu Oxiden, welche die Gesteinsoberflächen mit einer schwarzen Kruste überziehen. Da der Wüstenlack resistent gegen Verwitterungsvorgänge ist, schützt er das Gestein bis zu einem gewissen Grade vor weiteren Angriffen der Verwitterung. Wie schon in Kapitel 6.1.3 erwähnt, haben neueste Forschungen gezeigt, dass die meisten Wüstenlacke durch Bakterien entstanden sind, die in ihrem Stoffwechsel Eisen- und Mangan-Verbindungen mobilisieren können. Allerdings sind diese Bakterien nur während Feuchtphasen aktiv und schlummern während beliebig langer Trockenperioden. Durch Windeinfluss kann dieser dünne Oberflächenüberzug so glatt werden, dass er wie Lack glänzt.

Zusätzlich können Sie am „Spielplatz der Giganten" noch weitere weniger auffällige Verwitterungserscheinungen beobachten. Falls Sie bereits das Kapitel 6.1.1.1 über die vielfältigen Verwitterungserscheinungen im Granit gelesen und die entsprechenden Formen vielleicht schon gesehen haben, ist es eine interessante Aufgabe, die jeweiligen Erscheinungen auch an den hiesigen Doleritfelsen zu entdecken.

Helmeringh
Koichab
Namib Naukluft Park
C13
Bethan
LÜDERITZ
B4
Diaz-Point
Aus
B4
Große Bucht
Kolmanskuppe
N a m i b
C13
Anib
Nagaub
SPERRGEBIET
NATIONALPARK
Atlantischer
Ozean
C13
/Ai-
Rosh Pinah
RICHTER
N a m i b
TRANS
Oranjemund
Kartographie:
Uwe Ulrich Jäschke & Rico Illes
Verändert nach: Geological Survey Namibia;
Projects & Promotions Omaruru, Namibia
0
25
50
75
100 km

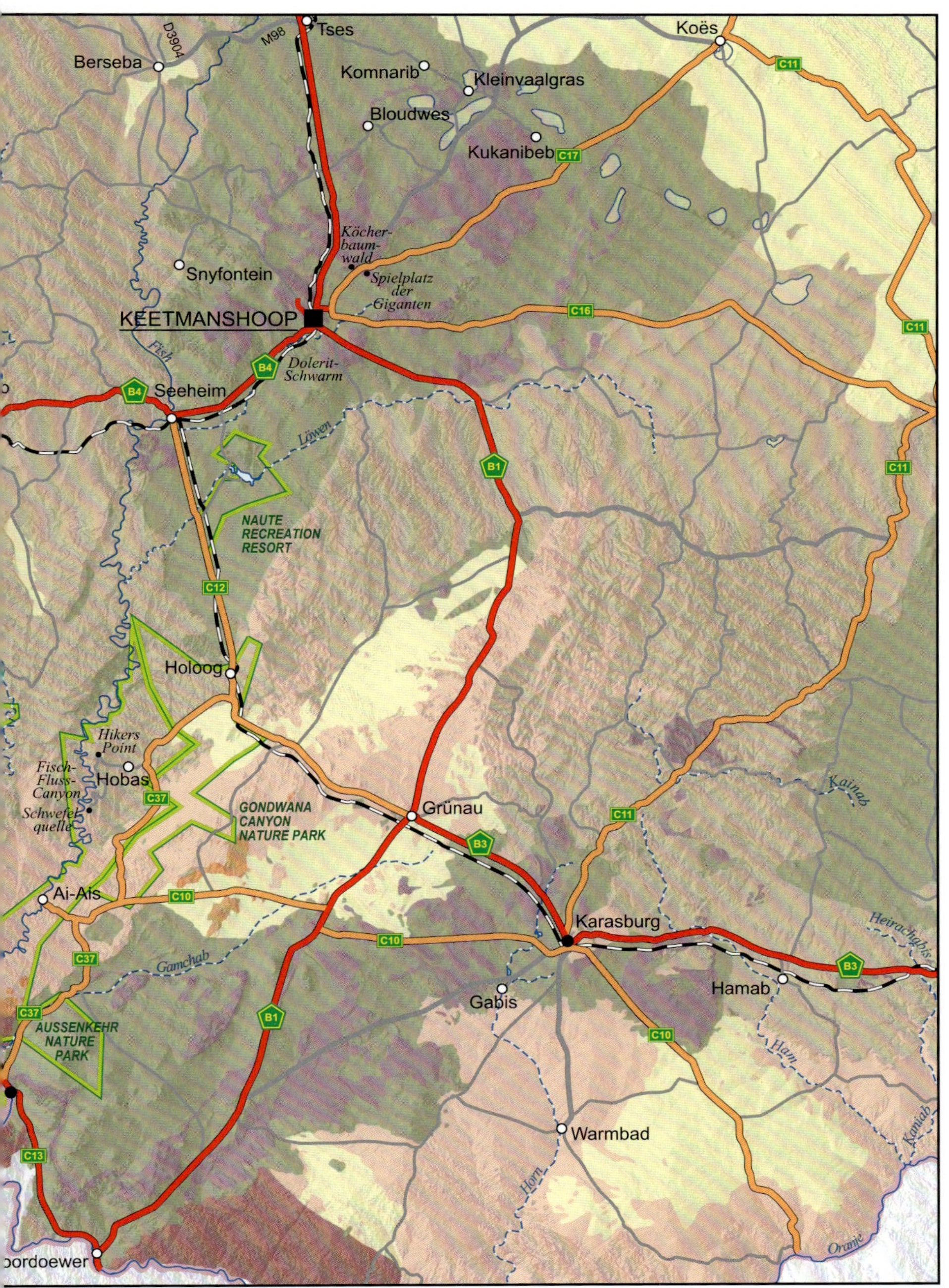

Tses
M98
D3904
Berseba
Komnarib
Kleinvaalgras
Koës
C11
Bloudwes
Kukanibeb
C17
Köcher-
baum-
wald
Spielplatz
der
Giganten
Snyfontein
KEETMANSHOOP
C16
C11
Fish
B4
Dolerit-
Schwarm
B4
Seeheim
Löwen
B1
C11
NAUTE
RECREATION
RESORT
C12
Holoog
Hikers
Point
Fisch-
Fluss-
Canyon
Hobas
Schwefel-
quelle
C37
GONDWANA
CANYON
NATURE PARK
Grünau
B3
C11
Kainab
Ai-Ais
C10
Karasburg
Heirachabis
C10
C37
Gamchab
B3
Gabis
Hamab
C37
AUSSENKEHR
NATURE
PARK
B1
C10
Ham
Warmbad
C13
Kamiab
Horn
Oranje

8.2 Die Region um den Fisch-Fluss-Canyon

Der Fisch-Fluss-Canyon gehört zweifellos zu den beeindruckendsten geologischen Zeugnissen Afrikas. Trotz seiner abgelegenen Lage sollten Sie ihn auf jeden Fall bei Ihrer Süd-Namibia-Tour einplanen. Zur Rast bieten sich die heißen Quellen von Ai-Ais an.

8.2.1 Der Fisch-Fluss-Canyon

Um zum Fisch-Fluss-Canyon zu gelangen, biegen Sie, von der B 4 kommend, in Höhe Seeheim auf die C 12 nach Süden ab. Nach ca. 77 km nehmen Sie südlich von Holoog die Straße C 37. Nach weiteren 32 km erreichen Sie den Eingang nach Hobas. Bis zum Hauptaussichtspunkt sind es noch 11 km. Von dort aus erreichen Sie nach etwa 3 km Fahrt in nördlicher Richtung den Aussichtspunkt „Hiker's Point". Nach ca. 8 km Fahrt in südlicher Richtung kommen Sie zu dem Aussichtspunkt „Schwefelquelle", der Ihnen ebenfalls einen imposanten Blick in den Canyon bietet.

Der Fisch-Fluss-Canyon zählt nach dem Grand Canyon in Arizona (USA) zu den größten Canyons der Welt. Über zwei Wasserfälle, die jedoch nur in der Regenzeit aktiv sind, stürzt der Fisch-Fluss in seinen bis zu 549 m tiefen Canyon und legt auf seinem Weg nach Süden bis zum Ende der Schlucht bei Ai-Ais insgesamt 90 km zurück. An seiner breitesten Stelle misst er 27 km. Der Fisch-Fluss selbst entspringt im östlichen Naukluft-Gebirge und legt bis zu seiner Einmündung in den Oranje ca. 650 km zurück. In der Trockenzeit besteht er nur aus einzelnen Wasserstellen und fließt unter den heutigen Klimabedingungen nur noch während der Regenzeit je nach Niederschlagsmenge mehr oder weniger stark.

Die geologische Entstehung des Canyons begann vor ca. 300 Mio Jahren, die Geschichte der von ihm angeschnittenen Gesteine reicht allerdings bis in die geologische Ära vor mehr als 1,5 Mrd Jahren zurück. Diese uralten Felsen, die dem **Namaqualand-Metamorphit-Komplex** angehören, zählen zu den ältesten Gesteinen Süd-Namibias. Sie bauten einst ein mächtiges Gebirge auf, welches damals das Land um den heutigen Fisch-Fluss-Canyon überragte. Die Namaqua-Gebirgsbildung vor ca. 1,2 Mrd Jahren führte neben weiteren tektonischen Ereignissen zur Bildung des kurzlebigen **Rodinia-Kontinents** (siehe Kapitel 2), der den Vorläufer des bekannten Gondwana-Kontinents darstellte. Die steinernen Zeugen dieses Gebirges sind z. B. bei Ai-Ais durch das extrem tiefe Einschneiden des Fisch-Flusses aufgeschlossen worden (siehe Abb. 2.4 auf Seite 24). Bei einer Wanderung durch den unteren Bereich des Canyons bei Ai-Ais treffen Sie auf mächtige Felspakete aus Gneis-Gestein mit großen, eingeschlossenen Quarzlinsen und Pegmatiten, die dieser Formation angehören.

Vor ca. 770 Mio Jahren wurde der Namaqualand-Metamorphit-Komplex schon wieder von magmatischen und tektonischen Ereignissen in Form von **Dolerit-Gängen** erschüttert, die bereits das Auseinanderbrechen des nur kurz zuvor gebildeten Rodinia-Kontinents ankündigten. Dolerit ist ein schwarz-graues Ganggestein, das in seiner chemischen Zusammensetzung dem Basalt entspricht (siehe Kapitel 7.1.2). Im Gegensatz zum Basalt, der als Lava an der Erdoberfläche austritt, ist das Vorkommen von Dolerit an lang gestreckte, mehr oder weniger schmale, magmatische Gänge gebunden, in denen das Magma unterirdisch erstarrt und erst durch Abtragungsprozesse freigelegt wird. Diese Dolerit-Gänge können als Zeugen der damaligen vulkanischen Ereignisse im Rahmen der mehrtägigen Canyon-Wanderung entdeckt werden, die jedoch nur zu bestimmten Jahreszeiten und mit Genehmigung der Naturschutzbehörde durchgeführt werden darf (Abb. 8.18). Ein guter Blick auf einige Dolerit-Gänge eröffnet sich Ihnen aber auch vom Aussichtspunkt „Sulfur Spring" (Schwefelquelle), wobei Ihnen die Abbildung 8.20 darüber hinaus die Altersbeziehungen zwischen den Doleriten und den auflagernden Schichten der Nama-Gruppe veranschaulicht.

Nach dem Eindringen der Dolerite und dem Auseinanderbrechen des Rodinia-Kontinents kam die Erde zur Ruhe. In den nachfolgenden Jahrmillionen beherrschte die Abtragung des Namaqualand-Hochgebirges das erdgeschichtliche Geschehen im Bereich des heutigen Fisch-Fluss-Canyons. Vor ca. 650 Mio Jahren war von dem Gebirge nur noch ein eingeebneter Gebirgsrumpf (Rumpffläche) übriggeblieben, der nun vom Meer überflutet wurde. Noch während des ausklingenden Präkambriums vor etwa 600 Mio Jahren lagerten sich nach **Meeresüberflutungen** schon die ersten Sedimente der Nama-Gruppe auf dem eingeebneten Gebirgsrumpf ab. Sie haben hier am Fisch-Fluss-Canyon das Glück, dieses erdgeschichtliche Ereignis in den Canyon-Felswänden nachvollziehen zu können. Die marinen Ablagerungen heben sich durch eine sehr deutliche **Diskordanz** (Abb. 2.23 in Kapitel 2, und Abb. 8.18), d. h. eine im Gelände ersichtliche Trennlinie, von der alten Landoberfläche ab. Solche Diskordanzen weisen in der Geologie in eindrucksvoller Weise auf lange Zeiträume der Abtragung zwischen einzelnen Ablagerungsphasen hin. Zu den nach der Meeresüberflutung gebildeten Flachmeer-Gesteinen zählen die grau-braunen Quarzite und Konglomerate sowie schwarzen Kalksteine der **Kuibis-Untergruppe**, die Sie z. B. vom „Hiker's Point" aus im Canyon sehen können (Abb. 8.19).

Die eigentliche Geburt des Canyons begann vor ca. 300 Mio Jahren. Allgemein geht man davon aus, dass sich der tiefere Teil des Fisch-Fluss-Canyon in einer tektonischen Grabenstruktur bildete (siehe Kapitel 3.1.3), d. h., dass längs von tiefreichenden Störungen ein Erdkrustenblock einsank, in dem der Fisch-Fluss durch Erosion einen Canyon schuf. Der obere Teil des Canyons hingegen formt eine graben-ähnliche Struktur, die durch zwei gegenüberliegende, nach unten gerichtete Schicht-Umbiegungen (Flexuren) gekennzeichnet sind, die dabei eine Trog-Form entstehen lassen. Klar ist, dass die obersten Kanten des Canyons, die mehr als 20 km auseinanderliegen und dessen breites Ur-Tal begrenzen, durch großtektonische Vorgänge unter Beteiligung von Störungszonen gebildet wurden. Die Abbildung 8.19 zeigt Ihnen eine dieser Bruchstrukturen, die vom „Hiker's Point" aus gut zu sehen ist.

Nach Abschluss der tektonischen Vorgänge, der ersten Entwicklungsphase des Fisch-Fluss-Canyons, folgte der Fisch-Fluss der entstandenen, vorgegeben Struktur als günstigstem Weg

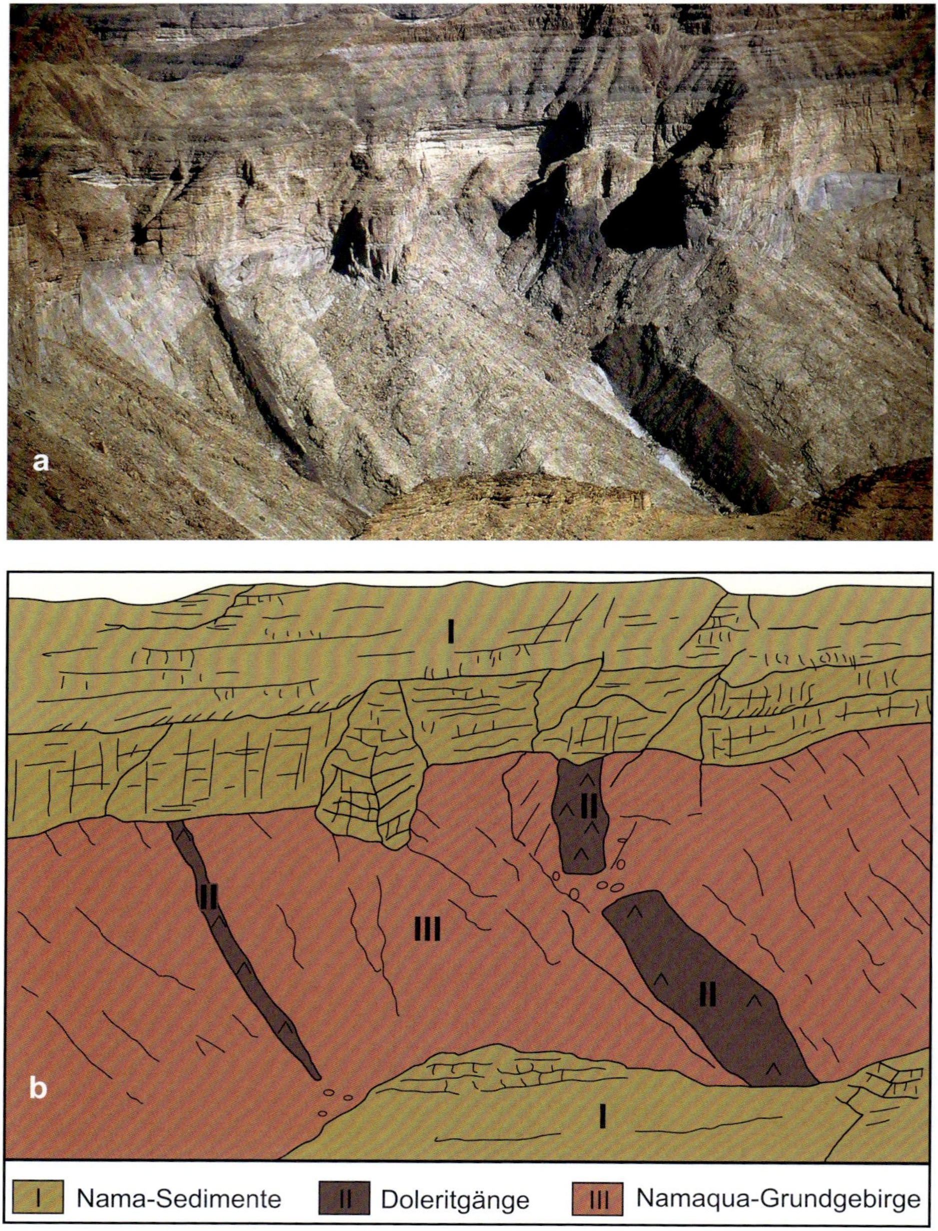

Abb. 8.18 a + b: Ein Dolerit-Gang durchschlägt die Gneise des Namaqualand-Komplexes. Deutlich ist zu erkennen, dass die Sedimente der Nama-Gruppe nicht durchdrungen werden – sie sind also jüngeren Alters als die Dolerite. Die Grenze zwischen den Gneisen und den Nama-Sedimenten wird als Diskordanz bezeichnet. Grafik: Johanna Eifrig

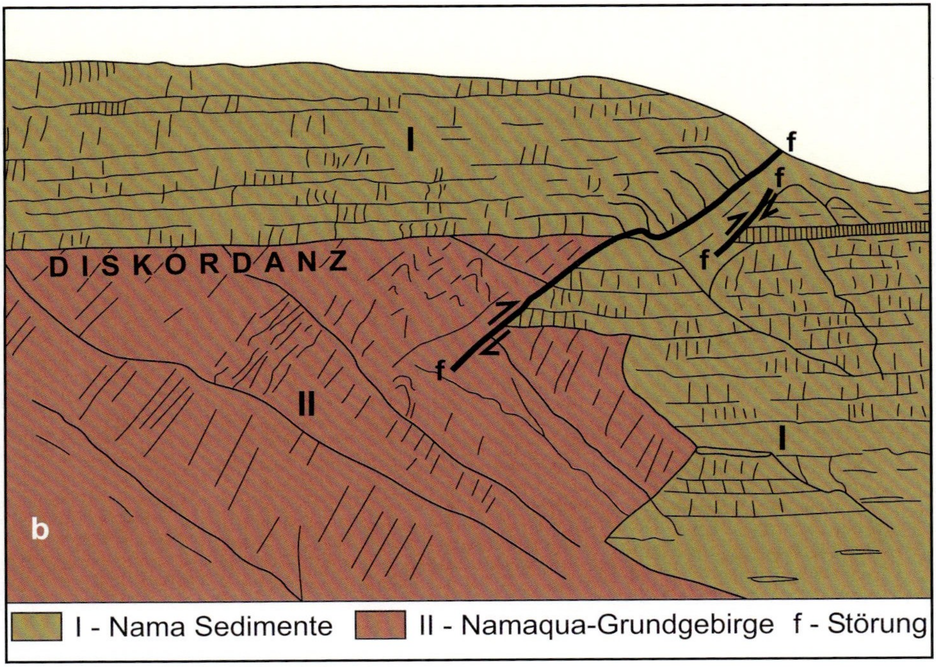

Abb. 8.19 a + b: Bruchstruktur in Gesteinen der Nama-Gruppe (Blick vom Hiker's Point nach Südosten)
Grafik: Johanna Eifrig

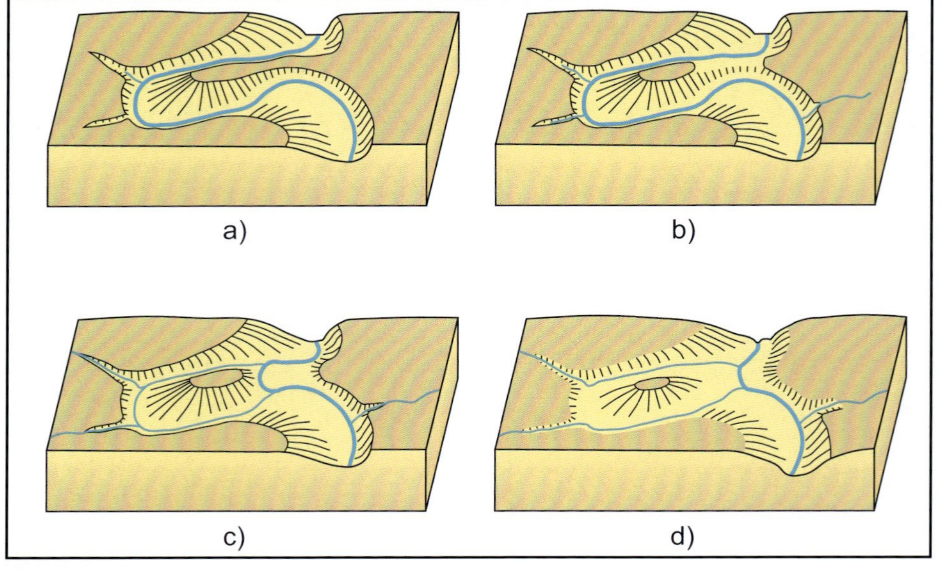

Abb. 8.20: Entstehung eines Umlaufbergs durch Mäanderbildung   Grafik: Marco Felber

für sein Flussbett. Das Flussbett lag jedoch noch etwa 300 m höher als heute, wobei der Boden der tektonischen Struktur von flachlagernden Quarziten der Kuibis-Schichten eingenommen wurde. Diese extrem harten Schichten behinderten das Einschneiden (Tiefenerosion) des Flusses so weit, dass sich seine Erosionskraft vor allem seitlich auswirkte. Die **Seitenerosion** schuf in der Folge eine Verebnungsfläche, die heute die zweite Stufe des Canyons bildet. Das Plateau ist besonders vom „Hiker's Point" aus gut zu erkennen. Heute wird der morphologisch höher gelegene Teil des Canyons auch als der **„alte Canyon"** bezeichnet. In seiner typischen Ausprägung ist der „alte Canyon" besonders im Norden gut zu sehen.

Charakteristisch für das Ur-Flussbett, das sich auf der durch Seitenerosion entstandenen Verebnungsfläche ausbreitete, sind die weitläufigen Flussschlingen, die sogenannten **Mäander**. Diese geomorphologische Besonderheit deutet darauf hin, dass der Fisch-Fluss einst bei geringem Geländegefälle mit langsamer Fließgeschwindigkeit in dieser tischebenen Talfläche geflossen sein muss. Markant ausgebildete Mäanderschlingen und daraus resultierende **Umlaufberge** und **Altarme** (Abb. 8.20 und 8.21), die im zentralen Teil des Canyons erhalten sind, sehen Sie sowohl vom „Hauptaussichtspunkt" als auch vom „Hiker's Point" besonders deutlich.

Auch die für ganz Namibia so bedeutsame **Gondwana-Vereisung** beeinflusste die Bildung des Canyons. Es wird vermutet, dass südwärts fließende Gletscher das Ur-Bett des

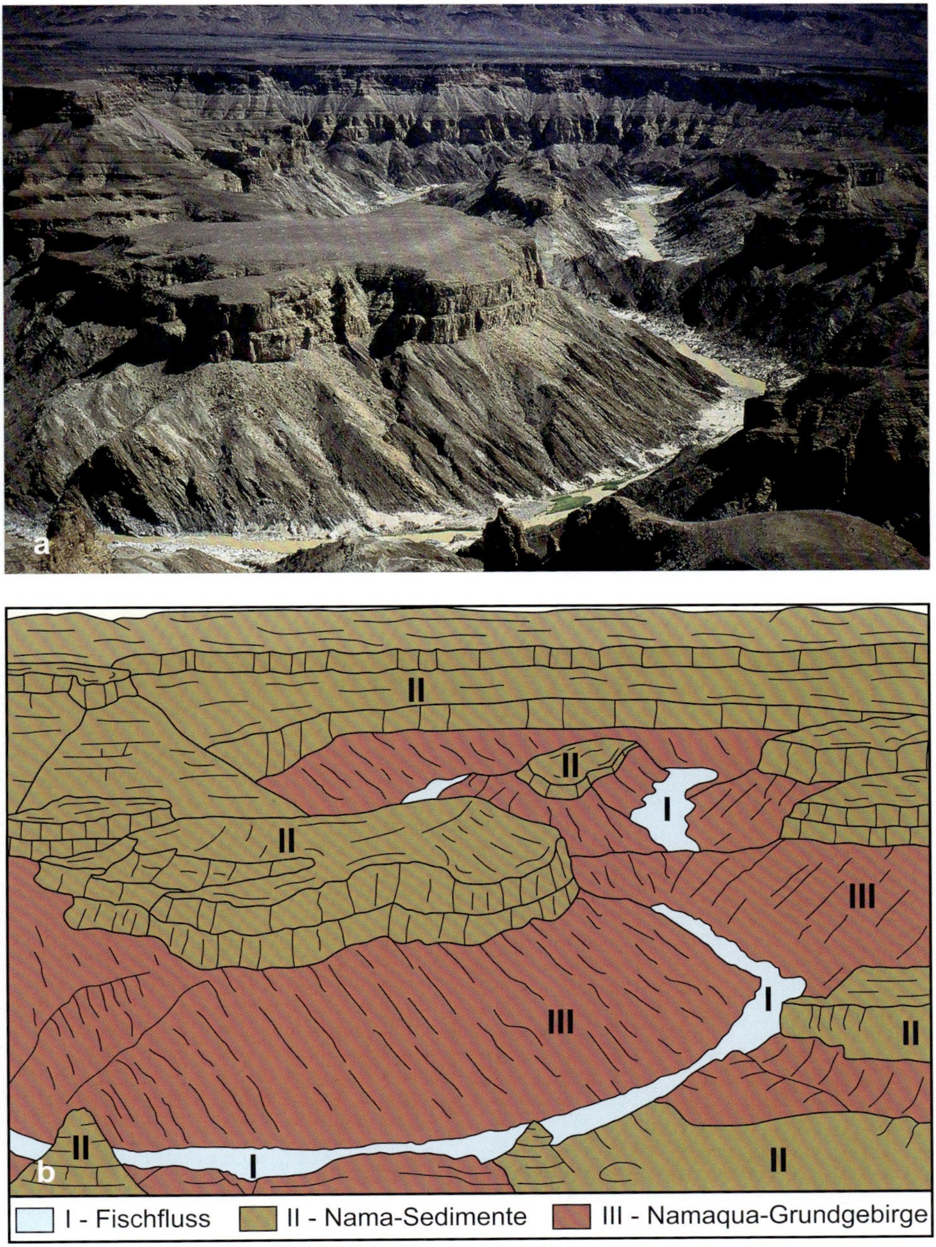

I - Fischfluss | II - Nama-Sedimente | III - Namaqua-Grundgebirge

Abb. 8.21 a + b: Mänderschlingen im Fisch-Fluss-Canyon

Grafik: Johanna Eifrig

Fisch-Flusses bzw. den jetzigen „alten Canyon“ ausfüllten und zusätzlich ausgehobelt haben – angesichts der heute herrschenden Hitze und Trockenheit eine faszinierende Vorstellung. Da die eiszeitlichen (glazialen) Ablagerungen in den Bereichen, die für Touristen zugänglich sind, durch Erosionsprozesse wieder abgetragen wurden, können Sie während Ihres Besuchs leider keine Zeugnisse der Eiszeit antreffen.

Das Auseinanderbrechen von Gondwana vor ca. 120 Mio Jahren und die damit verbundene **Heraushebung der Kontinentalränder** hatte schließlich die Bildung des jüngeren Teils des Fisch-Fluss-Canyons zur Folge. Die Geländeanhebung und die resultierende Erhöhung des Fließgefälles verstärkte die erosive Kraft des Wassers soweit, dass sich der Fisch-Fluss innerhalb der bereits vorgegebenen Flussschlingen immer tiefer in den Untergrund einschneiden konnte. In den Jahrmillionen fraß sich das Wasser somit durch die harten Quarzite der Nama-Gruppe hindurch und erreichte schließlich den tieferen Sockel Süd-Namibias, die Urgesteine des **Namaqualand-Metamorphit-Komplexes**, die heute am Grunde des Canyons, vor allem bei Ai-Ais, aufgeschlossen sind. Durch diese Kombination unterschiedlichster Prozesse konnte die Natur also schließlich das geologische Wunder des Fisch-Fluss-Canyons als einen landschaftlichen Höhepunkt Namibias erschaffen.

8.2.1.1 Stromatolithen am Hiker's Point

Ein Besuch des Fisch-Fluss-Canyons ist nicht nur wegen der spektakulären Aussicht und Entstehungsgeschichte des Canyons selbst zu empfehlen. Auch lohnt ein Blick ins Detail, denn hier sind fundamentale geologische Prozesse zu entdecken, die sogar für die Entwicklung menschlichen Lebens von besonderer Bedeutung sind (siehe Kapitel 4.1).

Abb. 8.22: Stromatolithen-Kolonie am Hiker's Point

Am Hiker's Point (direkt neben den Toiletten-Häuschen) bietet sich Ihnen die Möglichkeit, Stromatolithen genauer kennenzulernen. **Stromatolithen** sind Stoffwechselprodukte von Kalk abscheidenden Cyano-Bakterien, die sich in dichten Matten am Meeresboden in Flachmeerbereichen bildeten. Da Stromatolithen keine Skelett-Fossilien, sondern ein Überbleibsel des Stoffwechsels von Organismen sind (Abb. 8.22), finden Sie in den Gesteinen keine „Abdrücke“ der Organismen selbst. Fossil erhalten sind daher die kalkigen Ausscheidungen sowie Sedimente, die sich vor ca. 550 Mio Jahren in den Bakterien-Kolonien verfangen hatten.

Stromatolithen zählen mit zu den ältesten Lebensformen auf unserem Planeten.

Abb. 8.23 a + b: Rezente Stromatolithen-Kolonie in Shark Bay, Australien

Obwohl sie schon vor ca. 3,5 Mrd Jahren existierten, gibt es heute noch immer lebende Stromatolithen, wie z. B. in Shark Bay, Australien (Abb. 8.23). Ein Vergleich zwischen den rezenten Stromatolithen-Kolonien und den fossilen Vorkommen vom Hiker's Point verdeutlicht, wie die Landschaft am Fisch-Fluss-Canyon vor etwa 550 Mio Jahren ausgesehen haben könnte. Die kleinen Löcher in den Quarzit-Gesteinen am Hiker's Point wurden von fossilen Algenkolonien hervorgerufen.

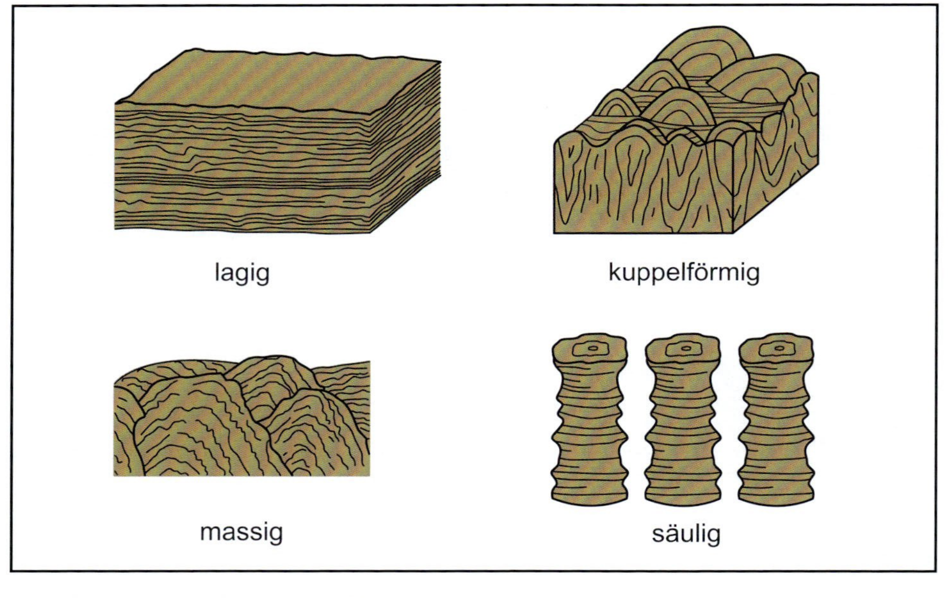

Abb. 8.24: Verschiedene Stromatolithen-Formen

Generell treten verschiedene **Stromatolithen-Formen** auf. Es wird zwischen lamellaren, kuppelartigen, knollenartigen und säulenförmigen Strukturen unterschieden (Abb. 8.24), die sich in Abhängigkeit von der Wassertiefe entsprechend entwickelten. Die Stromatolithen vom Hiker's Point gehören dem kuppelartigen Typ an, während die in Abbildung 4.2 und Abbildung 7.27 gezeigten Formen aus dem Otavi-Bergland bzw. den Zaris-Bergen säulenförmige Stromatolithen darstellen.

Die in ganz Namibia weitverbreiteten Stromatolithen weisen auf einen der wichtigsten Momente in der Evolution des Lebens hin. Nur das massenhafte Auftreten dieser unscheinbaren Bakterien-Kolonien war letztendlich verantwortlich, dass der freie Sauerstoff, den wir atmen, in die irdische Atmosphäre gelangte und die Entwicklung höheren Lebens ermöglichte.

8.2.2 Heiße Quellen von Ai-Ais

Nach Ai-Ais gelangen Sie, von Hobas aus kommend, über die Straßen C 37, die parallel zum Fisch-Fluss-Canyon verläuft, und die C 10. Die Strecke ist ca. 58 km lang. Von Grünau führt Sie die Straße C 10 nach etwa 95 km ebenfalls nach Ai-Ais.

Die heißen Quellen von Ai-Ais wurden im 19. Jahrhundert durch Zufall von einem Angehörigen des Nama-Stammes während des Schafehütens entdeckt. Ai-Ais bedeutet in der Nama-Sprache soviel wie „sehr heiß“.

Abb. 8.25: Das Auge, Quellaustritt der Thermalwässer von Ai-Ais

Der geologische Ursprung der ca. 60°C heißen Wässer ist auf tiefgreifende Störungszonen im Bereich des Fisch-Fluss-Canyons zurückzuführen. Diese Schwächezonen in der Erdkruste, die für die Bildung der tektonischen Strukturen des Canyons mitverantwortlich sind, bieten Aufstiegswege für das in der Erdkruste aufgeheizte Grundwasser (siehe Kapitel 3.1.3). Das austretende Wasser, dem therapeutische Wirkung für rheumatische Leiden zugeschrieben wird, ist reich an gelösten **Mineralsalzen** wie Fluoriden, Sulfaten und Chloriden. Es ist anzunehmen, dass diese Salze während des Grundwasseraufstiegs aus den durchflossenen Gesteinen herausgelöst wurden. Der eigentliche Quell-Austritt, das sogenannte Auge kann in der Nähe des Thermal-Freibads von Ai-Ais besichtigt werden.

8.3 Die Region um Lüderitz

Der Küstenort Lüderitz und seine Umgebung sind eine Fundgrube an bemerkenswerten geologischen Sehenswürdigkeiten. Dies liegt nicht nur an den unglaublichen Diamanten-Funden, die hier seit Beginn des 20. Jahrhunderts getätigt wurden (siehe Kapitel 8.3.2).

8.3.1 Die Lüderitzhalbinsel

Der einzige Zufahrtsweg nach Lüderitzbucht und zur Geisterstadt Kolmanskop führt Sie über die B 4. Bevor Sie nach Lüderitzbucht gelangen, fahren Sie an Kolmanskop vorbei. Touren zu diesem verlassenen Ort aus der Diamanten-Zeit werden von Safari-Gesellschaften in Lüderitz veranstaltet. Die Wegbeschreibung zu den einzelnen geologischen Aufschlusspunkten auf der Lüderitzhalbinsel können Sie der Karte in Abb. 8.29 entnehmen.

Der felsige Untergrund des Küstenortes Lüderitzbucht besteht aus kristallinem Ur-Gestein des **Namaqualand-Metamorphit-Komplexes**. Diese uralten Felsen zählen zu den ältesten Gesteinen Süd-Namibias. Als Abtragungsprodukte der ersten Festlandsbereiche des südlichen Afrikas wurden sie in einen Teil des Ur-Meeres geschwemmt, das sich damals hier ausbreitete. Bei Ausbrüchen von untermeerischen Vulkanen quoll Lava aus dem Grund des Meeres und durchsetzte diese Ablagerungen zudem mit Basaltgesteinen. Noch während des Präkambriums gelangte dieser gesamte Meeresboden im Rahmen einer Gebirgsbildung vor ca. 1,2 Mrd Jahren durch gigantische tektonische Vorgänge in große Tiefen von mehr als 20 km. Unter dem Einfluss der dort herrschenden extrem hohen Temperaturen und Drücke wurden die **Meeresablagerungen** in Gneis, Granat-Glimmerschiefer und andere metamorphe Gesteine umgewandelt. Es entstand ein Gebirge, dessen Überreste heute als Namaqualand-Metamorphit-Komplex bezeichnet werden. Die Bedingungen im Erdinneren waren so extrem, dass die Ablagerungen des ehemaligen Meeresbodens teilweise aufgeschmolzen wurden. Dieser Vorgang wird in der Geologie als Anatexis bezeichnet. Die Schmelze drang in feste, der Hitze mehr oder weniger widerstehende Gesteinsbereiche ein. Dadurch entstanden die bunten, von Adern und Flecken durchsetzten **Anatexite**, die Sie auf der Haifischinsel oder aber, besonders beeindruckend, an der Teerstraße nach Lüderitz direkt am Ortseingangsschild („Willkommen in Lüderitz“) erkunden können (Abb. 8.26). Diese Milliarden Jahre alten Gesteine zeugen von einem Zeitalter, als es im Meer nur Mikroorganismen gab und auf dem Festland außer Wind und Wetter noch völlige, bewegungslose Stille herrschte.

Auf dem Weg zum Diaz-Point können Sie ein weiteres Relikt des ins Erdinnere versenkten Meeresbodens entdecken. Die einst aus dem Grund des Ur-Meeres ausgeflossenen basaltischen Laven wurden durch die Metamorphose im Erdinneren in sogenannten **Amphibolit** umgewandelt, der heute als lang gestreckte, schwarze Felsrippe die Landschaft durchzieht (Abb. 8.27) und als Black Range bekannt ist.

Abb. 8.26: Buntgefleckter, mit Adern durchzogener Gneis (Anatexit) des Namaqualand-Metamorphit-Komplexes am Ortseingang von Lüderitz

Abb. 8.27: Aus der Metamorphose submariner Lava entstandener Amphibolit-Zug

Im Rahmen der großtektonischen Vorgänge, welche die Versenkung des Ur-Meeresbodens in das tiefere Erdinnere auslöste, wurden die heute als Namaqualand-Metamorphit-Komplex bezeichneten Gesteine aufgefaltet und als Gebirge an den bereits existierenden **Kalahari-Kontinent** angegliedert. Auf diese Weise wuchsen die damals noch kleinen, stabilen Festlandsbereiche zu immer größeren Kontinenten heran – und schließlich zu den Erdteilen so, wie wir sie heute kennen. In einer späten Phase der Namaqualand-Gebirgsbildung drangen

Abb. 8.28: Präkambrische, kopfgroße Gerölle in Konglomerat-Ablagerungen am Kleinen Bogenfels zeugen von der Abtragung eines Ur-Gebirges

Magmenkörper, die im Erdinneren zu hellen **Graniten** auskristallisierten, in das Gebirge ein. Diese im Bereich der Lüderitzhalbinsel vereinzelt auftretenden Granite bauen z. B. den Untergrund von Kolmanskop auf und können während eines Besuchs der Geisterstadt vor dem alten Haus des Managers genauer betrachtet werden.

Im Bereich der Großen Bucht und am Kleinen Bogenfels ist eine weitere, geologisch äußerst interessante Entdeckung zu machen. Es handelt sich dabei um ein Gestein mit großen, unregelmäßigen Gneis- und Granitgeröllen, das aus dem oberen Präkambrium stammt. Diese Gerölle sind nichts anderes als Abtragungsprodukte des aus den Namaqualand-Metamorphiten aufgebauten Gebirges, das einst hier aufragte. Das Besondere daran ist jedoch, dass die Gerölle nicht durch Wasser, wie man vielleicht erst vermuten würde, sondern durch Eis und Gletscher transportiert und zugeschliffen wurden. Nach dem Abschmelzen der Gletscher über dem Meer fiel die mitgeführte Geröllfracht als sogenannte **Dropstones** auf den Meeresboden, wo sie in Sande und Tone eingebettet wurden. Diese faszinierenden Gesteine zeugen also von einer weiteren Eiszeit im Bereich Namibias lange bevor die bereits mehrfach erwähnte Gondwana-Vereisung stattfand. Diese Erkenntnis hat für die moderne Geologie weitreichende Folgen gehabt, denn die Wissenschaftler gehen davon aus, dass zum Ende des Präkambriums die ganze Welt mindestens zwei Mal komplett zugefroren sein soll. Daher wird diese, heute von den meisten Forschern akzeptierte Theorie auch Schneeball-Erde (engl. Snowball Earth) genannt. Da es in Namibia aus diesem Zeitraum viele Gesteinsablagerungen gibt, waren die hier gewonnenen Forschungsergebnisse von besonderer Bedeutung bei der Entwicklung dieser Hypothese. Typische Exemplare dieses

Abb. 8.29: Lageplan der Lüderitzhalbinsel Karte: Goldmann/Schröter

Gesteins können Sie am westlichen Rand der Großen Bucht oder aber am Kleinen Bogenfels entdecken (Abb. 8.28).

Eine weitere Folge der beschriebenen Abtragungsphase war die völlige Einebnung des Namaqualand-Gebirges, dessen einstige Lage heute durch ein offenes Hügelland gekennzeichnet ist. Diese für die südwestliche Namib typische **Gebirgsrumpffläche** durchqueren Sie auf Ihrer Fahrt von Aus nach Lüderitz.

Die weitere geologische Geschichte von Lüderitzbucht wurde durch das Aufbrechen des Gondwana-Kontinents vor etwa 120 Mio Jahren eingeleitet. Es entstand ein gewaltiger Riss in der Erdkruste, der sich quer durch den gesamten Riesenkontinent erstreckte. Schließlich brach Wasser aus den angrenzenden Ozeanen in diesen Riss ein und bildete zunächst einen schmalen Meeresarm, an dessen Ostufer das heutige Lüderitz lag. Durch Meeresspiegelschwankungen innerhalb dieses Vorläufers des Süd-Atlantiks kam es zu Überflutungen des angrenzenden Festlands bis in die heutige Namib hinein. Zeugen dieser Überschwemmungen sind marine Ablagerungen, die teilweise mehr als 150 m oberhalb des heutigen Meeresspiegelniveaus liegen. So wurden beispielsweise auf dem Nautilus-Hügel nördlich von Lüderitz etwa 100 Mio Jahre alte **fossile Muscheln** gefunden, die zu einer Zeit lebten, als man Süd-Amerika noch durch eine kurze See-Reise von Namibia aus hätte erreichen können.

Während des anschließenden Tertiärs, das vor 65 Mio Jahren begann, lagerten sich Sande und Schotter auf der Rumpffläche des „Namaqualand-Gebirges" ab. Diese unscheinbaren Sedimente sind heute von allen Gesteinen, die in der Lüderitz-Region auftreten, die mit Abstand bedeutungsvollsten und meistuntersuchten geologischen Objekte. In diesen tertiären Lockersedimenten wurden die **Diamanten** entdeckt, die noch heute einen wesentlichen Anteil am nationalen Einkommen Namibias ausmachen (siehe Kapitel 8.3.2).

Daneben wurden noch andere, weniger wertvolle, aber ebenfalls interessante Funde in den Tertiär-Sedimenten gemacht. Die Ablagerungen enthielten Fossilien von wasserlebenden Tieren, z. B. von Verwandten der heutigen Flusspferde. Dieses in Anbetracht der heutigen Wüstenlandschaft kaum vorstellbare Tierleben ist ein wertvoller Hinweis auf die regionalen Klimaverhältnisse während der Tertiärzeit, in der demnach über längere Zeiträume hinweg feucht-warme Bedingungen und permanente Wasserläufe bestanden haben müssen.

Wüstenschotter (**Fanglomerate**) und Dünensande, die auf den fossilienführenden Schichten aufliegen, weisen jedoch auf eine extreme Klimaveränderung hin, die vor ca. 10–15 Mio Jahren stattfand und wüstenhafte Bedingungen zur Folge hatte. Zeitgleich entstanden die für weite Teile der Namib typischen Verkieselungen (nachträgliche Verfestigung der Sedimente mit quarzhaltigen Lösungen), durch die u. a. Achate gebildet wurden (siehe Kapitel 8.3.2).

Die großen Dünenfelder der Süd-Namib sind erst in geologisch sehr junger Zeit vor ca. 2 Mio Jahren entstanden. Heute gehört das **südliche Dünenfeld** in der Umgebung von Lüderitz zu den aktivsten Dünenbereichen der Namib. Es wird in erster Linie aus **Barchandünen** aufgebaut, die durch besondere Mobilität gekennzeichnet sind. Hinweise auf diese Aktivität der Sandmassen finden Sie an der Straße Aus–Lüderitz, wo zahlreiche Schilder vor Sandverwehungen warnen. Der fast ständig blasende Südwest-Wind treibt die Dünenfelder kontinuierlich nach Norden. Während sich im zentralen Teil der Wüste nur die Dünenkämme fortbewegen, wandern hier ganze Dünen voran. Nicht selten ist daher die Teerstraße durch die Sandmassen blockiert.

Die Sande, welche die Dünen um Lüderitz aufbauen, sind Erosionsprodukte aus dem zentralen Teil Südafrikas. Durch den Oranje-Fluss bis zum Meer transportiert und dann durch den Benguela-Strom ständig weiter nach Norden verfrachtet, lagert sich der Sand längs der namibischen Küste ab (so auch in der Region um Lüderitz) und wird anschließend durch Windeinwirkung zu Dünen aufgetürmt.

Angesichts des metamorphen Gesteinssockels, fehlender poröser Sandstein- oder Schotterlagen und der seit mehreren Jahrmillionen herrschenden Trockenheit stellt sich natürlich die Frage, woher ein Ort wie Lüderitz sein Trinkwasser bezieht. Da sich in Anbetracht der geologischen Situation in der Umgebung von Lüderitz auch keine nennenswerten fossilen Grundwasseransammlungen bilden konnten, wurde daher über Jahrzehnte hinweg Trinkwasser per Ochsenkarre oder per Eisenbahn aus dem Landesinneren oder per Schiff aus der südafrikanischen Kap-Provinz herangeschafft.

Erst später wurde entdeckt, dass auch die südliche Namib von unterirdischen Wasserläufen durchzogen ist. Etwa 65 km nordöstlich von Lüderitz endet der Koichab-Trockenfluss, der im Untergrund große Mengen Süßwasser mit sich führt. Heutzutage wird daher dieses fossile **Grundwasserreservoir** der Namib angezapft, und die Versorgung von Lüderitz ist dadurch bis auf Weiteres sichergestellt.

8.3.2 Mineralien der Region

Namibia ist für seine qualitativ hochwertigen Diamantenvorkommen weltbekannt. Seit der Entdeckung des ersten Diamanten durch den Bahnarbeiter Zacharias Lewala im Jahre 1908 wurden insgesamt mehr als 80 Millionen Karat der wertvollen Steine gewonnen.

Das Mineral **Diamant** besteht genau wie der schmucklose Graphit aus reinem Kohlenstoff (chemisches Symbol C), von dem er sich jedoch durch ein völlig anderes Kristallgitter unterscheidet. Diamanten sind meist farblos und durchscheinend, es gibt aber auch gelbliche, braune, rote und sogar schwarze Varianten. Diese wertvollen Edelsteine sind durch ihre extrem große Härte (Härte 10 auf der Härteskala) charakterisiert. Der Name Diamant stammt von dem Griechischen Wort *adamas* ab, was soviel wie „unbesiegbar" bedeutet.

Diamanten können nur bei Temperaturen von über 1.000°C und Drücken von 16 kbar entstehen. Diese extremen **Bildungsbedingungen** werden erst in Tiefen von ca. 160 km, also im oberen Erdmantel, erreicht. Die wertvollen Minerale sind häufig Bestandteil der Tiefengesteine Peridotit und Eklogit, die im Erdmantel weitverbreitet sind. Der Grund, weshalb wir aber Diamanten überhaupt an der Erdoberfläche finden können, liegt in extrem tiefreichenden, vulkanischen Durchschlagsröhren, den sogenannten **Diatremen**. Diese schmalen, karottenförmigen Gasexplosionsröhren können bis in Tiefen von 200 km reichen, wo sie die Mantelgesteine mitsamt ihrer Diamant-Fracht mit sich reißen und zur Oberfläche transportieren. Ohne diese zufälligen Transportrouten würden uns sonst keine Diamanten bekannt sein. Die Schlotfüllungen der Diatreme werden als **Kimberlite** bezeichnet. Kimberlite (benannt nach der südafrikanischen Diamantmine Kimberley) sind seltene magmatische

Brekzien unterschiedlicher Zusammensetzungen, da sie Gesteinsfetzen verschiedener von ihnen durchschlagenen Gesteinsarten sowie Diamanten enthalten können.

Die meisten Kimberlite des südlichen Afrikas haben Alter von entweder ca. 90 Mio oder etwa 120 Mio Jahren. Dies ist wahrscheinlich damit zu begründen, dass zu diesen Zeiten jeweils wesentliche Ausgleichsbewegungen in der Erdkruste stattfanden, die alten Kratone angehoben wurden und somit die Diatrem-Bildung durch die angehobene Kruste erleichtert wurde. Altersdatierunen der Diamanten selber zeigen, dass sehr viele Steine älter als 3,3 Mrd Jahre sind, also fast bis an die Anfänge der Erde selbst zurück reichen.

Diamantführende Kimberlite treten bevorzugt an Kraton-Rändern auf. Dies ist dadurch zu erklären, dass Kratone aus kühler, alter Kruste bestehen, denn werden Diamanten hohen Temperaturen ausgesetzt, werden sie in Graphit umgewandelt. So schützt nur ein schneller Transport innerhalb der explosiven Durchschlagsröhren durch die kühle Kraton-Kruste die Steine davor, als „Bleistifte“ auf der Erdoberfläche anzukommen.

Nicht jeder Kimberlit führt auch Diamanten, was den besonderen Wert der Steine unterstreicht. Auch in Namibia, in der Region um Gibeon, gibt es Kimberlite (siehe Kapitel 8.1.3), die jedoch keine Diamanten an die Oberfläche gebracht haben. Diamant-führende Kimberlite werden allerdings unter mächtigen Kalahari-Sandablagerungen im sogenannten Buschmannland in Nordost-Namibia vermutet.

Die Diamantenvorkommen Namibias sind ausschließlich sekundäre, sedimentäre Lagerstätten, auch **Diamant-Seifen** genannt. Sie entstehen, wenn primäre Lagerstätten, in diesem Falle diamantführende Kimberlit-Schlote, erodiert werden und das abgetragene Material an anderer Stelle wieder abgelagert wird.

Die Diamantseifen, die im namibischen Küstenbereich abgelagert wurden, haben im Wesentlichen ein Alter von ca. 1,8 Mio Jahren und jünger. Es wird vermutet, dass die Herkunftsgebiete der namibischen Diamanten im großräumigen Einzugsgebiet des Oranje-Flusses liegen und dass die Steine somit aus den Festlandsbereichen des zentralen südlichen Afrika (Bergland von Lesotho) und aus dem Gebiet um Kimberley stammen. Die Diamanten wurden von dort aus durch den Oranje-Fluss bis zur Atlantikmündung gespült und dann vom Benguela-Strom erfasst, nach Norden transportiert und entlang der namibischen Küste wieder abgelagert oder aber direkt auf den Flussterrassen und im Mündungsbereich des Oranje auf dem Meeresboden sedimentiert.

Wie bei allen über weite Strecken verfrachteten Mineralen oder Gesteinen kommt es während des Transports häufig zum Zerbrechen oder zur Abrundung des Materials. Somit findet ein teilweise bedeutender Gewichtsverlust statt. Es ist daher nicht verwunderlich, dass der größte Diamant, der jemals in Namibia gefunden wurde, direkt von der Oranje-Mündung stammt, also einen relativ kurzen Transportweg hinter sich hatte, und dem eine Verfrachtung nach Norden in dem tosenden Südatlantik erspart blieb. Dieser Stein hatte eine beachtliche Größe von 246 Karat. In diesem Zusammenhang ist es auch zu verstehen,

Abb. 8.30: Diamanten werden längs der Küste bei Oranjemund gemint

warum 95 % aller namibischen Steine **Schmuckqualität** haben, denn minderwertige Steine hätten die lange Reise nicht überstanden. In primären Kimberlit-Lagerstätten beträgt die Ausbeute an Schmuckdiamanten nur etwa 15 %.

Namibia verfügt über die **größten sekundären Diamant-Lagerstätten** weltweit. Die wertvollen Steine werden sowohl längs des Oranje aus Flussterrassen gewonnen wie auch längs der Atlantikküste abgebaut (Abb. 8.30). Heute konzentriert sich der Diamantenabbau im Wesentlichen auf die Felder um Oranjemund und auf den „off-shore"-Bereich vor der namibischen Küste. Dort werden die Diamanten vom Schiff aus mittels Saugapparaturen aus dem sandigen Meeresboden herausgefiltert und an Bord gepumpt. Die off-shore Diamanten machen mittlerweile ca. 50 % der gesamten namibischen Diamanten-Produktion aus. Im Jahre 2007 wurden in allen sieben Diamanten-Konzessionen (on-shore und off-shore) insgesamt 2.177.516 Karat gewonnen. Das Einkommen vom Verkauf der Rohdiamanten betrug im Jahr zuvor ca. 5,4 Mrd N$.

Hochwertige Diamanten finden meist als Schmucksteine Verwendung, während der große Bedarf an Industriediamanten, die zum Schneiden, Schleifen und Bohren gebraucht werden, heutzutage auch durch künstlich hergestellte Diamanten gedeckt wird.

Neben den Diamanten gibt es in der Region um Lüderitz noch weitere interessante Mineralienvorkommen. Bei diesen für Besucher zugänglichen Fundstellen handelt es sich um

Abb. 8.31: Am Achatstrand dürfen in Begleitung von Naturschutzbeamten Sandrosen ausgegraben werden

den Achatstrand und um Vorkommen von Sandrosen im Strandbereich. Sandrosen dürfen jedoch nur mit einer speziellen Genehmigung vom Ministerium für Naturschutz in Begleitung eines Naturschutzbeamten ausgegraben werden (Abb. 8.31).

Wüsten- oder **Sandrosen** sind Gipsminerale (chemische Formel $CaSO_4 * 2H_2O$). Gips wird mineralogisch zu den Salzen gezählt und kommt, in Meerwasser gelöst, in der Natur vor. Besonders in Küstenbereichen, wo viel Meerwasser verdunstet, kommt es zur Auskristallisation der im Wasser gelösten Salze. In Verbindung mit Strandsand, um den bei der Kristallbildung die Gipskristalle herumwachsen, entstehen dabei die vielfältigen, verzweigten Formen der Sandrosen. Ihr Vorkommen in Namibia ist nicht nur auf die Südküste beschränkt. Auch von anderen Küstenstreifen, wie z. B. bei Swakopmund, sind solche Mineralbildungen bekannt.

Achat (chemische Formel SiO_2) ist eine Varietät des Quarz, bei dem die Kristalle nur noch unter dem Mikroskop erkennbar sind. Im Gegensatz zum **Chalcedon** – ebenfalls eine Quarz-Varietät, die am Achatstrand vorkommt – ist der Achat durch unterschiedlich farbige Lagen gekennzeichnet. Achate sind auf der ganzen Welt weit verbreitet. Meist treten sie als Hohlraumfüllungen von Lavagestein auf (siehe Kapitel 5.2.4). Die Achate, die Sie mit viel Glück am Achatstrand nördlich von Lüderitz finden können, sind allerdings auf andere Bildungsvorgänge zurückzuführen. Sie entstanden, als vor ca. 10–15 Mio Jahren große Mengen der alten Namib-Sande, Gesteinsschotter und Felshohlräume nachträglich durch quarzhaltige Lösungen „verkieselt“ wurden. Die so gebildeten SiO_2-Mineralien, darunter auch Achat, wurden anschließend während feuchterer Perioden durch Fließgewässer herausgelöst, abgerundet und an exponierten Stellen, wie z. B. am Achatstrand, wieder abgelagert.

Glossar

Abtragung: Massenverlagerung des durch Verwitterung aufbereiteten Gesteinsmaterials durch Schwerkraft, Wind (>Deflation), Wasser (>Erosion), Abspülung, Meeresbrandung und Eis (Exaration).

Achat: Quarz-Mineral, bildet Hohlraumfüllungen in basaltischen Gesteinen, feinschichtig gebändert, verschiedenfarbig, findet Verwendung für Schmuck, Dekorationsgegenstände etc.

Algen: Die niedrigsten Pflanzen, ohne Gliederung in Wurzel, Stängel oder Stiel und Blätter. Ihres zarten Baues wegen als Fossil selten erhalten, meist aus Kalk oder Kieselsäure. Vorkommen: Präkambrium bis Gegenwart.

Altarm: Ein durch >Mäanderbildung abgeschnittener Flussarm, der im Laufe der Zeit versandet.

Amethyst: >Quarz

Amphibolith: Ein dunkles bis schwarz-grünes metamorphes Gestein, das meist aus der Umwandlung von basaltischen Magmatiten hervorgeht.

Anatexis: Die teilweise Aufschmelzung von Gesteinen durch hohe Drücke und Temperaturen in der Erdkruste und im oberen Erdmantel.

Anstehendes: Gesteine, die der Beobachtung unmittelbar zugänglich sind oder leicht zugänglich gemacht werden können.

äolisch: Vom Wind abgelagert oder geformt.

Aquamarin: >Beryll

Aquifer: Bezeichnung für den mit >Grundwasser erfüllten Teil eines Grundwasserleiters.

arid: Bezeichnung für trockenen Klimatyp, bei dem die Verdunstungsrate höher liegt als die Niederschlagsrate (>humid).

Artesische Quelle: Eine Wasseraustrittsstelle, bei der das gespannte Grundwasser infolge natürlichen Überdrucks nach dem Gesetz der kommunizierenden Röhren zeitweilig oder ständig zutage tritt.

Asche: Die bei Vulkanausbrüchen in die Luft geschleuderten staubförmigen bis feinkörnigen Massen aus zersprengtem Magma und zerriebenem Gesteinsmaterial.

Asthenosphäre: Fließzone. Die unter der etwa 70 bis 100 km dicken >Lithosphäre folgende zähflüssige Schicht des oberen Erdmantelbereichs von etwa 100 bis 300 km Tiefe.

Aufbereitung: Die mechanische oder physikalisch-chemische Vorbehandlung bergbaulicher Rohstoffe zur Weiterverarbeitung und Verwendung.

Aufschluss: Eine Stelle im Gelände, an der das anstehende Gestein unverhüllt beobachtet werden kann.

Ausblühungen: Mineralüberzüge besonders auf Böden und an Bauwerken. Sie entstehen durch Ausfällung von Mineralen beim Verdunsten von zirkulierenden Lösungen, die mineralische Bestandteile aufgenommen haben.

Ausfällung: Das Ausscheiden eines festen Körpers aus einer Lösung durch Verdunstung, Abkühlung, Druckentlastung u. a.

Ausgleichsküste: Küstenform, bei der Küstenunebenheiten durch Materialversatz bei etwa gleichbleibender Wind- und Strömungsrichtung ausgeglichen werden.

Badlands: Gewirr von kleinen Schluchten und niedrigen Kämmen in weichen Schichten als extreme Folge tiefgründiger Verwitterung und flächenhafter Abspülung durch oberflächlich abfließende Niederschlagswässer.

Bänderung: Streifung eines Gesteins, hervorgerufen durch den Wechsel verschiedenfarbiger oder unterschiedlich zusammengesetzter Schichten.

Barchan: >Dünen

Basalt: Häufigstes Vulkan-Gestein, charakteristisch sind säulige Absonderungen (Basaltsäulen). Basalte stammen aus dem oberen >Erdmantel, industrielle Verwendung als Schotter.

Becken: Einsenkung der Erdoberfläche, die sich mit Sedimenten und Lava füllen kann und daher morphologisch nicht in Erscheinung zu treten braucht. Kommt auch auf dem Meeresboden vor.

Beryll: Mineral, chem. Formel $Al_2Be_3(Si_6O_{18})$. Gewöhnliche Berylle sind trüb, die durchsichtigen klaren Berylle sind Edelsteine, Smaragd: grün, Aquamarin: hellblau. Beryll kommt in >Pegmatiten vor. Aus Beryll wird das Leichtmetall Beryllium gewonnen.

Biosphäre: Dünne Umhüllung der Erde an oder nahe der Oberfläche, in der Leben existieren kann.

Boden: Die belebte, lockere, überwiegend klimabedingte oberste Verwitterungsschicht der Erdkruste, die aus einem Stoffgemisch fester mineralischer und organischer Teilchen verschiedener Größe und Zusammensetzung sowie Wasser und Luft besteht.

Brekzie: Sedimentgestein aus wenig verfrachteten und daher eckigen, durch ein toniges, kalkiges oder kieseliges Bindemittel verkitteten Bruchstücken eines Gesteins oder Minerals.

Bruch: >Verwerfung.

Caldera: Durch Einsturz oder Explosion entstandener und nachträglich durch >Verwitterung und >Abtragung erweiterter vulkanischer Kraterkessel.

Canyon: Schluchtartiges Engtal in horizontal gelagertem, unterschiedlich widerständigem Gestein, besonders in Trockengebieten, wo die Erosion des fließenden Wassers besonders in der Tiefe wirksam ist.

Cassiterit: Zinnstein, wichtigstes Zinn-Mineral, chem. Formel SnO_2; braun, schwarz oder gelb. Als Bergzinn kommt Cassiterit in pegmatitischen Gängen, als Seifenzinn in Geröllablagerungen fließender Gewässer vor.

Cordaiten: Bäume von 20 bis 30 m Höhe mit unregelmäßiger Verzweigung, langen, bandartigen, am Oberende der Äste und Wipfel dicht gedrängten Blättern, gehören zur Klasse der Nacktsamer, Vorkommen: Oberkarbon bis Perm.

Cyano-Bakterien: Gruppe von Mikro-Organismen, die Fotosynthese betreiben (>Stromatolithen).

Decke: 1. Vulkanische Decke: Eine durch >Eruption besonders basischer Schmelzflüsse an der Erdoberfläche horizontal weit ausgebreitete Lavamasse. 2. Tektonische Decke: Eine abgescherte Gesteinsserie, die als Gesteinspaket im Rahmen von Faltengebirgsbildungen über ein anderes Gesteinspaket geschoben wird.

Deflation: Das Abwehen des durch Verwitterung gelockerten Gesteinsmaterials durch den Wind. Die Deflation tritt besonders in ariden Gebieten mit dürftigem oder fehlendem Pflanzenbewuchs in Erscheinung. Weite, ausgeblasene Ebenen werden als Deflationswanne bezeichnet.

Delta: Bezeichnung für Flussmündungen, die sich unter ständiger Ablagerung der vom Fluss mitgeführten festen Stoffe in das Mündungsgebiet vorschieben und dabei meist durch Verzweigungen des Flusslaufes fächerförmige Gestalt erhalten.

Denudation: >Abtragung.

Depression: Eine Einsenkung im Festlandsbereich, die durch Einbrüche oder tektonische Senkung entstanden ist (>Becken).

Diagenese: Verfestigung, Vorgang in einem Lockersediment bei niedrigen Drücken und Temperaturen, der zur Bildung von Festgesteinen führt. Die Zeit bis zur Verfestigung kann in der Größenordnung von Millionen Jahren liegen.

Diamant: Mineral, chem. Formel C, einer der wertvollsten Edelsteine, reiner Kohlenstoff, größte Härte (10), meist farblos, starke Lichtbrechung. Diamant kommt auf primären Lagerstätten vor allem in >Kimberliten, sekundär vor allem in >Seifenlagerstätten vor. 80 % der Weltförderung werden in der Industrie, 20 % als Schmuckdiamanten verwendet. Mehr als 50 % der Industriediamanten werden synthetisch hergestellt.

Dinosaurier: Gruppe ausgestorbener, teils fleischfressender Reptilien mit nackter oder gepanzerter Haut, langem Schwanz, kurzen Vorder- und längeren Hintergliedmaßen, kleinem Gehirn; von Katzengröße bis etwa 30 m Länge. Vorkommen: Trias bis Kreide.

Diskordanz: Die ungleichsinnige Lagerung von Gesteinsschichten durch Bedeckung eines abgetragenen Gebirgsrumpfes mit jüngeren Sedimenten oder durch Einlagerung jüngerer Schichten in ein durch Erosion geschaffenes Relief.

Dolerit: Weitverbreitetes Ganggestein basaltischer Zusammensetzung, >Basalt.

Doline: Überwiegend geschlossene, trichter- oder schüsselförmige Hohlform in der Erdoberfläche von Karstgebieten, mit rundem, elliptischem oder unregelmäßigem Umriss. Dolinen entstehen durch Auslaugung von Kalk- und Salzgesteinen vor allem an Gesteinsfugen und durch Einsturz (Einsturzdoline). Mit Wasser gefüllte Dolinen werden als Karstseen bezeichnet.

Dolomit: 1. Ein gesteinsbildendes Mineral $CaMg(CO_3)_2$. 2. Ein im Wesentlichen aus dem Mineral Dolomit bestehendes Gestein.

Druse: Ein Hohlraum, der häufig in vulkanischen Gesteinen auftritt und in dem häufig Kristalle (z. B. Quarz, Amethyst, Calcit) wachsen.

Düne: Durch Wind aufgeschüttete, überwiegend aus Quarzsand bestehende hügelartige Formen des Festlands. Dünen kommen in Trockengebieten (Binnendünen) und an der Küste (Küstendünen) vor. In der Regel treten Dünen als lange, parallel angeordnete Sandrücken auf, die im Windschatten eines Hindernisses entstanden sind. Dünen wandern mit dem Wind. Neben den gewöhnlich rechtwinkelig zu den wirksamen Winden verlaufenden Querdünen entstehen bei häufig wechselnden Windrichtungen die Sterndünen. Oft sind Dünen bogenförmig gestaltet, da die flachen Enden schneller wandern als die Mitte (Barchane).

Edelsteine: Durchsichtige, durchscheinende und undurchsichtige Minerale, die wegen ihrer besonderen Schönheit und besonderer physikalisch-optischer Eigenschaften zu Schmuckzwecken verwendet werden. Farbe, Glanz und Brillanz bestimmen die Schönheitseffekte. Spezielle Lichteffekte werden durch bestimmte Schliffformen verstärkt. Edelsteine sind in der Regel durch eine große Härte (>7) und eine gewisse Seltenheit ausgezeichnet. Wertvolle Edelsteine sind z. B. >Diamant, Saphir, Rubin und Smaragd.

Ediacara-Fauna: Abdrücke skelettloser Mehrzeller in jung-präkambrischen Gesteinen, Vorläufer paläozoischer und heutiger Faunenarten.

Einschlüsse: 1. In Mineralen während des Wachstums eingeschlossene Gasblasen, Flüssigkeiten oder andere Minerale. 2. In Magmatiten frühzeitige Ausscheidungen aus dem Schmelzfluss, z. B. Olivin-Knollen in Basalten. 3. >Xenolithe.

endogen: Innenbürtig. Bezeichnung für geologische Vorgänge und Erscheinungen, die durch Kräfte in tieferen Zonen der Erde hervorgerufen werden, d. h. alle magmatischen, metamorphen und tektonischen Prozesse.

Epirogenese: Langsame, sich über lange Zeiträume erstreckende umkehrbare Hebungen und Senkungen größerer Erdkrustenteile, deren Gesteinsgefüge dabei erhalten bleibt. Epirogenese erzeugt Meeresüberflutungen (>Transgression) und Meeresrückzüge (>Regression). Durch Epirogenese werden aus Ablagerungsgebieten Abtragungsräume und umgekehrt.

Erdkern: Innerer Teil der Erde unterhalb 2.900 km Tiefe.

Erdkruste: Die äußerste, bis zu 35 km mächtige Erdschale. Wird in ozeanische und kontinentale Kruste unterteilt.

Erdmantel: Erdschale zwischen Erdkruste und Erdkern.

Erdurzeit: Präkambrium.

Erosion: Die ausfurchende Tätigkeit des fließenden Wassers, die eine Vertiefung (Tiefenerosion) und Verbreiterung (Seitenerosion) des Flussbetts bewirkt. Das Ausmaß der Erosion ist abhängig von der Wassermenge und dem Gefälle, von der Art des Gesteins und der Geländebeschaffenheit. Zusammen mit Verwitterung und Abtragung bewirkt die Erosion Relieferniedrigung. Die Erosionsbasis ist das Niveau, unterhalb dessen die Erosion nicht mehr wirken kann, im allgemeinen der Meeresspiegel. Auch die abtragende Wirkung des Meeres (Abrasion), durch Eis (Gletscher, Exaration) und Wind (>Deflation) wird unter Erosion zusammengefasst.

Eruption: Vulkanausbruch. Hervorbrechen des >Magmas.

Erz: 1. Ein metallhaltiges Mineral, meist von metallischem Glanz und hoher Dichte (Erzmineral). 2. Im Bergbau ein mineralischer Rohstoff mit nutzbaren Gehalten an Erzmineralen, die von den Nichterzmineralen durch >Aufbereitung getrennt werden müssen.

Exfoliation: Das Abplatzen schaliger Gesteinsplatten, vorwiegend bei granitischen Gesteinen als Folge der Temperaturverwitterung, besonders in ariden Gebieten.

eustatische Meeresspiegelschwankungen: Bezeichnung für Schwankungen des Meeresspiegels z. B. durch Bindung großer Wassermassen als Eis und Schnee in Eiszeiten oder umgekehrt durch Abschmelzen von Gletschern und Schneedecken. Während der Eiszeiten des Quartärs auf der Nordhalbkugel konnten weltweite Meeresspiegelschwankungen bis zu 100 m ermittelt werden.

Evaporation: Ausfällung von Stoffen durch Eindampfen oder Verdunsten von Lösungen, z. B. die Salzausfällung aus dem Meerwasser.

Exhalation: Gasaushauchungen aus Vulkanen, Lavaströmen und Spalten.

exogen: Außenbürtig. Bezeichnung für die geologischen Kräfte, die von außen auf die Erdoberfläche einwirken und deren wesentliche Kraftquelle die Sonnenstrahlung ist. Durch exogene Kräfte verursachte Prozesse sind z. B. >Verwitterung, >Abtragung, Transport.

Falte: Durch Faltung entstandene Verbiegung von geschichteten Gesteinen in allen geologischen Größenordnungen vom mm- bis km-Bereich.

Faltung: Eine der Grundformen der Gesteinsdeformationen, Vorgang der Verbiegung von ehemals ebenen Schichtgesteinen. Die Intensität der Faltung ist u. a. abhängig von der Mächtigkeit der gefalteten Schicht, den mechanischen Eigenschaften der Gesteine und den auftretenden Spannungen.

Feldspäte: Wichtigste Gruppe der gesteinsbildenden Minerale, die mit etwa 60 Prozent am Aufbau der Erdkruste beteiligt sind. Feldspäte verwittern hauptsächlich zu Tonmineralen. Verwitterungsprodukte der Feldspäte tragen wesentlich zur Bodenbildung bei.

Fluorit: Mineral, chem. Formel CaF_2, farblos, violett, gelb, grün. Färbung tritt häufig durch radioaktive Einwirkung auf. Geringe Härte. Fluorit ist weit verbreitet, tritt häufig in hydrothermalen Gängen auf. Findet in der Industrie weite Anwendung.

Formation: Während eines Zeitraums der Erdgeschichte durch Ablagerung entstandene Schichtfolge, die von der darunter- und darüberliegenden deutlich zu unterscheiden ist. Wird mit einem speziellen Namen bezeichnet.

fossil: Als Versteinerung (Fossil) erhalten. Nicht nur auf versteinerte Lebewesen bezogen, sondern auch Erscheinungen und Bildungen der geologischen Vergangenheit, z. B. Deltas, Dünen, Böden.

fossiles Grundwasser: Grundwasser, das nicht am Wasserkreislauf teilnimmt und in niederschlagsreicheren Perioden der Erdgeschichte entstanden ist.

Fossilien: Überreste vorzeitlicher pflanzlicher und tierischer Organismen und deren Lebensspuren sowie Überreste organischer Substanzen.

Frittung: Kontaktmetamorphe Beeinflussung von Sandsteinen und Tongesteinen. Sie bewirkt eine Härtung und z. T. eine Schmelzung kalkigtoniger Bindemittel.

Gang: Spaltenfüllung in Festgestein aus Mineralen (Mineralgang) oder erstarrter magmatischer Schmelze (Gesteinsgang). Erzgänge führen >Erze.

Ganggesteine: In Gesteinsspalten eingedrungene magmatische Schmelzen, z. B. >Dolerit.

Gebirge: Der feste Gesteinsuntergrund. Tektonische Gebirge: 1. Falten- und Deckengebirge: Durch Faltung und Einengung von Gesteinskomplexen entstanden. 2. Rumpfgebirge: Durch Verwitterung und Abtragung eingeebnetes Gebirge.

Gebirgsbildung: >Orogenese.

Gefüge: Der innere Aufbau eines Gesteins.

Geologie: Wissenschaft von der Zusammensetzung, dem Bau und der Geschichte der Erde.

Geomorphologie: Wissenschaft von den Formen der Erdoberfläche. Teilgebiet der Geologie.

Gesteine: Mineralaggregate, bestehen in der Regel aus verschiedenen Mineralen, auch Gesteins- und Mineralbruchstücken (>Brekzie, Konglomerat), werden nach Entstehung in drei Gruppen eingeteilt: >Magmatite, Sedimente, Metamorphite.

Gletscher: Eisströme in Polarländern und Hochgebirgen. Tragen zur >Abtragung und >Erosion bei. Abtragungsmaterial der Gletscher wird als >Moräne bezeichnet.

Gletscherschliff: Schleifspuren und polierte Flächen auf Gesteinsoberflächen, die durch schleifende Wirkung von Gletschern hervorgerufen wurden.

Glimmer: Gruppe wichtiger gesteinsbildender Mineralien, zählen zu den Silicaten, tafelig ausgebildet, gut spaltbar.

Glimmerschiefer: Metamorpher Schiefer, der vorwiegend aus Quarz und Glimmer, oft dazu aus Granat besteht und ein flächenhaftes Parallelgefüge hat.

Gneis: Metamorphit mit mehr als 20 % Feldspat, dazu Quarz, Glimmer und anderen Mineralien. Aus Magmatiten oder Sedimenten durch >Metamorphose entstanden. Häufig gebändert.

Gondwana: Riesige Festlandsmasse eines einheitlichen Süd-Kontinents seit dem Kambrium, der das heutige Südamerika, Afrika, Arabien, Indien, Australien und Teile der Antarktis umfasst. Ab dem Jura auseinandergefallen.

Graben: Lang gestreckter Gesteinsblock, der durch Störungszonen relativ zur Umgebung abgesunken ist. Gegenteil von >Horst.

Granit: Häufigstes Plutonit-Gestein aus Quarz, Feldspat und Glimmer. Typische Verwitterungsformen in aridem Klima, in Faltengebirgsgürteln weit verbreitet.

Grundgebirge: Das vom aufliegenden, jüngeren Deckgebirge deutlich getrennte Stockwerk gefalteter, geschieferter und oft metamorpher Gesteinsserien, die einem bereits abgetragenen, älteren Gebirge angehören.

Grundwasser: Die Hohlräume der Erdkruste zusammenhängend ausfüllendes und nur der Schwerkraft unterliegendes Wasser. Grundwasser stammt aus den atmosphärischen Niederschlägen. Grundwasserführende Schichten sind Grundwasserleiter (>Aquifer), undurchlässige Schichten sind Grundwasserstauer. Natürliche Grundwasseraustritte sind >Quellen. Grundwasser, das aus niederschlagsreichen Zeiten der Erdgeschichte stammt und nicht am Wasserkreislauf teilnimmt, wird als >fossiles Wasser bezeichnet.

Grus: Ein Verwitterungsprodukt aus Mineralbruchstücken von Festgesteinen, z. B. Granit, das vorwiegend durch Temperaturverwitterung im ariden Klimabereich entsteht. Der Vorgang des Zerfalls heißt >Vergrusung.

Hamada: Fels- und Geröllwüste, die mit scharfkantigen Gesteinsbruchstücken übersät ist.

Höhlen: Größere unterirdische Hohlräume im Gestein. Natürliche Höhlen entstehen meist nach Bildung des Gesteins durch Verwitterung und Erweiterung von Klüften und Spalten besonders in Kalk- und Dolomit-Gesteinen (Karsthöhlen). Mehrere Höhlen bilden ein Höhlensystem. Viele Höhlen werden von Grundwasser durchströmt und dadurch erweitert.

Horst: Lang gestreckter Gesteinsblock, der durch Störungszonen relativ zur Umgebung angehoben ist. Gegenteil von >Graben.

Hot-Spot: Stationäre Hitzequelle im Erdmantel, die für die Bildung magmatischer Schmelzen mitverantwortlich ist.

humid: Bezeichnung für feuchten Klimatyp, wobei die Verdunstungsrate niedriger ist als die Niederschlagsrate (>arid).

Hydrogeologie: Zweig der angewandten Geologie, der sich mit dem geologischen Auftreten von unterirdischem Wasser, der Wasseraufnahme- und Abgabefähigkeit der Gesteine sowie der Wasserbeschaffenheit als Grundlage der Erschließung und Gewinnung befasst.

Hydrosphäre: Wasserhülle der Erde, vor allem der Meere. Binnengewässer, Grundwasser, Schnee und Eis machen nur 0,3 % der Hydrosphäre aus.

Ignimbrit: Schmelztuff, eine Gesteinseinheit von überwiegend saurem (siliziumhaltigem) Chemismus. Ignimbrite entstehen durch Explosion und plötzliches Freiwerden von vulkanischen Gasen. Dadurch entsteht eine Suspension aus Gasen, Schmelzteilchen und Gesteinsmaterial, die sich schnell hangabwärts bewegt. Ignimbrite schließen verschweißte und nicht verschweißte Gesteinstypen ein.

Inselberg: Ein durch flächenhafte Abtragung herauspräpariertes Felsmassiv, das im Vergleich zur Umgebung verwitterungsresistenter ist.

Intrusion: Das Eindringen des Magmas zwischen andere Gesteine in Form von >Plutonen.

Kalzit: Gesteinsbildendes Mineral der Kalksteine und Marmore, chem. Formel $CaCO_3$, Bindemittel in Sandsteinen oder Hohlraumfüllungen.

Kalkstein: Vorwiegend aus Calciumkarbonat ($CaCO_3$) bestehendes, weitverbreitetes Sedimentgestein, meist hell, aber durch organische Beimengungen auch verschieden gefärbt, durch anorganische Ausfällung (z. B. Tropfsteine, Sinter, Kalkkrusten) oder unter Mitwirkung von Organismen (z. B. Riffkalk, Korallenkalk, Muschelkalk) entstanden. Mariner Kalk ist am weitesten verbreitet. Metamorphisierter Kalk wird als >Marmor bezeichnet.

Karbonat: Weitverbreitetes Sedimentgestein, welches entweder aus >Kalkstein oder >Dolomit besteht.

Karoo-Zeitalter: Bedeutsame >terrestrische und >limnische Ablagerungen im südlichen Afrika. Vom Oberkarbon bis Jura. Charakteristisch sind glaziale Ablagerungen zum Beginn der Karoo-Zeit, Wüstenablagerungen und weitverbreiteter Vulkanismus zum Ende der Karoo-Zeit.

Karren: Durch die auslaugende Tätigkeit des Niederschlagswassers in löslichen Kalk- und Dolomitgesteinen entstandene >Karsterscheinung. Meist steilstehende Vertiefungen, die besonders im Bereich von Klüften und Spalten durch deren Erweiterung gebildet werden.

Karsterscheinungen: Bezeichnung für die Gesamtheit der Verwitterungsformen in Gebieten mit wasserlöslichen Gesteinen, vor allem in zerklüfteten Kalksteinen. Karsterscheinungen sind das Ergebnis der Auswaschung durch Grundwasser und Oberflächenwasser. Karsterscheinungen aus der erdgeschichtlichen Vergangenheit heißen fossiler Karst oder Paläokarst.

Kernsprung: Vollständiges Auseinanderbrechen massiger Gesteine (z. B. >Granit) entlang durch das gesamte Gestein verlaufender Fugen. Kernsprung entsteht durch Temperaturverwitterung in Verbindung mit plötzlichen Niederschlagsereignissen, besonders in Trockengebieten.

Kimberlit: Seltene Tiefengesteine, kommen meist als tiefreichende Röhren vor. Muttergesteine der >Diamanten.

Kluft: Mehr oder weniger geöffnete Risse, die Gesteine und Schichtung meist ebenflächig durchziehen. Klüfte entstehen durch tektonische Kräfte oder durch Spannungen (Pressung, Dehnung, Temperaturänderung, Druckentlastung, Volumenänderung), die durch tektonische oder physikalische Zustandsänderungen bewirkt werden.

Kluftwasser: Grundwasser, das in Klüften und Spalten zirkuliert.

Konglomerat: Ein Sedimentgestein aus Geröllen, das durch ein kalkiges, sandiges, kieseliges, toniges oder eisenhaltiges Bindemittel miteinander verkittet ist.

Kontinentalschelf: Der Rand von Kontinenten, der unter dem Meeresspiegel liegt. Der Rand ist durch einen Steilabfall markiert, der zur Tiefsee führt.

Korrasion: >Windschliff.

Krater: Trichter- oder kesselförmige Mündung des Eruptionsschlotes eines Vulkans.

Kraton: Stabiler, sehr alter Teil der kontinentalen Erdkruste.

Kristall: Ein von ebenen Flächen begrenzter, einheitlicher mineralischer Körper. Besitzt charakteristische Eigenschaften und Merkmale.

Lagergang: Schichtförmiger Körper aus Gesteinsschmelze, der zwischen geschichteten Gesteinlagen eingedrungen ist.

Lagerstätte: Ein definierter Abschnitt der Erdkruste, in dem natürliche Konzentrationen von Mineralen und Gesteinen vorhanden sind, deren Gewinnung von wirtschaftlichem Interesse ist.

Lagune: Ein seichter Strandsee an Flachküsten, durch schmale, lang gestreckte Sandablagerungen vom offenen Meer getrennt.

Lava: Bei Vulkanausbrüchen mit Temperaturen von 1.000 bis 1.300°C an der Erdoberfläche austretende Gesteinsschmelze. Lava erstarrt schnell zu Vulkangestein, das ebenfalls als Lava bezeichnet wird.

limnisch: Ablagerungsraum auf dem Festland in Seen und Sümpfen.

Lithosphäre: Dünne, starre Erdplatte, welche die Erdkruste und den oberen Erdmantel bis ca. 100 km Tiefe umfasst.

Lockergestein: Ein nicht oder noch nicht verfestigtes Sedimentgestein. Wird durch >Diagenese zu Festgestein.

Lösungsverwitterung: Die Lösung wasserlöslicher Salze, wie z. B. bei Karsterscheinungen, oder die Aufnahme von Wasser in die Kristallstruktur, was zur Volumenvergrößerung der Minerale bis hin zur Salzsprengung führt.

Mäander: Bezeichnung für starke Flusskrümmungen, die besonders in der Ebene bei vorherrschend seitlicher Erosion entstehen. (>Altarm, >Umlaufberg)

Magma: Gesteinsschmelze mit unterschiedlich hohem Gasgehalt. Magma ist bei hohen Temperaturen völlig flüssig, enthält hohen Wasseranteil.

Magmatite: Die durch Erstarrung des Magmas entstandenen Gesteine. Dazu gehören Plutonite und Vulkanite.

Magmenkammer: Ein Reservoir des Magmas in der Tiefe, aus dem >Plutone und >Vulkane gespeist werden.

Mandelstein: Blasenreicher Vulkanit. Die mandelförmigen Blasenhohlräume sind nachträglich vorwiegend mit Calcit, Quarz oder Chalcedon gefüllt.

Mantel plume (engl.): Heiße, flüssige Gesteinsschmelze, die aus dem tiefen >Erdmantel bis an die Basis der >Lithosphäre aufsteigt.

marin: Dem Meer angehörig.

Marmor: Kristallin-körniger >Kalkstein, >Dolomit durch >Metamorphose aus gewöhnlichem Kalkstein entstanden. Marmor tritt als Einlagerung in Schiefern und im Kontaktbereich von Tiefengesteinen auf.

Matrix: Relativ feinkörnigeres Material, das die Zwischenräume zwischen größeren Partikeln im Gestein ausfüllt.

Metamorphite: Durch >Metamorphose entstandene Gesteine.

Metamorphose: Die Umwandlung des Mineralbestandes von Gesteinen in der Erdkruste durch Druck- und/oder Temperaturänderungen unter Beibehaltung des kristallinen Zustands.

Meteorite: Gesteinsartige oder metallische Massen kosmischen Ursprungs, wahrscheinlich Bruchstücke fremder Weltkörper (z. B. Kometen), die in den Anziehungsbereich der Erde gerieten und auf die Erde niederfielen.

Minerale (*Sammlersprache:* **Mineralien**): Alle meist festen, im physikalischen und chemischen Sinne einheitlichen Naturkörper der Erdrinde. Minerale kommen meist in Form von Kristallen oder kristallinen Aggregaten vor. Je nach chemischer Zusammensetzung werden verschiedene Mineralgruppen unterschieden. Insgesamt sind weit über 2.000 Minerale bekannt, von denen ca. 200 gesteinsbildend sind, z. B. Quarz, Glimmer, Feldspäte etc. Die Bildung der Minerale ist von geologischen, chemischen und physikalischen Gesetzmäßigkeiten abhängig.

mittelozeanischer Rücken: Tektonisches Großelement der Erde, ein rund 70.000 km langes System des Ozeanbodens, das als lang gestreckte Erhebungen in der Mitte der Ozeane wie große Gebirgszüge entlangzieht und sich rund 2.000 bis 4.000 m über den Ozeanboden erhebt. Die Oberfläche liegt meist ca. 1.000 m unter dem Meeresspiegel, kann aber auch über den Meeresspiegel reichen und dort vulkanische Inseln (z. B. Island) bilden. Im Zentrum besitzen die mittelozeanischen Rücken einen Zentralgraben von meist 25 bis 60 km Breite und 1.000 bis 3.000 m Tiefe. Dieser Bereich zeichnet sich durch zahlreiche Erdbeben und intensiven basaltischen Vulkanismus aus. Diese aus dem Erdmantel aufsteigenden Schmelzen bauen die ozeanische Kruste auf, die sich zu beiden Seiten des mittelozeanischen Rückens ausbreitet (>Ozeanbodenzerspreizung). Am längsten ist der mittelatlantische Rücken mit einer Länge von mehr als 20.000 km.

Moräne: Bezeichnung für Gesteinsschutt, der von >Gletschern mitgeführt oder abgelagert wurde. Nach Abschmelzen der Gletscher bleiben Moränen an Ort und Stelle liegen (>Tillit).

Natrolith: Zu den >Zeolithen zählendes, meist nadelig bis faseriges Mineral, chem. Formel $Na_2[Al_2Si_3O_{10}]*2H_2O$, häufig in Blasenräumen von >Basalten.

Orogenese: Bezeichnung für strukturbildende und gefügeverändernde Prozesse der Erdkruste in Form von Gebirgsbildungen. Orogenese äußert sich durch >Faltung, Schieferung, >Metamorphose, >Plutonismus u. a.

Oxidationszone: In der Erzlagerstättenkunde die von der Erdoberfläche bis zum Grundwasserspiegel reichende Verwitterungszone der Erzgänge mit Sauerstoffüberschuss. Die Oxidationszone enthält Mineralverbindungen, die durch Umbildung sulfidischer Minerale unter der Wirkung von Sauerstoff, Kohlendioxid und Wasser entstanden sind.

Ozeanbodenzerspreizung: Geotektonisches Prinzip, nach dem sich im Dehnungsbereich der Zentralgräben der >mittelozeanischen Rücken durch Zufuhr basaltischer Schmelzflüsse aus dem oberen Erdmantel laufend ozeanische Kruste neu bildet und nach beiden Seiten ausbreitet. Während der Ozeanboden auseinander fließt, werden die kontinentalen Platten aus granitischer Kruste mit den auflagernden Sedimenten passiv verfrachtet. Der Zuwachs an ozeanischer Kruste wird durch >Subduktion von Platten in anderen Bereichen wieder ausgeglichen. Die Spreizungsrate beträgt etwa 2–10 cm pro Jahr.

Paläontologie: Die Wissenschaft von den pflanzlichen und tierischen Organismen der erdgeschichtlichen Vergangenheit, die als Fossilien erhalten sind.

Pegmatit: Ein im allgemeinen sehr grobkörniges Ganggestein. Es tritt in Gängen oder Linsen in den obersten Teilen granitischer Gesteine auf. Aus einer an leichtflüchtigen Bestandteilen reichen Restschmelze plutonischer Magmen erstarrt, enthalten Pegmatite neben dem Mineralbestand des Granits häufig Mineralanreicherungen wirtschaftlich wichtiger Minerale wie Lithium, Cäsium, Beryllium, Bor, Tantal, Zinn, Uran u. a.

Peridotit: Ein Tiefengestein, das zu mehr als 90 % aus dunklen Mineralen besteht und meist feldspatfrei ist. Peridotit baut im Wesentlichen den Erdmantel auf.

Pfanne: Flache, abflusslose, meist rundliche, vegetationsfreie >Depression, die nur episodischen Zufluss von Wasser erhält.

Fotosynthese: Stoffwechselvorgang, bei dem Licht oder Wärmeenergie verwendet wird, um Kohlendioxid und Wasser in Kohlenhydrate umzuwandeln. Dabei wird Sauerstoff freigesetzt.

Pilzfelsen: Ein Felsen, dessen Fuß einen wesentlich geringeren Durchmesser hat als der breitere Oberteil. Pilzfelsen entstehen in aridem Klima durch >Windschliff.

Plateauvulkan: Ein großflächiger Vulkan über langgestreckten Erdspalten auf Kontinenten. Die dabei entstehenden Deckenbasalte bedecken oft riesige Landstriche.

Plattentektonik: Geotektonisches Prinzip. Nach der Plattentektonik werden starre, 70 bis 100 km dicke Platten der Lithosphäre, deren Grenzen mit den mittelozeanischen Rücken zusammenfallen, langsam und stetig auf der zähflüssigen >Asthenosphäre passiv bewegt. Neubildung von ozeanischer Kruste in den >Mittelozeanischen Rücken muss in einem anderen Bereich zum Zusammenstoß bzw. zur Zerstörung von Platten führen. Zerstörung von Platten geschieht in den >Subduktionszonen, Zusammenstoß von Platten führt zur Bildung von >Faltengebirgen. Die Erde wird in neun Großplatten (Eurasia, Afrika, India, Australia, Antarktika, Nordamerika, Südamerika, Nordpazifik, Südpazifik) und eine Reihe kleinerer Platten eingeteilt.

Pluton: Bezeichnung für Tiefengesteinskörper von teilweise riesigen Ausmaßen, die innerhalb der Erdkruste in ca. 5–10 km Tiefe erstarrt sind. Durch Abtragung der Deckschichten werden Plutone der Beobachtung zugänglich. Plutone treten in unterschiedlichen Formen auf. Sie sind häufig in Faltengebirgsgürteln vorzufinden.

Präkambrium: Der gesamte seit der Entstehung der Erde bis zum Kambrium umfassende Zeitraum der Erdgeschichte (ca. 4,5 Mrd–540 Mio Jahre) und die in ihm gebildeten Gesteine.

Primärzone: Der Bereich einer Erzlagerstätte, in dem das Erz in unveränderter Form vorliegt.

Quarz: Eine Gruppe gesteinsbildender Minerale, die in den meisten Gesteinen vorkommen, chem. Formel SiO_2. Quarz umfasst verschiedene Variationen: Bergkristall (klar), Rauchquarz (bräunlich), Amethyst (violett), Rosenquarz (rosa) usw. Feinkristalliner bis dichter Quarz wird als Chalcedon bezeichnet, die gebänderte Variante ist der >Achat.

Quarzit: Ein metamorphes Gestein mit vorherrschendem Quarzgehalt, vorwiegend aus Sandstein entstanden. Quarzit ist sehr widerständig und tritt morphologisch oft als Felsrippe oder Kamm auf.

Quelle: Ein örtlich begrenzter, größerer, natürlicher Austritt von Grundwasser.

Regression: Rückzug eines Meeres durch >epirogenetisch bedingten Aufstieg eines Festlandes.

Ringkomplex: Die im Grundriss ringförmige Anordnung der inneren Struktur von Plutonen, die durch mehrere aufeinanderfolgende Intrusionen entstanden ist. Ringkomplexe werden auch durch mit Magmagesteinen gefüllte ringförmige Abrissspalten über sich entleerenden >Magmenkammern oder einstürzenden >Calderen gebildet.

Rodinia: Kurzlebiger Super-Kontinent, der zwischen 1.200 und 900 Millionen Jahren existiert hat. Vorläufer des Gondwana-Kontinents.

Rumpffläche: Eine durch Verwitterung und Abtragung über lange Zeiträume entstandene Verebnungsfläche auf altem Faltengebirgsuntergrund.

Sandstein: Durch ein toniges, kalkiges, kieseliges oder eisenreiches Bindemittel verfestigte Sande, die im Wesentlichen aus Quarzkörnern bestehen.

Schelf: Kontinentalsockel, der unter dem Meeresspiegel liegende Rand der Kontinente, der sich von der Küste bis etwa 200 m Meerestiefe erstreckt.

Schicht: Ein durch Ablagerung entstandener, tafeliger oder plattiger Gesteinskörper. Die obere und untere Begrenzung einer Schicht ist die Schichtfläche.

Schichtstufe: Eine Geländestufe als Folge der Abtragung bei Wechsellagerung von widerständigen und weniger widerständigen, leicht verwitterbaren, flach geneigten Schichtserien.

Schichtung: Das interne Muster von Sedimenten, bedingt durch den Wechsel im Gesteinsmaterial oder durch Verfestigung einer Schicht vor Ablagerung der darüber folgenden. Schrägschichtung entsteht bei der Ablagerung von Sedimentmaterial durch bewegtes Wasser, Wind (z. B. bei Dünen) und im Deltabereich.

Schiefer: Sammelbegriff für metamorphe, geschieferte Gesteine, vor allem Tonschiefer.

Schneeball Erde (Snowball Earth): Neu entwickelte Theorie, nach der die Erde im ausklingenden Präkambrium mindestens zwei mal komplett vereist gewesen sein soll.

Schwermineral: Minerale hoher Dichte, z. B. Granat, Zirkon, Illmenit, Magnetit. Lassen sich aufgrund des Dichteunterschiedes gut von leichteren Mineralen abtrennen.

Sedimente: Gesteine, die durch Ablagerung entstehen.

Seifen: Anreicherung abbauwürdiger Konzentrationen schwerer und verwitterungsbeständiger Minerale in Sand-, Fluss- und Geröllablagerungen, hervorgegangen aus der Abtragung älterer Lagerstätten.

Silikate: Die wichtigsten gesteinsbildenden Minerale der Erde. Einschließlich Quarz sind sie zu 95 % am Aufbau der Erdkruste beteiligt.

Spalte: Eine klaffende Fuge im Gestein, entstanden durch die Erweiterung von Klüften infolge Verwitterung und Lösungsvorgängen, durch Abkühlung vulkanischer Gesteinskörper oder tektonische Vorgänge etc. Spalten dienen oft als Aufstiegswege für Wässer, die aus Quellen zutage treten.

Spurenfossilien: Versteinerungen ehemaliger Lebensspuren von Organismen in einem unverfestigten Gestein, z. B. Fressspuren, Kriech- und Laufspuren.

Stalagmit: Ein in Höhlen vom Boden nach oben wachsender Tropfstein, der durch Ausscheidung von calciumhydrogencarbonathaltigen Wässern infolge der Abgabe von Kohlendioxid entsteht.

Stalaktit: Ein zapfenförmiger Tropfstein, der im Gegensatz zum Stalagmit von der Decke von Höhlen nach unten wächst.

Steinsalz: Ein gesteinsbildendes Mineral, chem. Formel NaCl. Steinsalz bildet große Salzlagerstätten, die meist mariner Herkunft sind.

Störung: Ein tektonischer Vorgang, der die ursprüngliche Lagerungsform der Gesteine verändert. Störung im engeren Sinne >Verwerfung.

Stratigrafie: Ein Teilgebiet der historischen Geologie, das sich mit der Aufeinanderfolge von Schichten, ihrem Fossilinhalt und dem Gesteinsmaterial befasst. Das Ergebnis der Stratigrafie ist die sogenannte stratigrafische Tabelle, die eine zeitliche Einordnung geologischer Vorgänge und der Gesteine enthält.

Stromatolithen: Kalkkrusten und niedere Kalkgebilde, die von marinen >Cyano-Bakterien ausgefällt werden. Stromatolithen trugen im Präkambrium wesentlich zur Kalksteinbildung bei. Vorkommen: Präkambrium bis Gegenwart.

Subduktion: Das Abtauchen einer >Lithosphäre-Platte in Subduktionszonen als Ausgleich für den Raumgewinn durch >Ozeanbodenzerspreizung.

submarin: untermeerisch.

Subvulkan: Ein Magmenkörper, der sowohl in Gesteinsausbildung als auch Tiefenlage zwischen Vulkan und Pluton einzuordnen ist.

Tafelberg: Bergrücken mit flachem Gipfelplateau und sehr steilen Berghängen, vor allem im Gipfelbereich. Das Gipfelplateau wird durch flachlagernde Schichten hervorgerufen. Tafelberge entstehen in Sedimentengesteinen und Deckenvulkaniten (z. B. Basalten).

Tafoni: Eine Verwitterungsform, besonders in granitischen Gesteinen. Aushöhlung, die in sonnenabgewandten Gesteinsbereichen durch die dortige längere Verweildauer von Gesteinsfeuchte entsteht.

Tektonik: Die Lehre vom Bau der Erdkruste, den Bewegungsvorgängen und den diese verursachenden Kräften. Neben Faltungs- und Überschiebungsvorgängen spielen in der Tektonik Brüche, Verwerfungen etc. eine wesentliche Rolle.

Temperaturverwitterung: Der Prozess der mechanischen Zerstörung von Gesteinen durch Volumenveränderung der Minerale bei Temperaturwechsel.

Terrasse: Talstufe, entstanden durch Einschneiden eines Flusses in den Gesteinsuntergrund oder in seine zuvor aufgeschotterten Flussablagerungen.

terrestrisch: Bezeichnung für alle Vorgänge, Kräfte und Formen, die auf dem festen Lande auftreten.

Thermalquelle: Natürliche Wässer aus Quellen oder Bohrungen mit wenigstens 1.000 mg gelöster Stoffe je Liter Wasser, mit mehr als 1.000 mg/l gelösten Kohlendioxids oder mit Gehalt an Spurenelementen oberhalb festgelegter Grenzwerte.

Tillit: Versteinerte >Moräne.

Topas: Gesteinsbildendes Mineral, chem. Formel $Al_2(F_2/SiO_4)$, farblos, gelb, blau, grün, rötlich. Topas kommt häufig auf pegmatitischen Lagerstätten vor. Topas wird häufig zu Edelsteinzwecken verwendet.

Transgression: Das Vordringen eines Meeres über ein Festland infolge Senkung des Landes oder Hebung des Meeresspiegels durch >epirogenetische Vorgänge.

Travertin: Poröser Kalkstein, der an heißen Quellen aus kalkhaltigem Wasser ausgeschieden wird.

Trockenriss: Durch Austrocknung in tonigsandigen Sedimenten gebildete, zusammenhängende, polygonale Risse.

Tuff: Poröser Kalkstein, der an Quellen und turbulent fließenden Gewässern aus kalkhaltigem Wasser ausgeschieden wird.

Turmalin: Ein borhaltiges Mineral komplexer, unterschiedlicher Zusammensetzung. Vorkommen meist in Granit-Pegmatiten. Verschiedenfarbig. Wird häufig als Schmuckstein geschliffen.

Umlaufberg: Ein Berg in einer eingefurchten Flussschlinge (>Mäander). Die beiden Enden der Flussschlinge kommen sich durch fortschreitende Erosion immer näher, bis der sie trennende Landstreifen vom Fluss durchbrochen wird, der damit seinen Lauf verkürzt (>Altarm).

Vergrusung: Der Vorgang zur Bildung von >Grus.

Verkarstung: Der natürliche Auflösungsprozess von leicht löslichen Gesteinen (z. B. Kalk- und Dolomitgesteine) durch Wasser. Verkarstung tritt sowohl oberirdisch als auch unterirdisch auf (>Karsterscheinungen).

Verkieselung: Die Durchtränkung von Gesteinen und Organismen mit stark wasserhaltiger Kieselsäure. Durch zunehmenden Verlust des Wassergehalts fällt die Kieselsäure aus, und es kann zur Versteinerung kommen.

Verwerfung: Die relative Verschiebung zweier Gesteinsschollen längs einer >Störung.

Verwitterung: Die an oder nahe der Erdoberfläche unter Wirkung von Sonnenstrahlung, Temperatureinwirkung (z. B. Frost), Wasser, Wind und Organismen vor sich gehende Zerstörung von Mineralen und Gesteinen.

Vulkan: Eine Stelle der Erdoberfläche, wo >Magma aus dem Erdinneren zutage gefördert wird. Magma tritt entweder röhrenförmig (Zentralvulkan) oder spaltenförmig (Spaltenvulkan) aus.

Vulkanismus: Bezeichnung für alle mit der Förderung von Magma an die Erdoberfläche verbundenen Vorgänge.

Windschliff: Die Abscheuerung und Abschleifung von Gesteinsoberflächen durch vom Wind mitgeführte Sandkörner (>Pilzfelsen).

Wollsackverwitterung: Eine häufige Verwitterungsform, die vor allem bei Granit auftritt, bei der das Gestein an Längs- und Querklüften infolge Vergrusung von den Klüften aus in wollsackähnliche, abgerundete Blöcke zerfällt.

Wurzelboden: Ein fossiler Bodenhorizont, der mit Wurzelwerk ehemaliger Pflanzen durchsetzt ist.

Wüstenlack: Schwärzlicher, rötlicher oder violetter Überzug aus Eisen- und Manganverbindungen auf Gesteinen arider Gebiete.

Xenolith: Fremdgesteinseinschluss in magmatischen Gesteinen. Durch unvollständige Aufschmelzung entstanden.

Zementationszone: In den Erzlagerstätten die im Grundwasserbereich unter der Oxidationszone von Erzgängen und Lagerstätten gelegene Anreicherungszone edler Metalle.

Zeolithe: Eine Gruppe >Silikate, in deren Kristallgitter Wasser eingebaut ist. Da die Bindung des Wassers und anderer Ionen sehr schwach ist, können diese leicht abgegeben oder ausgetauscht werden, ohne dass sich das Kristallgitter verändert. Dieser Eigenschaft zufolge werden Zeolithe in der Industrie als Ionenaustauscher und Molekularsiebe verwendet. Zeolithe treten hauptsächlich in Hohlräumen basaltischer Gesteine auf.

Zeugenberg: Ein durch >Abtragungsvorgänge isolierter Einzelberg, häufig vor >Schichtstufen.

Zyklus: Die gesetzmäßige Folge geologischer Prozesse, z. B. Kreislauf der Gesteine, geotektonischer Zyklus, magmatischer Zyklus etc.

Index

A

B

C

D

E

F

G

H

I

K

L

M

N

O

P

Q

R

S

T

U

V

W

Z

Literatur

BARTLETT (1993), *In*: JÄTZOLD, R. et.al. (1986): Physische Geographie. Paul List Verlag, München.

BEETZ,W. (1923): Über den Ursprung der Achatgerölle und der Gerölle anderer Quarzmineralien in den Diamantseifen an der Küste Südwestafrikas. Neues Jahrbuch für Mineralogie, Geologie und Paläontologie, Stuttgart, **47**.

BERNING, J. (1986): The Rössing uranium deposit, South West Africa/Namibia. In: Anhaeusser, C.R. and Maske, S (Eds), Mineral deposits of Southern Africa, vol. 2. Geological Society of South Africa, Johannesburg.

BESLER, H.(1970): Geomorphologie der Wüste. Namib und Meer Swakopmund, **1**.

BESLER, H.(1972): Geomorphologie der Dünen. Namib und Meer Swakopmund, **3**.

BESLER, H. (1977): Untersuchungen in der Dünen-Namib (Südwestafrika). Journal of the South West Africa Scientific Society, Windhoek, **31**.

BLÜMEL, W-D., EMMERMANN R. und HÜSER, K. (1979): Der Erongo. Geowissenschaftliche Beschreibung und Deutung eines südwestafrikanischen Vulkankomplexes. Scientific Research in South West Africa, Series of the SWA Scientific Society, Windhoek, **16**.

BRINKMANN, R. (1991): Abriß der Geologie. Ferdinand Enke Verlag, Stuttgart.

CROWELL *In*: JÄTZOLD, R. et.al. (1986): Physische Geographie. Paul List Verlag, München.

DIEHL, M. (1990): Geology, mineralogy, geochemistry and hydrothermal alteration of the Brandberg Alkaline Complex, Namibia. Memoir of the Geological Survey of Namibia, Windhoek, **10**.

EITEL, B. & BLÜMEL W.D. (1997): Pans and dunes in the southwestern Kalahari (Namibia): Geomorphology and evidence for Quarternary paleoclimates. Zeitschrift für Geomorphologie, Neue Folge, Stuttgart, **111**.

ERLANK, A.J. (1984): Petrogenesis of the volcanic rocks of the Karoo Province. Special Publication of the Gological Society of South Africa, Johannesburg, **13**.

ERNST, W.G. (1997): Bausteine der Erde. Ferdinand Enke Verlag, Stuttgart.

GEOLOGICAL SURVEY OF NAMIBIA (1992): The Mineral Resources of Namibia. Ministry of Mines and Energy, Windhoek.

GERMS, G.J.B. (1974): The Nama Group in South West Africa and its relationship to the Pan-African Geosyncline. Journal of Geology, University of Chicago, **82**.

GERMS, G.J.B. (1973): The Neoproterozoic of southwestern Africa, with emphasis on platform stratigraphy and paleontology. Precambrian Research, **73**.

GEVERS, T.W. (1934): The geology of the Windhoek District in South-West-Africa. Transactions of the Geological Society of South Africa, Johannesburg, **37**.

GEVERS, T.W., and FROMMURZE, H.F. (1929): The geology of north-western Damaraland in South-West-Africa. Transactions of the Geological Society of South Africa, Johannesburg, **32**.

GEVERS, T.W., HART, O. and MARTIN, H. (1963): Thermal waters along the Swakop River, South-West-Africa. Transactions of the Geological Society of South Africa, Johannesburg, **66**.

GEVERS, T.W. and VAN DER WESTHUYZEN, J.P. (1931): The occurrences of salt in the Swakopmund area, South-West-Africa. Transactions of the Geological Society of South Africa, Johannesburg, **34**.

GROTZINGER, J.P., BOWRING, S.A., SAYLOR, B.Z. & KAUFMANN, A.J. (1995): Biostratigraphic and geochronological Constraints on Early Animal Evolution. Science, **270**.

GUY, P. (1967): Structural geology of the Auas Mountains, Windhoek District, South West Africa. Annals of the Geological Survey of South Africa, Pretoria.

HEGENBERGER, W.: Geology of the Waterberg Plateau. *In*: SCHNEIDER, I. (1993): Waterberg Plateau Park. Shell Namibia, Windhoek.

HEINE, K. (1985): Late Quarternary development of the Kuiseb River valley and adjacent areas, Central Namib Desert, South West Africa/Namibia, and paleoclimatic implications. Zeitschrift für Gletscherkunde und Glazialgeologie, Innsbruck, **21**.

HEINE, K. (1987): Jungquartäre fluviale Geomorphodynamik in der Namib, Südwestafrika/ Namibia. Zeitschrift für Geomorphologie, Neue Folge, Stuttgart, **66**.

HEINZ, R. (1932): Die Saurierfährten bei Otjihaenamaparero im Hereroland und das Alter des Etjo-Sandsteins in Deutsch-Südwestafrika. Zeitschrift der Deutschen Geologischen Gesellschaft, Berlin und Hannover, **84**.

HODGSON, F.D.I. (1973): Petrography and evolution of the Brandberg intrusion, SWA. Special Publication of the Geological Society of South Africa, Johannesburg, **3**.

HOHL, R. (Hrsg.) (1985): Die Entwicklungsgeschichte der Erde. Interdruck, Leipzig.

HÜSER, K. (1977): Namibrand und Erongo. Zur Geomorphologie zweier südwestafrikanischer Landschaften. Karlsruher geographische Hefte, Karlsruhe, **9**.

HÜSER, K. (1979): Reliefgenese in Südwestafrika als Beispiel für Formungsgeschichte in semiariden Zonen. Zeitschrift für Geomorphologie, Neue Folge, Stuttgart, **33**.

HÜSER, K. (1989): Die Südwestafrikanische Randstufe. Grundsätzliche Probleme ihrer geomorphologischen Entwicklung. Zeitschrift für Geomorphologie, Neue Folge, Stuttgart, **74**.

HÜSER, K. et al. (2001): Namibia. Eine Landschaftskunde in Bildern. Edition Namibia. Klaus Hess Verlag, Göttingen/Windhoek.

JAEGER, F. (1965): Geographische Landschaften Südwestafrikas. South West Africa Scientific Society, Windhoek.

KASCH, K.W. (1983): Continental collision, suture progradation and thermal relaxation: A plate tectonic model for the Damara Orogen in central Namibia. *In:* MILLER, R. McG. (1983): Evolution of the Damara Orogen of South West Africa/Namibia. Special Publication of the Geological Society of South Africa, Johannesburg, **11**.

KAISER, K. (1973): Beiträge zur Geomorphologie der Namib-Küstenwüste. Begleitworte zu einer Skizze ihrer geomorphologischen Landschaftseinheiten. Zeitschrift für Geomorphologie, Neue Folge, Supplement, Leipzig, **17**.

KORN, H. und MARTIN, H. (1937): Die jüngere geologische und klimatische Geschichte Südwestafrikas. Zentralblatt für Mineralogie, Geologie und Paläontologie, Stuttgart, **11**.

KORN, H. and MARTIN, H. (1959): Gravity tectonics in the Naukluft Mountains of South West Africa. Bulletin of the Geological Society of America, Boulder, Colorado, **70**.

KRAMPF, C.B.E. (1998): Beiheft zur Geomorphologischen Satellitenbildkarte 1:250.000 Karas Region, Süd-Namibia. Unveröffentlichte Diplomarbeit, Universität Würzburg.

LANCASTER, N. (1982): Dunes on the Skeleton Coast, Namibia (South West Africa): geomorphology and grain size relationships. Earth Surface Processes and Landforms. Wiley, Chichester, England, **7**.

LOMBAARD, A.F., GÜNZEL, A., INNES, J. and KRÜGER, T.L. (1986): The Tsumeb lead-copper-zinc-silver deposit, South West Africa/ Namibia. In: Anhaeusser, C.R. and Maske, S (Eds), Mineral deposits of Southern Africa, vol. 2. Geological Society of South Africa, Johannesburg.

LUYTEN, W.J. (1929): The Grootfontein meteorite. South African Journal of Science, Cape Town, **26**.

MARKER, M.E. (1977): Aspects of the geomorphology of the Kuiseb River, South West Africa. Madoqua, Windhoek, **10**.

MARTIN, H. (1961): Abriss der geologischen Geschichte Südwestafrikas. Journal of the South West Africa Scientific Socity, Windhoek **15**.

MARTIN, H. (1974): Damara rocks as nappes on the Naukluft Mountains, South West Africa. Bulletin of the Precambrian Research Unit, University of Cape Town, **15**.

MARTIN, H. (1981): Der Grosse Brukkaros. Journal of the South West Africa Scientific Society, Windhoek, **36/37**.

MILLER, R. McG. (1980): Geology of a portion of central Damaraland, South West Africa/Namibia. Memoir of the Geological Survey of South Africa, South West Africa Series, Pretoria, **6**.

MILLER, R. McG. (1983): Evolution of the Damara Orogen of South West Africa/Namibia. Special Publication of the Geological Society of South Africa, Johannesburg, **11**.

MILLER, R. McG. (2008): Geology of Namibia, Vol. 1-3; Geological Survey of Namibia, Windhoek.

MILLER, R. McG., FERNANDES, L.M. & HOFFMANN, K.H. (1990): The Story of Mukarob. Namibia Scientific Society, Windhoek.

MILNER, S.C. (1986): The geological and volcanological features of the quartz latites of the Etendeka Formation. Communications of the Geological Survey South West Africa/Namibia, Windhoek, **2**.

MÜNCH, H.G. (1975): Die Geologie des Naukluft-Deckensystems, Südwestafrika. Neues Jahrbuch für Geologie und Paläontologie, Stuttgart, **11**.

MÜNCH, H.G. (1978): Das Schmiermittel an der Basis der Naukluft-Decke, Südwestafrika. Zeitschrift der Deutschen Geologischen Gesellschaft, Berlin und Hannover, **129**.

NEGENDANK, J. *In*: JÄTZOLD, R. et.al. (1986): Physische Geographie. Paul List Verlag, München.

OLLIER, C.D. (1977A): Outline geological and geomorphologic history of the central Namib Desert. Madoqua, Windhoek, **10**.

PETRASCHECK, W. & Pohl, W. (1992): Lagerstättenlehre. E. Schweizerbartsche Verlagsbuchhandlung, Stuttgart.

PICKFORD, M.H.L. (1995): Review of the Riphean, Vendian and early Cambrian palaeontology of the Otavi and Nama Groups, Namibia. Communications of the Geological Survey of Namibia, Windhoek, **10**.

PORADA, H. (1985): Stratigraphy and facies in the upper Proterocoic Damara orogen, Namibia, based on a geodynamic model. Precambrian Research, Amsterdam, **29**.

PRESS, F. & SIEVER, R. (1982): Earth. W. H. Freemann and Company, New York.

RANGE, P. and SCHREITER, R. (1931): Der Hoba-Meteorit in Südwestafrika. Neues Jahrbuch für Mineralogie, Geologie und Paläontologie, Stuttgart, **11**.

RUST, U. (1985): Die Entstehung der Etoschapfanne im Rahmen der Landschaftsentwicklung des Etoscha Nationalparks (nördliches Südwestafrika/Namibia). Madoqua, Windhoek, **14**.

SAYLOR, B.Z. & GROTZINGER, J.P. (1996): Reconstruction of important Proterocoic-Cambrian boundary exposures through the recognition of thrust deformation in the Nama Group of southern Namibia. Communications of the Geological Survey of Namibia, Windhoek, **11**.

SCHALK, K.E.L. (1983): Geologie der Umgebung von Lüderitz. Newsletter of the South West Africa Scientific Society, Windhoek, **14**.

SCHALK, K.E.L. (1984): Geologische Geschichte des Gamsberggebietes. Journal of the South West Africa Scientific Society, Windhoek, **38**.

SCHEIBE, E.A. (1974): Der Große Brukkaros in Südwestafrika. Journal of the South West Africa Scientific Society, Windhoek, **28**.

SCHMIDT-THOME, P. (1981): Ist der Fischfluss-Canyon in Südwestafrika/Namibia durch eine Grabenstruktur vorgezeichnet? Geologische Rundschau, Stuttgart, **70**.

SCHNEIDER, G. (2004): The Roadside Geology of Namibia. Sammlung geologischer Führer 97, Gebrüder Bornträger, Berlin, Stuttgart.

SEELY, M.K. (1984): The Namib's place among the deserts of the world. South African Journal of Science, Pretoria, **80**.

SETH, B., KRÖNER, A., MEZGER K., NEMCHIN, A.A., PIDGEON, R.T. & OKRUSCH, M. (1998): Archaean to Neoproterozoic magmatic events in the Kaoko belt of NW Namibia and their geodynamic significance. Precambrian Research, **92**.

SMITH, D.G. (Hrsg.) (1992): The Cambridge Encyclopedia of Earth Sciences. Trewin Copplestone Books, London.

SOUTH AFRICAN COMMITTEE for STRATIGRAPHY (SACS) (1980): Stratigraphy of South Africa. Part 1 (Comp. L.E. Kent). Lithostratigraphy of the Republic of South Africa, South West Africa/Namibia, and the Republics of Bophuthatswana, Transkei and Venda. Handbook of the Geological Survey of South Africa, Pretoria, **8**.

STACHEL, T., LORENZ, V. & STANISTREET, I.G. (1994): Gross Brukkaros (Namibia) – an enigmatic crater-fill reinterpreted as due to Crataceous caldera evolution. Bulletin volcanologique, Bruxelles, **56**.

STOLLHOFEN, H. (1999): Karoo Synrift-Sedimentation und ihre tektonische Kontrolle am entstehenden Kontinentalrand Namibias. Zeitschrift der Deutschen Geologischen Gesellschaft, Stuttgart, **149**.

STUART-WILLIAMS, VIV (1992): Overall tectonics, modern Basin Evolution and Groundwater Chemistry of the Ovambo Basin. Kalahari Syposium, Geological Society of Namibia, Windhoek

THOMAS, D.S.G. & SHAW, P.A. (1993): The evolution and characteristics of the Kalahari, Southern Africa. Journal of Arid Environments, **25**.

VAN ZYL, J.A. & SCHEEPERS A.C.T (1992): Quarternary sediments and the depositional environment of the lower Uniab River area, Skeleton Coast, Namibia. South African Geographical Journal, Johannesburg, **95**.

WARD, J.D. (1986): The Tsondab Sandstone Formation – extensive Tertiary desert deposits in the central Namib. Report of the Institute for Coastal Research, University of Port Elisabeth, **12**.

WARD, J.D. (1987): The cenozoic succession in the Kuiseb valley, central Namib desert. Memoir of the Geological Survey of South West Africa/Namibia, Windhoek, **9**.

WATSON, I. and LEMON, R.R. (1985): Geomorphology of a coastal desert: the Namib, South West Africa/Namibia. Journal for Coastal Research, Fort Lauderdale, Florida, **1**.

WEBER, K. (2001): Namibia 2001. Unveröffentlichter Exkursionsführer, Universität Göttingen.

WILHELMY, H. (1994): Geomorphologie in Stichworten. Verlag Ferdinand Hirt.

WOOLEY, A.R. (1985): Der Kosmos-Steinführer. Franck-Kosmos, Stuttgart.

WYLIE, P.J. (1975): *In*: JÄTZOLD, R. et.al. (1986): Physische Geographie. Paul List Verlag, München.

Bildnachweis

Die im Buch abgebildeten Fotos stamen von der Autorin mit Ausnahme folgender Bilder:

Eichhoff, Hans-Jürgen: Kapitel 4, Abb. 4.11
Gondwana Collection: Abb. 2.20
Hess, Klaus A.: Abb. 6.39, 7.9, 8.4
Hirschfeld, Noreen: Umschlagsbild (groß), Kapitel 3, Abb. 3.2
Hoffmann, Karl: Abb. 8.23
Jäschke, Uwe: Kapitel 5, Abb. 8.14
Pfeifer, Werner: Abb. 3.3, 3.6
Weber, Jerry: Abb. 2.15, 6.16, Kapitel 7
Werzmirzowsky, Winfried: Abb. 2.1, 6.22, 6.23, 6.35, 8.14
Zur Strassen, Helmut: Abb. 4.10

Die in den Abb. 5.22, 6.17 und 6.29 dargestellten Quarz- und Turmalin-Kristalle stammen aus der Sammlung von Hans Hartmann, Okahandja, Namibia.

Weitere im Klaus Hess Verlag erschienene Bücher

Neil MacLeod – Nikos G. Petrou

Der Expertenführer ETOSCHA
Den Tieren auf der Spur

20 x 30 cm, Pb, 96 Seiten, 294 Fotos und Karten
ISBN 978-3-933117-86-4, EUR 19,80

Der ultimative Führer für Etoscha und sein reiches Tierleben, auch mit dem Westteil des Etoscha-Nationalparks. Reich an Informationen, die von einem führenden namibischen Safarileiter auf unzähligen Pirschfahrten durch Etoscha gesammelt wurden, maximiert dieses Buch Ihre Chancen Tiere aufzuspüren. Illustriert ist der Führer mit 294 Fotografien eines ausgezeichneten Naturfotografen.

Der Expertenführer Etoscha bietet: Prägnante Fakten über Geschichte, Topografie, Klima und Vegetation des Parks; Informationen über das Wildleben und Hinweise auf die besten Gegenden und Zeiten, um verschiedene Tierarten zu sehen; detaillierte Beschreibungen der 64 für Besucher zugänglichen Wasserstellen; Karten; Vorschläge für Rundfahrten und praktische Tipps zur Planung Ihrer Pirschfahrten; Feldführer für 184 Arten von Säugetieren, Vögeln und Reptilien des Parkes.

Helga Kohl / Amy Schoeman

KOLMANSKUPPE – Einst und Jetzt

23 x 27 cm, geb., 120 S., 61 Farb- und 20 s/w-Abb., eine Karte
ISBN 978-3-933117-17-5, EUR 29,80

Kolmanskuppe, die Geisterstadt in der südlichen Namib etwa 10 km von Lüderitz, ist eines der faszinierendsten Überbleibsel der Vergangenheit Namibias. Einstmals das Zentrum der Diamantenindustrie des Landes, wurde der Ort 1956 endgültig verlassen, weil ertragreichere Diamantenfelder entdeckt worden waren. Den heftigen Winden und eindringenden Sanddünen überlassen, sind die Gebäude dem allmählichen Verfall preisgegeben und teilweise schon zerfallen.

„Kolmanskuppe – Einst und Jetzt" ist durch ein Konvolut klassisch komponierter Fotografien inspiriert worden, die die preisgekrönte namibische Fotografin Helga Kohl (FPPSA) Mitte der 1990er Jahre aufgenommen hat. Die Bilder sind nicht nur eine historisch wertvolle Dokumentation der Zerstörung des Ortes durch Wind und Wetter, sondern lassen auch noch Stil und Großzügigkeit erahnen, in denen die Einwohner von Kolmanskuppe zu den besten Zeiten gelebt haben.

Die Schriftstellerin und Fotografin Amy Schoeman beschreibt Aufstieg und Niedergang von Kolmanskuppe vor dem Hintergrund der Geschichte der Diamantenindustrie im damaligen Südwestafrika, illustriert mit historischen Schwarzweiß-Bildern, von denen einige erstmals publiziert werden.